CB011854

ELOGIOS A ANTHONY WILLIAM

"O suco de aipo está dominando o mundo inteiro. É impressionante o fato de Anthony ter criado esse movimento e restaurado a saúde de incontáveis pessoas pelo mundo afora."

— Sylvester Stallone

"O conhecimento que Anthony tem dos alimentos, de suas vibrações e de como eles interagem com o corpo nunca deixa de me impressionar. Sem nenhum esforço, ele explica, de maneira que qualquer pessoa possa compreender, de que modo nossas escolhas podem ser harmônicas ou desarmônicas. Ele tem um dom. Faça um favor a seu corpo e se trate."

– Pharrell Williams, artista e produtor, ganhador de 12 prêmios Grammy

"Há seis meses que tomo suco de aipo toda manhã e estou me sentindo ótima! Notei uma diferença imensa no meu nível de energia e no meu sistema digestório. Hoje em dia, levo minha *juicer* até nas minhas viagens para não perder meu suco de cada dia!"

— Miranda Kerr, supermodelo internacional, fundadora e CEO da KORA Organics

"Anthony mudou muitas vidas para melhor com os poderes de cura de seu suco de aipo."

— Novak Djokovic, campeão de tênis e número um no *ranking* mundial

"Todos os grandes dons são distribuídos com humildade. Anthony é humilde. E, como todos os remédios que funcionam, os seus são intuitivos, naturais e equilibrados. Essas duas coisas se combinam de maneira poderosa e eficaz."

— John Donovan, CEO da AT&T Communications

"Anthony é uma das fontes em que nossa família confia. O trabalho que ele faz no mundo é uma luz que já conduziu muitas pessoas à segurança. Ele é muito importante para nós."

— Robert De Niro e Grace Hightower De Niro

"Embora seu trabalho tenha, de fato, um elemento de mistério sobrenatural, boa parte do que Anthony William destaca – particularmente no que se refere às doenças autoimunes – parece intrinsecamente correto e verdadeiro. O melhor é que os protocolos que ele recomenda são naturais, acessíveis e fáceis de pôr em prática."

— Gwyneth Paltrow, atriz ganhadora do Oscar, campeã de vendas do *ranking* do *New York Times*, fundadora e CEO da GOOP.com

"Anthony William é realmente dedicado a partilhar seu conhecimento e sua experiência para que a palavra de cura chegue a todos. Sua compaixão e seu desejo de alcançar o maior número possível de pessoas para ajudá-las a se curar são inspiradores e revigorantes. Hoje em dia, em um mundo obcecado pelos remédios vendidos em farmácia, é alentador saber que existem opções alternativas que realmente funcionam e podem abrir uma nova porta para a saúde."

— Liv Tyler, atriz de *Harlots*, da trilogia *O Senhor dos Anéis*, *Empire Records*

"O conhecimento de Anthony sobre os alimentos que consumimos e os efeitos que eles têm em nosso corpo e nosso bem-estar geral mudou minha vida!"

— Jenna Dewan, atriz de *World of Dance* e de *Ela Dança, Eu Danço*

"Anthony é uma pessoa maravilhosa. Identificou em mim alguns problemas de saúde muito antigos e sabia de quais suplementos eu precisava. Imediatamente passei a me sentir melhor."

— Rashida Jones, diretora de *Quincy* e ganhadora do Grammy por esse documentário, produtora e protagonista de *Angie Tribeca* e atriz das séries *Parks and Recreation* e *The Office*

"A ressonância e o empoderamento pessoal são coisas poderosas na nossa vida. De modo supreendente, Anthony William, seus livros e sua chamada ao consumo de suco de aipo provocaram essas duas coisas em mim. O fato de ele enfatizar que nosso corpo é capaz de se curar e voltar a seu estado normal é uma mensagem extremamente necessária. Estou acostumado a procurar soluções rápidas que acabam produzindo mais problemas. A verdadeira nutrição é o melhor remédio, e Anthony nos inspira a alimentar o corpo, a mente e o espírito com os dons da natureza; é uma medicina poderosa, que vem direto da Fonte."

— Karri Walsh Jennings, jogadora de vôlei da equipe americana, ganhadora de três medalhas de ouro e uma medalha de bronze olímpicas

"Anthony é um mágico que cuida de todos os artistas que gravam no meu selo. Se fosse um disco, seria muito superior a *Thriller*. Suas capacidades são profundas, notáveis, extraordinárias e arrebatadoras. Ele é um farol cujos livros estão cheios de profecias. Esse é o futuro da medicina."

— Craig Kallman, presidente e CEO da Atlantic Records

"Consulto constantemente os livros de Anthony William e encontro neles a sabedoria e as receitas de que preciso para recuperar a energia e a boa saúde. Interesso-me pelas qualidades únicas e poderosas de cada um dos alimentos que ele descreve e inspiro-me para pensar em como aperfeiçoar a cada dia o ritual de cozinhar e comer, tendo em vista meu bem-estar."

— Alexis Bledel, ganhadora do Emmy e atriz de *O Conto da Aia*, *Gilmore Girls* e *Quatro Amigas e um jeans Viajante*

"Os livros de Anthony são, ao mesmo tempo, revolucionários e práticos. Quem quer que esteja frustrado com os limites atuais da medicina ocidental deve dedicar tempo e atenção a este livro."

— James Van Der Beek, criador, produtor executivo e ator de *What Would Diplo Do?* e ator de *Pose* e de *Dawson's Creek*; e Kimberly Van Der Beek, palestrante e ativista

"Anthony é um grande homem. Seu conhecimento é fascinante e foi muito útil para mim. O suco de aipo, em si e por si, é capaz de mudar vidas!"

— Calvin Harris, produtor, DJ e artista ganhador do Grammy

"Sou extremamente grata a Anthony. Depois de introduzir em minha rotina diária seu protocolo do suco de aipo, notei uma melhora marcante em todos os aspectos da minha saúde."

— Debra Messing, ganhadora do Emmy e atriz de *Will & Grace*

"Meus familiares e amigos foram alvos do inspirado dom de cura de Anthony, e todos nós nos beneficiamos, mais do que as palavras podem expressar, com o rejuvenescimento de nossa saúde física e mental."

— Scott Bakula, produtor e ator de *NCIS: New Orleans*, ator e ganhador do Globo de Ouro da série *Quantum Leap* e ator de *Star Trek: Enterprise*

"Anthony dedicou sua vida a ajudar os outros a encontrar as respostas de que precisam para viver da maneira mais saudável possível. E o suco de aipo é o modo mais acessível de entrar nesse caminho!"

— Courteney Cox, atriz de *Cougar Town* e *Friends*

"Anthony não é apenas um agente de cura caloroso e compassivo. Também é autêntico e extremamente preciso nas capacidades que Deus lhe deu. Foi uma bênção imensa na minha vida."

— Naomi Campbell, modelo, atriz e ativista

"O imenso conhecimento e a profunda intuição de Anthony desmistificam até os mais complexos problemas de saúde. Ele mostrou um caminho claro para que eu me sinta o melhor possível – suas orientações são indispensáveis para mim."

— Taylor Schilling, atriz de *Orange is the New Black*

"Somos extremamente gratos a Anthony e à apaixonada dedicação com que prega a palavra da cura por meio da alimentação. Anthony tem um dom realmente especial. Suas práticas mudaram por completo nossa perspectiva sobre o alimento e, no fim das contas, sobre nosso estilo de vida. O suco de aipo, em si e por si, transformou completamente o modo como nos sentimos e, a partir de agora, sempre fará parte da nossa rotina matinal."

— Hunter Mahan, golfista hexacampeão da PGA

"Anthony William está mudando e salvando a vida de pessoas pelo mundo afora com seu dom único. Sua dedicação constante e a grande quantidade de informações avançadas que fornece derrubaram os obstáculos que costumam impedir tantas pessoas de acolher verdades desesperadamente necessárias, as quais a ciência e as pesquisas científicas ainda não descobriram. No âmbito pessoal, ele ajudou a mim e a minhas filhas, dando-nos suportes para a saúde que realmente funcionam. Hoje em dia, o suco de aipo faz parte da nossa rotina!"

— Lisa Rinna, atriz de *The Real Housewives of Beverly Hills* e de *Days of Our Lives*, campeã de vendas do *ranking* do *New York Times* e *designer* da Lisa Rinna Collection

"Anthony é uma pessoa realmente generosa, dotado de uma intuição e um conhecimento afiados em matéria de saúde. Vi em primeira mão as transformações que ele provoca na qualidade de vida das pessoas."

— Carla Gugino, atriz de *The Haunting of Hill House*, *Watchmen*, *Entourage* e *Pequenos Espiões*

"Faz algum tempo que venho seguindo Anthony e sempre fico contente (mas não surpresa) com as histórias de sucesso das pessoas que seguem seus protocolos... Faz muitos anos que estou em meu próprio caminho de cura, pulando de médico em médico e de especialista em especialista. Anthony é de verdade. Confio nele e em seu vasto conhecimento sobre como a tireoide funciona e sobre os efeitos dos alimentos em nosso corpo. Já indiquei Anthony a um número incontável de amigos, familiares e seguidores, pois acredito mesmo que ele possui um conhecimento que nenhum médico tem. Eu acredito, estou agora a caminho da cura e é uma honra para mim ter conhecido tanto ele quanto seu trabalho. Todos os endocrinologistas deveriam ler seu livro sobre a tireoide!"

— Marcela Valladolid, *chef*, escritora e apresentadora de televisão

"Já pensou se alguém pudesse simplesmente encostar em você e saber qual é o seu problema? Bem-vindo às mãos curativas de Anthony William – um alquimista dos tempos modernos que, muito provavelmente, tem nas mãos a chave da longevidade. Seus conselhos salvadores irromperam no meu mundo como um furacão de cura, que deixou atrás de si um rastro de amor e luz. Anthony é, sem a menor sombra de dúvida, a nona maravilha do mundo."

— Lisa Gregorisch-Dempsey, produtora executiva sênior da revista *Extra*

"O dom de cura de Anthony William foi dado por Deus e não é nada menos que milagroso."

— David James Elliott, ator de *Impulse*, *Trumbo*, *Mad Men* e *CSI: NY*; estrelou a série *JAG* durante dez anos

"Sou filha de médico e sempre usei a medicina ocidental para tratar até as menores queixas. As ideias de Anthony abriram meus olhos para o poder curativo do alimento e para o modo como uma abordagem mais holística da questão da saúde pode mudar a nossa vida."

— Jenny Mollen, atriz e autora de *I Like You Just the Way I Am*, campeão de vendas no *ranking* do *New York Times*

"Anthony William é um dom para a humanidade. Seu trabalho incrível ajudou milhões de pessoas a se curar de doenças para as quais a medicina convencional não tinha respostas. Sua paixão genuína e sua dedicação a ajudar as pessoas não têm igual, e sou grata por ter podido partilhar uma pequena parte de sua poderosa mensagem em *Heal*."

— Kelly Noonan Gores, roteirista, diretora e produtora do documentário *Heal*

"Anthony William é um daqueles indivíduos raros que usam seus dons para ajudar as pessoas a desenvolverem todo o seu potencial e a se tornarem elas mesmas as maiores defensoras de sua própria saúde... Testemunhei em primeira mão a grandeza de Anthony quando fui a um de seus eletrizantes eventos ao vivo. Comparo a exatidão de suas leituras com o ato de uma cantora alcançar notas extremamente agudas. No entanto, além das notas agudas, foi a alma compassiva de Anthony que cativou o público. Anthony William é uma pessoa que, hoje, tenho o orgulho de chamar de amigo, e posso lhe dizer que a pessoa que fala nos *podcasts* e cujas palavras enchem as páginas de *best-sellers* é a mesma que telefona para uma pessoa amada para lhe dar apoio. Não é teatro! Anthony William é autêntico, e as informações que ele partilha por meio do Espírito não têm preço; são fortalecedoras e extremamente necessárias hoje em dia!"

— Debbie Gibson, atriz, cantora e compositora da Broadway

"Tive o prazer de trabalhar com Anthony William quando ele veio a Los Angeles e partilhou sua história na revista *Extra*. Que entrevista fascinante! Ele deixou o público querendo saber mais... todos iam à loucura! Sua personalidade calorosa e seu coração grande são evidentes. Anthony dedicou sua vida a ajudar as pessoas por meio do conhecimento que recebe do Espírito e partilha todas essas informações em sua série de livros O Médium Médico, os quais mudam a vida dos leitores. Anthony William é *sui generis*!"

— Sharon Levin, produtora sênior da revista *Extra*

"Anthony William tem um dom inestimável! Sempre serei grata a ele por descobrir a causa que estava por trás de diversos problemas de saúde que vinham me incomodando há anos. Com o generoso apoio que ele me dá, vejo melhoras todos os dias. Penso que ele é um recurso fabuloso!"

— Morgan Fairchild, atriz, autora, palestrante

"Depois de falar comigo por três minutos, Anthony identificou com precisão meu problema de saúde! Esse agente de cura sabe do que está falando. As capacidades dos livros da série O Médium Médico são únicas e fascinantes."

— Alejandro Junger, médico, autor campeão de vendas no *ranking* do *New York Times* dos livros *Clean, Clean Eats* e *Clean Gut* e fundador do aclamado Clean Program

"O dom de Anthony o transformou em um conduto para informações que estão anos-luz à frente de onde a ciência está hoje."

— Christiane Northrup, médica e autora campeã de vendas no *ranking* do *New York Times* dos livros *Goddesses Never Age, The Wisdom of Menopause* e *Women's Bodies, Women's Wisdom*

"Depois de ler *Médium Médico e Tireoide Saudável*, ampliei minha abordagem e meus tratamentos das doenças da tireoide e estou vendo o enorme valor que isso tem para os pacientes. Os resultados são compensadores e gratificantes."

— Prudence Hall, médica, fundadora e diretora do The Hall Center

"Como nos comovemos e nos beneficiamos ao descobrir Anthony e ao descobrir o Espírito da Compaixão, que nos alcança com sua sabedoria de cura por meio do gênio sensível e da carinhosa mediunidade de Anthony! Seu livro é verdadeiramente uma 'sabedoria do futuro', de modo que já agora, milagrosamente, temos uma explicação clara e precisa das muitas doenças misteriosas cujo surgimento os textos médicos do budismo já previam para esta nossa era, em que pessoas inteligentes demais para seu próprio bem perturbaram os elementos da vida em sua busca por lucro."

— Robert Thurman, Professor da Cátedra Jey Tsong Khapa de Estudos Budistas Indo-Tibetanos da Universidade Colúmbia; presidente da Tibet House US; autor campeão de vendas dos livros *Love Your Enemies* e *Inner Revolution*; apresentador do Bob Thurman Podcast

"Anthony William é o prendado Médium Médico, que tem soluções reais e nada radicais para as misteriosas doenças que nos afligem no mundo moderno. Estou mais que entusiasmado por conhecê-lo pessoalmente e poder contar com ele como um recurso valioso para meus protocolos de saúde e os de toda a minha família."

— Annabeth Gish, atriz de *Arquivo X, Scandal, The West Wing* e *Mystic Pizza*

"Anthony William dedicou a vida a ajudar as pessoas por meio de informações que realmente fizeram uma diferença substancial na vida de muitas."

— Amanda de Cadenet, fundadora e CEO do The Conversation e do The Girlgaze Project; autora de *It's Messy* e *#girlgaze*

"Adoro Anthony William! Minhas filhas Sophia e Laura me deram um livro dele de aniversário, e não consegui parar de ler. A série O Médium Médico me ajudou a juntar os pontinhos na minha busca pela melhor saúde possível. Por meio da obra de Anthony, percebi que os vírus de Epstein-Barr que sobraram de uma doença de infância estavam sabotando minha saúde anos depois. O Médium Médico mudou minha vida."

— Catherine Bach, atriz de *The Young and the Restless* e de *The Dukes of Hazzard*

"Eu vinha me recuperando lenta e gradativamente de uma crise espinhal traumática que tive anos atrás, mas ainda sentia fraqueza muscular e esgotamento nervoso e estava com excesso de peso. Um amigo querido me ligou uma noite e recomendou vigorosamente que eu lesse o livro *Médium Médico*, de Anthony William. Tantas informações do livro ressoaram em mim que comecei a incorporar algumas ideias e, depois, busquei uma consulta e tive a sorte de conseguir. A leitura foi tão exata que levou meu processo de cura a um nível de saúde mais profundo e mais rico do que eu jamais tinha imaginado. Cheguei a um peso saudável, posso andar de bicicleta e fazer yoga, estou de volta à academia, tenho uma energia constante e durmo profundamente. Toda manhã, ao seguir meus protocolos, sorrio e digo: 'Uau, Anthony William! Obrigado por seu dom de restauração… Sim!'"

— Robert Wisdom, ator de *O Alienista, Flaked, Rosewood, Nashville, A Escuta* e *Ray*

"Neste mundo cheio de confusão, com um ruído constante na área de saúde e bem-estar, confio na profunda autenticidade de Anthony. Seu dom milagroso e verdadeiro chega acima de tudo e alcança um lugar de claridade."

— Patti Stanger, apresentadora de *Million Dollar Matchmaker*

"Confio em Anthony William para manter minha saúde e a de minha família. Mesmo quando os médicos não sabem o que fazer, Anthony sempre sabe qual é o problema e o caminho da cura."

— Chelsea Field, atriz de *NCIS: New Orleans, Secrets and Lies, Without a Trace* e *The Last Boy Scout*

"Anthony William traz à medicina uma dimensão que expande profundamente nosso conhecimento do corpo e de nós mesmos. Seu trabalho faz parte de uma nova fronteira da cura e é feito com compaixão e amor."

— Marianne Williamson, campeã de vendas no *ranking* do *New York Times* e autora dos livros *Healing the Soul of America, The Age of Miracles* e *A Return to Love*

"Anthony William é um guia generoso e compassivo. Dedicou a vida a apoiar as pessoas em seu caminho de cura."

— Gabrielle Bernstein, campeã de vendas no *ranking* do *New York Times* e autora dos livros *The Universe Has Your Back, Judgement Detox* e *Miracles Now*

"Informação que FUNCIONA. É isso que me vem à cabeça quando penso em Anthony William e nas profundas contribuições que ele deu ao mundo. Nada tornou esse fato tão claro para mim quanto o ver trabalhar com uma velha amiga que há anos vinha sofrendo de doenças, confusão mental e fadiga. Ela fora a inúmeros médicos e agentes de cura e se submetera a múltiplos protocolos. Nada havia funcionado – até que Anthony conversou com ela. A partir de então, os resultados foram incríveis. Recomendo enfaticamente seus livros, suas palestras e consultas. Não perca esta oportunidade de cura!"

— Nick Ortner, campeão de vendas no *ranking* do *New York Times* e autor dos livros *The Tapping Solution for Manifesting Your Greatest Self* e *The Tapping Solution*

"O talento esotérico só é um dom completo quando vem acompanhado de integridade moral e amor. Anthony William é uma combinação divina de cura, talento e ética. É um agente de cura de verdade que faz a lição de casa e a partilha em um espírito de serviço ao mundo."

— Danielle LaPorte, campeã de vendas e autora dos livros *White Hot Truth* e *The Desire Map*

"Anthony é um vidente e um sábio do bem-estar. Seu dom é notável. Com sua orientação, fui capaz de identificar e tratar um problema de saúde que me assediava havia anos."

— Kris Carr, campeã de vendas no *ranking* do *New York Times* e autora dos livros *Crazy Sexy Juice, Crazy Sexy Kitchen* e *Crazy Sexy Diet*

"Doze horas depois de receber uma dose maciça de autoconfiança administrada com maestria por Anthony, o zumbido persistente nos ouvidos que eu já tinha havia um ano... começou a melhorar. Estou atônito, grato e feliz pelas ideias que ele me deu sobre como seguir em frente."

— Mike Dooley, campeão de vendas no *ranking* do *New York Times*, autor do livro *Infinite Possibilities* e psicógrafo de *Notes from the Universe*

"Sempre que Anthony William recomenda um modo natural de melhorar a saúde, ele funciona. Vi isso no caso da minha filha, e a melhora foi impressionante. Sua abordagem, de usar ingredientes naturais, é um método de cura mais eficaz."

— Martin D. Shafiroff, consultor financeiro, primeiro colocado no *ranking* "Broker in America" da WealthManagement.com e do *ranking* "Wealth Advisor" da Barron's

"Os preciosos conselhos de Anthony William sobre a prevenção e o combate às doenças estão anos à frente do que se encontra disponível em qualquer outro lugar."

— Richard Sollazzo, médico oncologista, hematologista, nutricionista e geriatra certificado pelo Conselho Regional de Medicina de Nova York e autor de *Balance Your Health*

"Anthony William é o Edgar Cayce da nossa época e lê o corpo com uma precisão e um *insight* extraordinários. Anthony identifica as causas subjacentes de doenças que costumam deixar perplexos até os mais astutos profissionais de saúde convencionais e alternativos. Os conselhos práticos e profundos de Anthony o tornam um dos agentes de cura mais poderosos e eficazes do século XXI."

— Ann Louise Gittleman, campeã de vendas no *ranking* do *New York Times*, autora de mais de 30 livros sobre saúde e cura e criadora da dieta e do plano de desintoxicação Fat Flush

"Como sou empresária em Hollywood, sei reconhecer uma coisa de valor. Alguns dos clientes de Anthony gastaram mais de 1 milhão de dólares buscando resolver sua 'doença misteriosa' até que finalmente o encontraram."

— Nanci Chambers, atriz de *JAG*, produtora de Hollywood e empresária

"Fiz uma leitura de saúde com Anthony, e ele me revelou, com precisão, coisas do meu corpo que só eu conhecia. Esse homem bondoso, doce, engraçado, humilde e generoso – e tão 'sobrenatural' e dotado de um talento tão extraordinário, com uma habilidade que desafia o nosso modo de ver o mundo – surpreendeu até a mim, que sou médium! É o Edgar Cayce da nossa época, e é uma bênção imensa tê-lo conosco. Anthony William prova que somos mais do que imaginamos ser."

— Colette Baron-Reid, campeã de vendas, autora de *Uncharted* e apresentadora do programa de TV *Messages from Spirit*

"Qualquer físico quântico poderá dizer que, no universo, há certas coisas que ainda não entendemos. Acredito que Anthony conhece algumas delas. Ele tem o dom incrível de descobrir intuitivamente os métodos mais eficazes de cura."

— Caroline Leavitt, campeã de vendas no *ranking* do *New York Times* e autora dos livros *The Kids' Family Tree Book, Cruel Beautiful World, Is This Tomorrow* e *Pictures of You*

O MÉDIUM MÉDICO

SUCO DE AIPO

O MÉDIUM MÉDICO

SUCO DE AIPO

A BEBIDA MILAGROSA QUE ATUALMENTE ESTÁ CURANDO
MILHÕES DE PESSOAS NO MUNDO INTEIRO

Anthony William

Tradução
Marcelo Brandão Cipolla

Editora
Cultrix
SÃO PAULO

Título do original: – *Medical Medium – Celery Juice.*

Copyright © 2019 Anthony William.

Publicado originalmente em 2019 por Hay House Inc., USA.

Para sintonizar a transmissão da Hay House acesse www.hauhouseradio.com

Copyright da edição brasileira © 2020 Editora Pensamento-Cultrix Ltda.

1ª edição 2020.

Todos os direitos reservados. Nenhuma parte desta obra pode ser reproduzida ou usada de qualquer forma ou por qualquer meio, eletrônico ou mecânico, inclusive fotocópias, gravações ou sistema de armazenamento em banco de dados, sem permissão por escrito, exceto nos casos de trechos curtos citados em resenhas críticas ou artigos de revistas.

A Editora Cultrix não se responsabiliza por eventuais mudanças ocorridas nos endereços convencionais ou eletrônicos citados neste livro.

Obs.: Este livro não pode ser exportado para o resto do mundo, com exceção de Portugal, Cabo Verde, Guiné, Angola e Maçambique.

O autor deste livro não dispensa conselhos médicos ou outros conselhos profissionais ou prescreve o uso de qualquer técnica como forma de diagnóstico ou tratamento para qualquer condição física, emocional ou médica. A intenção do autor é apenas oferecer informações de natureza geral e informativa que possam fazer parte de sua busca pelo bem-estar emocional e espiritual. O autor e a editora não se responsabilizam pelo uso incorreto das informações contidas neste livro. O leitor deve consultar seu médico, profissional de saúde ou outro profissional antes de adotar qualquer uma das sugestões deste livro.

Editor: Adilson Silva Ramachandra
Gerente editorial: Roseli de S. Ferraz
Preparação de originais: Luciana Soares
Produção editorial: Indiara Faria Kayo
Editoração eletrônica: Join Bureau
Revisão: Claudete Agua de Melo

Design da capa (frente): Vibodha Clark
Desig da capa: Bryn Starr Best
Foto de Anthony William: Matt Houston

© Anthony William todos os direitos reservados.

Dados Internacionais de Catalogação na Publicação (CIP)
(Câmara Brasileira do Livro, SP, Brasil)

William, Anthony
Médium médico: suco de aipo: a bebida milagrosa que atualmente está curando milhões de pessoas no mundo inteiro/ Anthony William; tradução Marcelo Brandão Cipolla. – São Paulo: Cultrix, 2020.

Título original: Medical medium: celery juice
ISBN 978-85-316-1554-2

1. Aipo 2. Autocuidados de saúde 3. Detoxificação (Saúde) 4. Sucos de vegetais I. Título.

19-31388 CDD-613.2

Índices para catálogo sistemático:

1. Suco de aipo: Nutrição: Promoção da saúde 613.2

Cibele Maria Dias – Bibliotecária – CRB-8/9427

Direitos de tradução para o Brasil adquiridos com exclusividade pela
EDITORA PENSAMENTO-CULTRIX LTDA., que se reserva a
propriedade literária desta tradução.
Rua Dr. Mário Vicente, 368 — 04270-000 — São Paulo, SP
Fone: (11) 2066-9000
http://www.editoracultrix.com.br
E-mail: atendimento@editoracultrix.com.br
Foi feito o depósito legal.

Às bilhões de pessoas em todo o mundo que vêm sofrendo de qualquer tipo de problema de saúde: este livro pertence a vocês. É direito de vocês serem ouvidas, serem levadas a sério e terem liberdade para se curar.

— ANTHONY WILLIAM, o Médium Médico

"O suco de aipo é um farol de luz oferecido para nós aqui na Terra, uma resposta para aqueles que perderam a esperança de encontrar respostas."

— Anthony William, o Médium Médico

SUMÁRIO

"O maior especialista na sua saúde é você mesmo, e sua história de cura tem valor. Ela vale mais do que você imagina. Por isso, força. Há alguém, em algum lugar, agora mesmo, esperando ouvir sua história de cura para descobrir esse remédio capaz de mudar vidas."

— Anthony William, o Médium Médico

CAPÍTULO 1

Por Que o Suco de Aipo?

O suco de aipo vem ajudando milhões de pessoas a se curar.

Mesmo? Suco de aipo? Se você ainda não tinha ouvido falar do assunto, ou mesmo que já tenha ouvido, talvez esses pensamentos passem por sua cabeça.

Isso mesmo. Suco de aipo.

Aquele legume que está murchando na minha geladeira?

O próprio. Aquela erva (sim, é uma erva) esquecida, subestimada, subutilizada que você come de vez em quando na salada de atum, em um recheio ou no salpicão de frango é muito mais poderosa do que se imagina – desde que saibamos utilizá-la em nossa vida.

Há décadas venho recomendando o suco de aipo como um elixir de cura sem paralelo. Quer você esteja em busca de alívio para um problema específico de saúde, quer esteja à procura de um tônico secreto que o ajude a recuperar a energia e o brilho, o suco de aipo é uma resposta às suas orações. Durante todo esse tempo, tive o privilégio de vê-lo transformar a vida de muita gente.

Com a publicação de *Médium Médico*, meu primeiro livro de saúde, comecei a partilhar com o mundo a boa-nova do suco de aipo. Falei dele nos três livros que escrevi de lá para cá, pois ele é tão versátil que não perdeu sua aplicabilidade. A comunidade O Médium Médico me surpreendeu ao levar a sério essa informação. Depois de descobrirem, por si mesmos, que o suco de aipo realmente funciona, os membros dessa comunidade, nos quatro cantos do mundo, começaram a divulgar essa mensagem e a partilhar seus testemunhos. Às dezenas de milhares, postaram fotos de antes e depois – mostrando a pele mais limpa, os olhos mais brilhantes, o corpo mais forte, a vitalidade renovada – que o deixariam impressionado. As histórias por trás dessas fotos, algumas das quais falam de como o suco de aipo literalmente salvou a vida dessas pessoas, são ainda mais extraordinárias. Gente que antes vivia com dificuldade e agora encontrou o bem-estar serviu de estímulo para amigos e desconhecidos. Começamos um movimento.

Com toda a atenção que vem sendo dada ao suco de aipo, ele talvez pareça uma tendência que chegou hoje e desaparecerá amanhã. Mas fique tranquilo: ele não é uma moda passageira. Não começou com uma grande injeção de dinheiro, como é costume entre as tendências de saúde. Começou porque as pessoas estão mesmo encontrando a cura. O suco de aipo é ainda mais útil hoje do que era há muitos anos, quando comecei a recomendá-lo. Se você deixar este livro de lado e só tornar a lê-lo daqui a alguns anos, ele ainda conterá a verdade de que você precisa para sua cura. Não será superado por novas teorias dietéticas e nutricionais; o consumo de suco de aipo continuará sendo uma ação crucial que você poderá incorporar à sua vida para melhorar a saúde e aumentar a vitalidade a qualquer tempo. Outras tendências de saúde vêm e vão, porque nunca chegaram a oferecer respostas verdadeiras. Esta é diferente: é verdadeira e duradoura.

AS ORIGENS DO SUCO DE AIPO

A primeira vez que Deus me inspirou a recomendar o suco de aipo foi em 1975, para reduzir a inflamação das costas de uma familiar depois que ela caiu de uma escada. Naquela época, ninguém tinha ouvido falar desse suco. Também me lembro de sugeri-lo em 1977 para ajudar um amigo da família que sofria de um refluxo gástrico severo.

Entre meus 13 e 14 anos de idade, eu trabalhava como estoquista no supermercado local. Ali, fazia consultas para as pessoas que me pediam e as levava ao balcão de hortaliças para pegar aquilo de que elas precisavam para seus sintomas e suas doenças. Meu chefe me perguntou o que mais era necessário para ajudar a todos. Respondi: "Preciso de uma centrífuga". Então, ele comprou uma.

Sempre que a situação de um cliente o exigia – quando alguém tinha artrite, gota, diabetes, problemas gastrointestinais ou outros sintomas e doenças –, eu pegava um maço de aipo do balcão de hortaliças, lavava-o, passava-o pela centrífuga e levava-lhe um copo de suco de aipo puro. Geralmente eu procurava fazer a quantidade mágica, exata, de 480 ml, e pedia aos clientes que bebessem esse remédio fitoterápico ali mesmo, no corredor do supermercado. Quando se tratava de alguém com o estômago sensível, eu pedia que bebesse alguns goles ali, continuasse bebendo aos poucos enquanto terminava as compras e terminasse de beber no carro ou em casa. Meu chefe cobrava apenas o aipo e instruía os caixas a cobrar dos clientes um maço de aipo por suco. Na hora em que saíam da loja, alguns clientes já se sentiam aliviados de seus vários males.

Eu ouvia sempre a mesma pergunta: "Não tem nada para adoçá-lo?". Naquela época, muita gente sequer havia ouvido falar de suco de hortaliças, de modo que o conceito de um suco de hortaliças frescas, sobretudo de aipo, era completamente desconhecido. Aqueles que haviam ouvido falar de suco de hortaliças queriam que eu acrescentasse cenoura, maçã ou beterraba para melhorar o sabor. Eu sempre dizia: "Com isso, o suco perde a utilidade. O acréscimo prejudica o mecanismo de cura, que são os sais aglomerados de sódio". (Logo mais irei falar mais a respeito deles.)

Às vezes os pais davam o suco a seus filhos pequenos. Se a criança estava com tosse, eu fazia um pouco de suco de aipo, e a mãe dava para a criança beber. Os pais confiavam em mim porque viam que aquilo funcionava. O suco de aipo era um remédio tão poderoso que, quando uma criança chorava ou gritava depois de comer doces demais no supermercado, eu levava um pouco de suco para que a mãe o oferecesse à criança, e ela ficava, de repente, calma e feliz. O suco tinha o incrível poder de estabilizar os altos e baixos da glicose no sangue.

Eu ia e vinha constantemente à centrífuga para poder limpá-la e fazer mais suco de aipo. Somando-se a isso o tempo que eu passava dando breves consultas aos clientes, o que aconteceu foi que meu chefe teve de chamar outro funcionário para fazer a tarefa de que eu originalmente fora incumbido: pôr as mercadorias nas prateleiras. Ele era muito generoso. Disse que nunca havia encomendado tanto aipo para a seção de hortaliças em toda a sua vida.

À medida que fui ficando mais velho, comecei a dar palestras em lojas de produtos naturais em diferentes regiões dos Estados Unidos. Em pé diante de um público que variava de 50 a 500 pessoas, eu falava sobre os poderosos benefícios curativos do suco de aipo puro. Isso foi na década de 1990. Pouquíssima gente tinha uma centrífuga em casa; então eu mostrava como fazer suco de aipo em um liquidificador, batendo o aipo picado e, depois, coando-o. Quando alguém não tinha nem centrífuga nem liquidificador, eu dizia para mastigar pedaços de aipo cru e cuspir fora a polpa. Não era a mesma coisa – ninguém consegue mastigar tanto aipo –, mas era algo. Para que o cliente não ficasse com a mandíbula cansada, eu recomendava mastigar porções de aipo ao longo do dia.

Quando eu falava do suco de aipo, via as pessoas se espantarem. Não era um ingrediente muito usado para se fazer suco. Na época, ainda se fazia suco com beterraba, cenoura e maçã, às vezes com um pouco de pepino e, se tivéssemos sorte, um ou outro talo de aipo. Ninguém via sentido em tomar suco de aipo puro. Sequer era gostoso.

Pelo menos os clientes conseguiam aceitar a ideia de que o aipo era saudável, pois já tinham ouvido falar que ele era usado em saladas e sopas. Alguns falavam de um caldo de aipo e cenoura que suas avós faziam. Outros sabiam até que o aipo tinha uma história antiga na medicina – embora se deva observar que, quando ouvimos falar do uso histórico do aipo nas diferentes culturas, as referências geralmente têm por objeto a *raiz* de aipo, que é uma planta totalmente diferente do aipo cujos ramos são comestíveis. Isso mesmo: a raiz de aipo e os talos de aipo vêm de duas plantas diferentes da mesma família. A raiz de aipo, cuja aparência lembra muito a do nabo, não serve para fazer suco, pois o único processo pelo qual é possível obter nutrientes utilizáveis dessa planta é o cozimento. Crua, a raiz de aipo não é fácil de digerir. E, mesmo cozida, ela não nos dá aquilo que o aipo ou seu suco podem dar.

Mesmo levando em conta as diversas ideias que surgiam sobre o aipo em si – e, convenhamos, ninguém pensava muito em aipo naquela época –, a ideia de um *suco* de aipo era completamente nova quando comecei a falar dela. O aipo e o suco de aipo são dois conceitos diferentes, com diferentes significados. O suco de aipo fresco jamais fora usado na medicina, muito menos na dosagem que eu recomendava. Quando alguém usava um maço de aipo para fazer suco, era porque tinha encontrado um no congelador e precisava usá-lo antes que estragasse. Além disso, provavelmente acrescentava ao suco algumas cenouras ou uma maçã.

Assim, quando eu recomendava suco de aipo, me deparava com uma boa dose de ceticismo. A pergunta que eu mais ouvia era: "Aipo, tudo bem, mas... suco?". Todos estavam tão convictos de que o aipo deveria ser usado em talos para mergulhar no molho, no meio de muitos outros ingredientes, que às vezes me parecia quase impossível persuadi-los de que o suco simples de aipo tinha um poder curativo tão grande. Médicos e outros profissionais de saúde descartavam a ideia logo de saída.

Enquanto isso, os resultados que eu via naqueles que me levavam a sério eram marcantes. Eu viajava para cá e para lá e continuava mostrando como fazer suco de aipo, em mercadinhos de produtos naturais, lojas maiores, pequenos auditórios e até nos porões de igrejas, divulgando a mensagem de seu poder curativo para todas e quaisquer doenças, bem como outras informações que partilho nos livros da série O Médium Médico.

Na década de 1990, depois de uma apresentação em que demonstrei como bater aipo no liquidificador e coar a mistura para obter suco e dissertei sobre os poderes dessa bebida, uma jovem de quase 30 anos veio falar comigo.

"Meu problema é o vício", disse-me. "Vício em tudo e em todos. Tenho uma personalidade que cai facilmente em qualquer tipo de dependência."

"Então, quero que você beba 960 ml de suco de aipo uma vez por dia", eu lhe disse.

Um mês depois, voltei à mesma loja de produtos naturais para dar outra palestra. Entre as 80 ou 90 pessoas presentes, a jovem veio de novo falar comigo. "Lembra-se de mim?", perguntou.

"Você tinha problemas de dependência", eu disse. "Como está?"

"Você me curou da dependência", ela respondeu.

"Mesmo?"

"Sim", respondeu a jovem. "Mandou-me beber suco de aipo. Desde quando era menina, eu nunca tinha passado um mês inteiro sem ter problemas. Nunca mais vou parar de bebê-lo."

Ao longo dos anos, descobri que o suco de aipo tem a capacidade especial de cortar os ciclos de dependência. Qualquer que seja o objeto da dependência – alimentos como bolos, bolachas e salgadinhos, comer demais, drogas recreativas, remédios, raiva, tabaco ou qualquer outra coisa –, a pessoa em geral sofre de depressão ou ansiedade antes de cair na dependência propriamente dita. E, mesmo que não estivesse deprimida ou ansiosa, a dependência poderia levá-la a esse estado. O padrão de pensamentos e sentimentos que acabava produzindo certos comportamentos e os comportamentos que produziam certos pensamentos e sentimentos formavam um ciclo no qual o indivíduo poderia se sentir preso para sempre. O suco de aipo cortava esse ciclo e oferecia alívio em relação à dependência, à ansiedade e à depressão de uma vez só, ajudando-o a pôr-se novamente em pé.

Mesmo assim, sempre havia quem duvidasse. Naquelas palestras, as expressões que eu via no rosto das pessoas me diziam: *Aipo? Como é possível? Aipo não serve para nada.* Às vezes, o público ria. (Ainda riem, embora esteja se tornando cada vez mais difícil ridicularizar o suco de aipo à medida que um número cada vez maior de indivíduos publica suas histórias de cura.) Certas pessoas que frequentavam minhas palestras ou vinham ao meu consultório não tinham o menor desejo de deixar de lado o suco de cenoura ou os remédios de laboratório.

Outras, porém, se abriam. Diziam: "Estou doente. Tenho vivido no inferno e mal consegui chegar até aqui hoje. Estou tão mal que quase não consigo ficar em pé à sua frente". Uma coisa não mudou em todos estes anos: quando alguém está mal, chega a experimentar coisas que de outro modo jamais experimentaria.

"O que você já experimentou em matéria de remédios?", eu perguntava.

"Tudo. Nada funcionou. Estou disposto a tentar qualquer coisa."

Era então que eu sugeria o suco de aipo.

"Pois é isso mesmo que vou tomar", respondiam essas almas corajosas. "Embora não pareça que vá funcionar e embora eu provavelmente não vá gostar do sabor, vou fazer uma tentativa."

O desejo humano de se curar é tão forte que derrubamos qualquer obstáculo na busca por opções de cura que escapam aos sistemas de crença da medicina convencional e até da medicina alternativa. Para aqueles que chegaram a usar o suco de aipo, os benefícios foram enormes. Os que seguiram as diretrizes que você encontrará neste livro e perseveraram nelas, incorporando à sua vida cotidiana o consumo de 480 ml de suco de aipo de estômago vazio, viram-se quase atônitos diante do que lhes aconteceu. Começaram, por fim, a recuperar a saúde e a sentir um bem-estar maior do que jamais haviam julgado possível. O suco de aipo continuou sendo um remédio secreto recomendado por mim ano após ano. No final da década de 1990, eu já vira o suco de aipo ajudar milhares de pessoas. Não havia nenhum sintoma, nenhuma doença e nenhum transtorno que não melhorasse com o consumo de suco de aipo. Ele nunca decepcionava.

À medida que os anos se passaram, continuei recomendando o suco de aipo. Ao mesmo tempo, a comunidade O Médium Médico estava se construindo. As centrífugas e os estabelecimentos dedicados a vender sucos se tornaram mais populares, de modo que o suco de aipo se tornou mais acessível. Entre a época em que comecei a recomendar o suco de aipo, ainda na infância, e o momento em que comecei a publicar livros, em 2015, ofereci orientações de saúde a centenas de milhares de pessoas e vi o suco de aipo atuar como o aspecto principal e fundamental da cura de muita gente.

Com a série de livros O Médium Médico, uma nova onda de membros entrou na comunidade. O suco de aipo sempre tinha sido uma verdade que eu fora capaz de comunicar a todos. Por isso – por ser tão versátil e essencial –, falei dele em todos os livros que publiquei. Com os avanços da tecnologia, à medida que os leitores o experimentavam e se beneficiavam, eram capazes também de postar suas histórias e fazer contato entre si para se ajudarem e inspirarem mutuamente. Com um número cada vez maior de pessoas experimentando o suco de aipo e falando a respeito, o movimento cresceu.

De repente, uma grande quantidade de gente passou a procurar as lojas de suco pelo mundo a fora e pedir suco de aipo. Quem trabalhava nessas lojas não entendia o que estava acontecendo. "Suco de aipo, sem nada?" Embora todos estivessem acostumados a fazer os mais diversos tipos de suco todo dia, havia muitos anos, nunca tinham ouvido falar de nada parecido e não entendiam por que alguém poderia pedir tal coisa. O aipo começou a se esgotar de mercadinhos e quitandas à medida que quem faziam o suco em casa começou a estocar a hortaliça. Os distribuidores de hortaliças também se viram perplexos diante do aumento súbito da demanda. Como o suco de aipo continuava fazendo bem às pessoas, a demanda continuou aumentando.

Hoje em dia, o suco de aipo finalmente se tornou um conceito comum, e isso por um único motivo: ele funciona. Está nos menus das lojas de suco e vem sendo mencionado em inúmeros artigos. Por mais alentador que seja o fato de um número cada vez maior de pessoas estar se beneficiando dele, o excesso de atenção dado ao suco de aipo veio acompanhado por algumas informações errôneas. Para quem busca orientação, tornou-se mais difícil determinar no que deve crer acerca do suco de aipo e quais conselhos deve seguir. Com este livro, meu objetivo é proporcionar um manual muito claro sobre o suco de aipo, escrito com base em sua fonte original: um manual que responda ao maior número possível de perguntas e fale como nunca antes sobre os benefícios curativos do suco de aipo, de modo que você possa proceder com certeza e lucidez.

REPENSE O AIPO

Antes de falarmos dos incríveis benefícios do suco de aipo – bem como de orientações essenciais para que ele funcione para você –, precisamos falar um pouco sobre o aipo em si. Sua reputação não é das mais emocionantes. É claro que o consideramos útil: um interessante veículo para pasta de amendoim com passas, um ingrediente crocante na maionese, um sabor interessante em caldos, guarnição para frango frito ou para um coquetel de suco de tomate. Todos nós já ouvimos falar que as modelos comem aipo para controlar o peso. Nós o consideramos vagamente saudável, sobretudo pelo fato de não ter muitas calorias; ou nutritivo, em especial se estivemos entre os sortudos que tomaram o caldo de aipo da vovó. No entanto, se você fizesse parte de uma equipe especial designada para localizar um remédio cura-tudo, o mais provável é que estivesse procurando nas selvas do planeta. O aipo sequer passaria pela sua cabeça, embora seja uma das maiores respostas que o planeta tem a nos oferecer.

Compreendo que seja difícil acreditar que o suco de aipo seja tão benéfico quanto de fato é. Esse humilde maço verde diante do qual passamos tantas vezes na quitanda? Aquele que nunca conseguimos terminar, mesmo quando o compramos, porque só usamos um ou dois talos por vez? Como é possível que *isso* seja um superalimento que ninguém descobriu até agora? A verdade é que é um alimento *milagroso* que ninguém descobriu ainda. Se você optar por continuar vendo o aipo como um modesto coadjuvante culinário – caso se negue a ver o que o aipo realmente é e tudo o que ele pode fazer por você –, mesmo assim ele poderá ajudá-lo. O problema é que você logo poderá desistir de consumi-lo. E como ele poderá ajudá-lo se você não o experimentar de verdade? Se quiser desconsiderar o aipo, por considerá-lo muito humilde, saiba que estará desconsiderando seu próprio processo de cura. Caso o veja apenas como aquele ingrediente da salada de atum, estará perdendo uma oportunidade crítica.

Se quisermos nos conectar com o porquê de valer a pena experimentar o suco de aipo mais que uma ou duas vezes, precisaremos ver o próprio aipo sob uma nova luz. Precisaremos conhecer sua real potência e saber que ele tem a capacidade de nos ajudar a galgar um novo nível de saúde. Quando olhamos o aipo sem o devido respeito, isso se traduz em um desrespeito ao nosso próprio processo de cura; isso não é justo para com você mesmo. Fomos ensinados a ter respeito por nós mesmos e pelos outros – o respeito faz parte da vida neste mundo. O maior respeito que podemos demonstrar tem por objeto essa erva milagrosa e poderosíssima, pois fazer isso é o mesmo que dizer: "Quero me curar!". É o mesmo que dizer: "Quero que meus entes queridos melhorem de saúde!".

Para quem se considera saudável, é mais fácil reagir com ceticismo ou cautela quando se fala do suco de aipo. Se é esse o seu caso e se você sente que não precisa do suco de aipo na sua vida, respeite, ao menos, as histórias de quem se curou com o seu consumo. Pense nas pessoas que sofriam e cuja vida foi literalmente salva pelo suco de aipo. Procure não cair na ideia-padrão de que se trata de um simples suco. Procure pensar nos doentes crônicos que recuperaram a saúde graças ao suco de aipo ou nas experiências de quem devolveu a saúde a seus filhos, familiares e amigos. Pense, por exemplo, naqueles que usaram o suco de aipo como um dos principais instrumentos para reverter horríveis doenças de pele, terríveis enxaquecas ou a fadiga horrenda que os impedia de viver plenamente. Mantenha o coração aberto para aqueles que usam o suco de aipo para se curar.

Ninguém tem certeza de que jamais ficará doente ou desenvolverá, algum dia, um sintoma. Quando chegamos a este mundo, já havia toxinas e patógenos em nosso organismo e, diariamente, estamos expostos a novas toxinas e novos patógenos. Mesmo com todo o pensamento positivo e todos os nossos esforços para sermos as melhores pessoas possíveis e atrair para nós aquilo que é bom, nem sempre podemos controlar os vários obstáculos em nosso caminho pela vida. Às vezes pisamos em um buraco, tropeçamos e caímos. Quando isso acontece, o suco de aipo é um dos nossos grandes aliados para a recuperação. Lembre-se de que ele está ali, esperando para ajudá-lo no futuro, caso algo venha a acontecer com sua saúde. Ou use o suco de aipo para garantir que nada de mal vá acontecer. Se você não está ativamente doente, isso não significa que tudo vai bem. O melhor talvez seja não esperar até chegar a um estado crítico, daqui a alguns anos, para só então reconhecer o valor do suco de aipo. A essa altura, você terá de progredir muito mais. O suco de aipo está disponível para você aqui e agora como um elemento de prevenção, um meio importante de preservação da sua saúde física e mental e de proteção de você mesmo. Se você o adotar hoje e perseverar em seu uso diário, acrescentará a sua vida um tempo precioso, e cada momento extra é valioso. O suco de aipo é um dos melhores instrumentos para ajudá-lo a se tornar a pessoa mais forte e maravilhosa que você pode ser. Dê-lhe uma oportunidade; ele dará certo para você como nada nem ninguém jamais deu.

Esse vegetal majestoso que pode levar sua cura a um grau antes inimaginável não foi descoberto nas profundezas da Amazônia. Já está aqui, bem à sua frente. O aipo é um milagre que está sentado pacientemente nas prateleiras das quitandas e dos mercados à espera do dia em que encontrará um lugar ao sol e poderá fazer tudo o que sempre deveria ter feito. Tudo de que ele precisa é ser visto, passado sozinho pela centrífuga e consumido de estômago vazio. (E sempre se lembre disto: quando falamos de suco de aipo, falamos do suco puro, sem nenhum acréscimo ou diminuição, consumido de estômago vazio. Quando terminar de ler este livro, você será um especialista no assunto e saberá o porquê.) Agora, por fim, o suco de aipo pode ser apreciado segundo a grandeza do seu real poder de ajudá-lo a seguir em frente na vida e prosperar.

COMO ESTE LIVRO FUNCIONA

Este livro foi concebido para acender a fogueira do movimento global do suco de aipo e, ao mesmo tempo, apagar a fogueira dos sintomas e doenças crônicos. Está aqui para ser um instrumento prático, poderoso e fundamental para as bilhões de pessoas que sofrem de problemas crônicos de saúde no planeta. É isso mesmo: bilhões. E não estamos falando de apenas metade da população da Terra. Quase três quartos dessa população está às voltas com pelo menos um sintoma ou uma doença persistente, e o quarto restante acabará desenvolvendo sintomas e doenças se continuarmos nessa trajetória. Sem uma intervenção, logo todos os habitantes do planeta estarão sofrendo de um problema crônico de saúde. O suco de aipo pretende ser essa intervenção – um primeiro passo acessível que pode ser dado rumo à melhora da própria saúde. Este livro está aqui para lhe dar respostas sobre todas as perguntas que você pode fazer sobre suco de aipo, de modo que você possa usá-lo para reverter suas próprias doenças crônicas, impedir amigos e familiares de desenvolver essas doenças e oferecer aos entes queridos a oportunidades de revertê-las.

Para começar, no próximo capítulo vamos falar dos benefícios do suco de aipo.

Você vai descobrir por que ele é tão valioso. Lerá sobre os sais aglomerados de sódio que combatem patógenos, as enzimas digestivas que aliviam o intestino, os hormônios vegetais que equilibram as glândulas endócrinas, a vitamina C que promove a imunidade e muito mais. A descoberta de tudo o que o suco de aipo tem a oferecer lhe dará mais incentivo para perseverar em seu consumo. O entendimento daquilo de que o corpo precisa e de como ele vai se curar ativará ainda mais o processo de cura.

Se você apresenta um sintoma, uma doença ou outra queixa de saúde, terá particular interesse pelo Capítulo 3, "Alívio para seus Sintomas e suas Doenças". Descubra as verdadeiras causas de dezenas de problemas de saúde e descubra, ao mesmo tempo, como o suco de aipo ajuda a resolver cada um deles. Como eu sempre digo, resolver o mistério daquilo que vem atrasando sua vida pode ajudar você a seguir em frente.

É no Capítulo 4, "Como Fazer o Suco de Aipo dar Certo para Você", que estão instruções sobre como fazer o suco, quanto beber (com orientações para crianças também) e quando beber. Tomar goles esparsos de suco de aipo, por exemplo, pode até fazer algum bem, mas dificilmente terá um efeito notável em sua saúde. O corpo da maioria das pessoas está a tal ponto sobrecarregado que doses pequenas e esporádicas não serão suficientes. Precisamos de orientações precisas sobre os momentos e as quantidades, e é isso que esse capítulo oferece. E isso é só o começo. Há muitas outras indicações e respostas embutidas no Capítulo 4, por exemplo: como encaixar o suco de aipo em sua rotina de exercícios ou de suplementação, conselhos sobre a melhor centrífuga, se gestantes e lactantes podem ou não beber suco de aipo, por que é preciso separar o aipo de suas fibras para destravar sua potência e por que é tão importante tomar o suco de estômago vazio. Esse capítulo é tão importante que acho que você tornará a consultá-lo de tempos em tempos.

Depois, no Capítulo 5, chegamos à limpeza do suco de aipo. Se você está em busca de uma estrutura simples que lhe permita manter o consumo do suco de aipo, a implementação das etapas diárias delineadas nesse capítulo permitirá que o suco de aipo funcione ainda melhor para você. Essa limpeza é baseada na Manhã de Resgate do Fígado descrita em meu livro anterior, *Fígado Saudável* da série O Médium Médico. Se você já tiver implementado esse protocolo, o apresentado aqui lhe parecerá muito natural.

O Capítulo 6, "Respostas a Perguntas sobre Cura e Desintoxicação", fala de algumas questões sobre quanto tempo o suco de aipo leva para ter efeito e sobre como afeta o corpo quando está funcionando. Há várias concepções errôneas nessa área, e é importante que você saiba interpretar as respostas do seu corpo ao suco de aipo

– especialmente porque, quando certas pessoas experimentam o suco de aipo pela primeira vez, podem apresentar reações de cura à medida que o suco mata germes e limpa o organismo. Isso pode lhes deixar com um gosto estranho na boca, por exemplo, com mal cheiro no corpo ou mais vontade de urinar. Quando isso acontece, elas ainda estão progredindo. A mesma coisa pode ser dita de quem não apresenta essas reações de cura. Esse capítulo está aqui para ajudar você a compreender seu próprio processo de cura e oferecer-lhe apoio ao longo de todo ele.

No Capítulo 7, "Rumores, Preocupações e Mitos", vamos falar do que o título indica. O movimento do suco de aipo tem certa pureza e integridade – a popularidade do suco só aumentou porque pessoas constataram que ele fazia bem e decidiram, em sua generosidade, espalhar a boa-nova. Sua popularidade decolou por causa dos seus resultados. Isso significa que quem é afiliado a tendências que se apoiam no poder do dinheiro pode ver o suco de aipo como uma ameaça, ao passo que quem aborda a vida com ceticismo desconfia do zum-zum-zum. Por causa disso, surgiram dúvidas e informações errôneas sobre o suco de aipo. Esse capítulo está aqui para tratar diretamente dessas questões. Quer você esteja tentando tranquilizar sua mente, quer queira se preparar para responder às perguntas que lhe farão sobre o suco de aipo, as respostas estão aqui.

Sejam quais forem as tendências dietéticas que você siga – *low-carb*, dieta com alto teor de gordura, alto teor de proteína, vegana, vegetariana, cetogênica ou paleolítica – ou as modalidades de cura em que acredita – ayurvédica, chinesa, convencional, alternativa, funcional –, o suco de aipo funciona em todos esses casos e deve fazer parte da sua vida. Se você continuar usando-o por bastante tempo, oferecerá ainda mais resultados. Então, se você quiser levar sua cura a um novo nível, encontrará mais ideias no Capítulo 8, "Mais Orientações para a Cura". O suco de aipo é um incrível farol de luz que pode abrir o caminho da recuperação; com todas as modas e tendências que existem por aí, nenhum outro remédio poderá lhe dar resultados que atingem a raiz do problema com tanto poder ou tanta rapidez quanto o suco de aipo. Em si e por si, ele pode dar resultados pela primeira vez para alguém que esteja doente há dez, quinze ou vinte anos. Ao mesmo tempo, ele é o único instrumento fundamental que o estabilizará e o colocará no caminho da cura. Há muito mais orientações reais e eficazes para a cura vindas da mesma fonte da qual proveio o suco de aipo. À medida que o suco de aipo vem atraindo cada vez mais atenção, aumenta a confusão ao seu redor. As outras orientações de cura de que você precisa para melhorar – a orientação verdadeira, não as teorias ou tendências – muitas vezes acabam se perdendo, à medida que certas plataformas pretendem se apresentar como donas ou introdutoras do suco de aipo. Isso é um desserviço à mãe, ao pai, ao estudante universitário, ao profissional ou ao avô que acabou de receber um diagnóstico e precisa saber o que de fato será capaz de ajudá-lo a melhorar. Se você quer progredir constantemente até se recuperar por completo, vai precisar de mais informações, além do suco de aipo, para apoiar sua cura: informações provindas da mesma fonte de onde veio o suco de aipo. O Capítulo 8 está aqui para orientar você. É imperativo saber que o movimento do suco de aipo nasceu desta fonte. Assim, você saberá que é aqui que vai encontrar as demais informações sobre cura que poderão apoiar o consumo do suco de aipo e cooperar com ele.

Entendo que nem sempre é possível obter aipo e suco de aipo. Às vezes uma colheita inteira é perdida em razão de uma tempestade; às vezes estamos viajando sem uma centrífuga e não dispomos de nenhuma fonte de suco de aipo. O Capítulo 9 fala das alternativas ao suco de aipo para os momentos difíceis. Várias opções são mencionadas para que você possa se manter durante algum tempo até que recupere o acesso ao suco de aipo.

Por fim, você talvez esteja se perguntando quais são os dados que provam que o suco de aipo é um remédio tão eficaz. No Capítulo 10, "Um Movimento de Cura", você entenderá de onde tiro minhas informações. Poderá também conhecer algo sobre milhões de outras pessoas pelo mundo afora que estão bebendo suco de aipo e melhorando. Pergunte-lhes o que elas têm a dizer, leia as histórias já publicadas ou experimente você o mesmo que elas. Encontrará provas convincentes da potência do suco de aipo.

A ABORDAGEM VENCEDORA

O suco de aipo é para nós, qualquer que seja a nossa situação na vida. As escolhas alimentares dos indivíduos vão mudando e eles mudam constantemente de dieta à medida que vão passando por diversos protocolos e regimes da moda, os quais levam o nome de marcas de comida, ou acabam se estabelecendo em rotinas que não seguem regra alguma. Seja qual for a sua situação alimentar, você pode incorporar o suco de aipo à sua dieta. Esta é sempre a abordagem vencedora, pois é uma resposta real de cura que não se liga a nenhum sistema de crenças.

O que vejo em quem introduziu o suco de aipo em sua vida, mais que uma melhora física, é a luz mais forte que se projeta de seu interior. Lembre-se de que o suco de aipo, em si e por si, é um farol de luz oferecido para nós aqui na Terra, uma resposta para aqueles que perderam a esperança de encontrar respostas. Se o suco de aipo é novidade para você, seja bem-vindo. Se você é daqueles cuja luz já brilhou e que já disseminaram a boa-nova do suco de aipo, muito obrigado. Cada leitor, quer seja um novato em matéria de suco de aipo, quer já seja seu maior defensor, é um membro essencial deste movimento de cura.

No livro *Life-Changing Foods*, quando escrevi "eu poderia falar sem parar sobre os benefícios do suco de aipo para todos os tipos de males. É um dos maiores tônicos de cura de todos os tempos", eu estava falando sério. Aqui estamos. Com este livro, recheado de novas informações sobre o suco de aipo e respostas a dezenas de perguntas, espero estar homenageando cada um de vocês.

CAPÍTULO 2

Benefícios do Suco de Aipo

O aipo é um território inexplorado. Não foi suficientemente estudado. Não há pesquisas o bastante sobre o que o consumo regular de aipo pode fazer por nós a fim de revelar todos os seus benefícios. Por isso, ninguém sabe que ele é uma verdadeira usina de nutrição.

Isso é o aipo em si. Mas se o aipo já não é suficientemente estudado, é fácil concluir que o *suco* de aipo – que até há pouco tempo sequer se sabia que existia – também não recebeu a atenção científica que merecia. As pesquisas tendem a confundir o aipo com seu suco, como se fossem a mesma coisa. Nos raros estudos já feitos sobre o aipo, o raciocínio é que isso é o bastante para indicar os componentes nutricionais do suco de aipo fresco. Isso, porém, está longe da verdade. O suco de aipo é um extrato herbáceo em um nível superior ao do aipo simples. Merece ser estudado separadamente, para que suas propriedades curativas únicas possam ser testemunhadas e documentadas.

No momento em que escrevo estas linhas, o mundo ainda está à espera de um estudo rigoroso, submetido a revisão colegiada, sobre os efeitos de se beber 480 ml de suco de aipo fresco, de estômago vazio, todos os dias. Quando os cientistas finalmente aceitarem esse desafio, a concepção do estudo será muito importante. Se os pesquisadores procurarem fazer um estudo duplo-cego, serão tentados a disfarçar o sabor ou a cor do suco de aipo, de modo que nem os participantes saibam o que estão bebendo, nem os pesquisadores saibam o que estão lhes dando – e esses aditivos comprometerão a pureza e, logo, a potência do suco. Poderão, em uma outra hipótese, tentar contornar esse problema administrando uma pílula de extrato de aipo. Uma tal pílula tampouco oferecerá o mesmo que 480 ml de suco de aipo fresco.

Se forem publicados estudos que lancem dúvidas sobre a eficácia do suco de aipo, preste cuidadosa atenção à sua metodologia. Somente os padrões mais respeitosos e rigorosos devem ser aceitos.

Todas as pesquisas sobre aipo de que já ouvimos falar põem em foco os talos desse vegetal, suas folhas, suas sementes ou aipo em pó reconstituído na forma de líquido. Nada disso faz por nós o mesmo que o aipo passado pela centrífuga. Além disso, esses estudos não enfocam a reversão de doenças em seres humanos. Alguns giram em torno da preservação de carnes e, depois, são tirados de seu contexto e apresentados para fazer com que nos preocupemos com nitratos e nitritos. (Para se tranquilizar, consulte o Capítulo 7: "Rumores, Preocupações e Mitos".) Os estudos que têm alguma relação com a saúde foram feitos, em sua maioria, com roedores. E lembre-se, mais uma vez, que o fato de um talo de aipo estar sendo examinado em um laboratório não significa que o suco de aipo esteja sendo estudado. Eles não são a mesma coisa; pelo contrário, são coisas muitíssimo diferentes. Embora talvez seja difícil engolir (por assim dizer) essa verdade, eles são, sim, muito diversos. O ato de mascar alguns talos de aipo não nos dá a mesma quantidade de nutrientes nem destrava a potência que o suco nos permite acessar.

A medicina e a ciência alcançarão, um dia, os milhões de pessoas que encontraram a cura no suco de aipo – aquelas que descobriram mais energia e resistência do que jamais tiveram, reverteram doenças crônicas e agudas e se tornaram de novo donas de suas vidas. Um dia, descobrirão que o suco de aipo não é uma moda nem uma aberração. Descobrirão que ele é – objetivamente – a substância curativa do nosso tempo.

Até chegarem a essa descoberta, provavelmente tentarão provocar medo, ventilando a ideia de que há algo errado com o suco de aipo. Às vezes, nosso mundo caminha um pouco para trás. Sempre temos de nos lembrar que, por mais digna que seja a atividade científica, ela não existe em um plano superior ao dos seres humanos. A ciência é uma atividade humana, e não o processo totalmente independente e imparcial que às vezes idealizamos. Os cientistas sofrem pressões imensas. Para conduzir seus estudos, os laboratórios precisam de dinheiro, e este nem sempre é fornecido pelas fontes mais honestas e imparciais. Os financiamentos e os interesses em jogo podem afetar os resultados ou a interpretação destes. (Falaremos mais sobre isso no Capítulo 10, "Um Movimento de Cura".)

Pelo fato de o suco de aipo ser uma coisa tão simples, não ser fácil de produzir em escala e não ser tremendamente lucrativo, além de afetar a situação dos produtos de saúde fabricados visando ao lucro, o mais provável é que algum grupo de interesse logo venha a financiar um estudo que afirme haver encontrado um problema qualquer no suco de aipo. O objetivo é tentar desmontar o movimento. Esses setores da economia não gostam de métodos independentes que consigam reverter doenças de modo efetivo – entenda-se a palavra *independentes*, aqui, como métodos que não estejam amarrados a uma patente e estejam desvinculados do sistema monetário. O suco de aipo não pode ser transformado em pílulas, posto dentro de frascos e mantido fora do alcance das pessoas a menos que elas paguem uma grande soma de dinheiro. Não que isso sirva para deter essa gente. Ainda há muitos que tentam capitalizar em cima do aipo e do suco de aipo sem compreender o que essas coisas estão fazendo por quem sofre de doenças crônicas – pessoas que merecem finalmente encontrar uma resposta que possa lhes dar esperança e cura.

No fim, todos reconhecerão a verdade. Constatarão que, mesmo com todo o ruído, o suco de aipo – real, puro e fresco, livre de quaisquer tentativas de conservação ou alteração – continua funcionando. Constatarão que seus medos não tinham fundamento e que o suco de aipo é, e sempre será, um remédio milagroso.

E constatarão que há razões específicas pelas quais o suco de aipo colabora com nossa cura: os componentes importantes do suco que são responsáveis por esse movimento mundial de cura. Você logo perceberá que muitos nutricionistas e planejadores de dietas dizem que a razão pela qual o aipo faz bem é que ele é rico em vitaminas A e K. Isso é verdade: ele de fato contém essas vitaminas, e outras – e a mesma coisa vale para praticamente qualquer outra hortaliça ou erva; no entanto, as pessoas não vêm se recuperando milagrosamente por causa desses outros alimentos. As estatísticas nutricionais não são suficientes para nos dizer o motivo exato pelo qual esse remédio herbáceo está mudando a vida de tanta gente, e é por isso que os céticos continuam tão confusos. Há aspectos do poder do suco de aipo que ninguém conhece ainda. Estamos aqui para explorar esses benefícios não descobertos.

SAIS AGLOMERADOS DE SÓDIO

Vamos falar bastante sobre o sódio neste livro, em especial sobre os *sais aglomerados de sódio*. Se você não tem tido boa relação com o sódio e essa palavra o deixa nervoso, garanto-lhe que o sódio do suco de aipo é benéfico. Mesmo que você tenha adotado uma dieta de baixo teor de sódio, ainda assim pode tomar suco de aipo. Não é a mesma coisa que comer um alimento com sal de mesa – ainda que sejam sais mais saudáveis, como o sal de rocha do Himalaia ou o sal do Mar Celta. Embora seu corpo não seja amigo do acréscimo de sal comum à comida, ele aceita o sódio do suco de aipo.

O suco de aipo está do seu lado. Na verdade, ele elimina os sais tóxicos cristalizados que estão há anos dentro dos seus órgãos. Se você fizer um exame de sangue enquanto estiver tomando suco de aipo, pode ser que o índice de sódio se mostre elevado. O que o exame está detectando, no entanto, são esses sais antigos e tóxicos que o suco de aipo está pondo para correr para fora do seu corpo. Além disso, o mais provável é que você continue ingerindo sal comum, de modo que o exame está acusando a presença desse sal em seu organismo. O hemograma não é sensível o suficiente para detectar essas diferenças.

Um exame de sangue talvez detecte algum sódio cuja origem seja o suco de aipo, mas será o que chamo de *macrossódio*, uma forma comum de sódio vegetal que é totalmente saudável e necessário. Aliás, ele é tão benéfico e promove a tal ponto o equilíbrio que não causa elevações bruscas da taxa de sódio no sangue – o que significa que, se o exame detectar sódio elevado, a causa não será o suco de aipo. Um índice elevado de sódio não será, do mesmo modo, causado pelos sais aglomerados de sódio presentes no suco. O exame de sangue não é sensível o bastante para detectar esses sais aglomerados de sódio; não é feito para detectá-lo, pois trata-se de um subgrupo do sódio que ainda não foi descoberto pela pesquisa científica.

Ou seja, o macrossódio benéfico do suco de aipo só estabiliza o sangue, ele não produz as taxas elevadas de sódio nos exames. Mas repito que pode demorar algum tempo para que as taxas estabilizadas apareçam ou pode ser que elas apareçam e depois desapareçam. Isso porque: (1) é muito fácil ingerir sal demais, pois ele está presente em quase todos os alimentos, e isso é captado pelo exame; e (2) de vez em quando o suco de aipo estará limpando bolsões de sais antigos e tóxicos do fundo dos órgãos, o que pode desestabilizar as interpretações dos exames de sangue.

As estruturas complexas de sódio benéfico do suco de aipo se elevam sobre os demais tipos e têm empregos e responsabilidades diferentes. Trata-se de uma marca e um modelo de sódio que nada têm a ver com o sódio comum. É um dos componentes essenciais dos neurotransmissores – ou melhor, é a principal substância química responsável pela neurotransmissão. É isso que faz do suco de aipo a bebida eletrolítica mais poderosa do planeta. Nada pode superá-la ou mesmo igualar-se a ela.

Vamos falar mais sobre o subgrupo não descoberto de sódio que está presente no suco de aipo, ao qual dou o nome de *sais aglomerados de sódio*. A justaposição das palavras "sal" e "sódio" pode parecer redundante, mas ela comunica que se trata de sais minerais que se aglomeram ao redor do macrossódio no suco de aipo. Ou seja, os sais aglomerados de sódio são um grupo de compostos que agem independentemente e rodeiam, no aipo, o elemento que chamamos de sódio. Dispõem-se em uma forma estruturada, quase como nosso sistema solar. Também há oligoelementos nesses aglomerados vivos e móveis. Alguns oligoelementos se ligam aos próprios sais aglomerados de sódio; outros simplesmente flutuam dentro dos aglomerados.

Dentro desses aglomerados há informações de que precisamos. Isso é raro. Os vegetais, em sua maioria, só pensam em si mesmos. (Será que se parecem um pouco com os seres humanos, às vezes?) As informações que contêm visam, em sua maior parte, a sustentá-los no *habitat* em que vivem, acessar nutrientes, sobreviver. O aipo é diferente. Parte de suas informações são direcionadas a nós ou a outros animais que o consumam. Os sais aglomerados de sódio não existem ali como mecanismo de defesa ou para manter a saúde do aipo à medida que ele cresce; não estão ali para manter a planta viva. Estão ali para nós. Os sais aglomerados de sódio contêm informações para o nosso bem-estar, informações que são ativadas quando eles entram em nosso corpo. São informações da própria planta – da própria erva – e informações obtidas do sol enquanto ela crescia. São informações sobre o seu propósito e sobre como ela pode ajudar a criatura que a consome, informações sobre a tarefa complexa de prolongar nosso período de vida. Mesmo que o aipo seja cultivado em um solo pobre, ele sempre possuirá seus sais aglomerados.

Nem todos os sais são iguais. Embora seja fácil acreditar que o sódio é sódio quer esteja no oceano, em uma hortaliça, no solo, em uma rocha ou em um lago salgado, isso não é verdade. Se o examinasse corretamente em um laboratório químico, um técnico descobriria os vários sais contidos no sódio do suco de aipo. Esse técnico constataria que os sais se aglomeram em torno uns dos outros, atuando de maneira unificada – e isso não acontece com o sódio em nenhuma outra erva, hortaliça ou mineral. Nem mesmo o sal dos oceanos se comporta da mesma maneira que o dessa humilde erva.

Os sais aglomerados de sódio no suco de aipo são capazes de neutralizar toxinas enquanto percorrem a corrente sanguínea e os órgãos. Isso significa que, quando os sais aglomerados tocam as substâncias problemáticas, eles as desarmam, tornando-as mais amigas e aceitáveis e menos tóxicas para o organismo, de modo que não façam mal a nossas células e aos nossos tecidos humanos.

Os metais pesados tóxicos são uma toxina que os sais aglomerados de sódio do suco de aipo combatem especificamente. Os metais pesados têm uma carga destrutiva e ativa que os leva a fazer mal às células do fígado, às células do cérebro e a outras células do corpo. Os sais aglomerados desarmam essa carga, tornando-os inativos e menos agressivos. Desarmam de modo específico metais pesados tóxicos como o cobre, o mercúrio e o alumínio.

Os sais aglomerados de sódio também combatem bactérias e vírus indesejados. (Ao longo de todo o próximo capítulo, você vai ler muito mais sobre essa capacidade.) Germes complicados, como o estreptococo, não conseguem desenvolver resistência aos sais aglomerados, como desenvolvem aos antibióticos produzidos pela indústria farmacêutica. Por isso, os sais continuam funcionando enquanto você toma suco de aipo ao longo do tempo. Os sais minerais do suco de aipo são capazes de eliminar os excessos de bactérias, fungos e vírus à medida que passam pelos intestinos delgado e grosso e mesmo depois que são absorvidos pela corrente sanguínea e levados ao fígado pela veia porta hepática. Constituem, assim, um antisséptico incrível, melhorando todo o sistema imunológico do corpo.

Esses sais minerais também ajudam o fígado a produzir bile. Isso ocorre, em parte, porque os sais aglomerados entram na bile para torná-la mais forte, e, em parte, porque o suco de aipo rejuvenesce o fígado como um todo, permitindo que ele funcione do modo certo e produza bile com mais eficiência. Esse é um dos motivos pelos quais o suco de aipo é tão extraordinariamente bom para o fígado.

Recapitulando: o sódio do suco de aipo fica em suspensão em uma água-viva dentro do aipo. Dentro dessa água-viva há sais aglomerados de sódio estreitamente ligados a ele. Assim, os sais aglomerados rodeiam e suspendem o sódio, sendo eles próprios, também, variedades de sódio. As diferentes formas de sódio tornam-se uma só, mas também são separadas. É assim que o suco de aipo se estrutura. A medicina e a ciência ainda não identificaram esses fenômenos, pois ainda não procuraram investigar nada além da afirmação de que "o aipo contém sal". As coisas não são tão simples, nem de longe. Ao analisarem essa substância superficialmente, ela terá a aparência do sal. Se a analisassem um pouco mais, seriam capazes de separar e identificar as diferentes variedades de sódio dentro do suco de aipo. Então, a medicina e a ciência estariam um pouco mais próximas de determinar tudo o que esses sais aglomerados de sódio fazem pela nossa saúde.

Em vez de esperar décadas para ter essas respostas da medicina, você pode tê-las em mãos desde já. Você irá descobrir muita coisa sobre os benefícios surpreendentes e potentes dos sais aglomerados de sódio ao longo de todo este livro, particularmente no próximo capítulo: "Alívio para seus Sintomas e suas Doenças".

OS MICRO-OLIGOELEMENTOS COFATORES

Há pouco, mencionei os oligoelementos que fazem parte dos sais aglomerados de sódio. Para dar-lhes um nome mais específico, vou chamá-los de *micro-oligoelementos cofatores*. Esses oligoelementos não descobertos, alguns dos quais se ligam aos sais aglomerados enquanto outros flutuam livremente dentro dos compostos químicos vivos, são altamente benéficos para a digestão. Isso acontece, em parte, porque ajudam a restaurar uma dimensão do ácido clorídrico cuja falta a medicina e a ciência ainda não perceberam. Exato: o ácido clorídrico do estômago é, na verdade, uma mistura complexa de sete ácidos, e o suco de aipo ajuda a recuperar esses ácidos quando sua quantidade diminui. E o faz da seguinte maneira: os micro-oligoelementos cofatores rejuvenescem os tecidos das glândulas estomacais, entrando nelas, alimentando suas células e proporcionando-lhes, assim, uma nova energia para poderem alcançar seu funcionamento ótimo. (A qualidade das células de nossas glândulas estomacais depende da qualidade dos minerais que as compõem.) As glândulas estomacais, por sua vez, são capazes de produzir a mistura de sete ácidos em sua formulação mais potente. Assim, o suco gástrico é capaz de matar os germes não produtivos que estão no estômago, no duodeno e no intestino delgado. Não se deve confundir esse fenômeno com a capacidade dos próprios sais aglomerados de sódio de matar patógenos. Os sais aglomerados de sódio viajam diretamente pelo trato intestinal e, nesse caminho, vão desarmando vírus e bactérias. Os micro-oligoelementos cofatores ajudam o estômago a criar um ácido clorídrico de melhor qualidade para se defender. É isso que dá mais potência ao suco gástrico, para que ele possa matar as bactérias improdutivas que vivem no intestino.

As diferentes partes do corpo têm seus próprios sistemas imunológicos. Os micro-oligoelementos cofatores do suco de aipo também as ajudam. Eles podem, por exemplo, fortalecer o sistema imunológico personalizado do fígado, emprestando força a seus linfócitos (glóbulos brancos do sangue) para combater invasores como o estreptococo. O fígado também usa os oligoelementos do suco de aipo para criar uma arma química que ataca diretamente os germes improdutivos, como o estreptococo – em uma atuação ofensiva e não somente defensiva.

ELETRÓLITOS

O que torna os eletrólitos tão importantes? Nosso corpo funciona à base de eletricidade. O eletrólito permite que a eletricidade corra e transmita informações de célula em célula por todo o nosso corpo. Os eletrólitos ajudam as células a receber oxigênio e proporcionam-lhes os meios de que precisam para tirar a toxicidade dos venenos e eliminá-los. Fazem parte da comunicação de célula para célula que existe em todas as funções do corpo: ajudam você a pensar *preciso ir ao banheiro*, por exemplo, e depois o ajudam a ir até lá.

Quando ouvimos falar de uma bebida que contém eletrólitos, isso não significa necessariamente que eles estejam presentes em sua forma completa, ativa e viva. Muitas vezes são eletrólitos parciais, oligoelementos separados ou minerais. São os elementos de que os eletrólitos se compõem. O suco de aipo contém eletrólitos completos e vivos: sais aglomerados de sódio em sua forma completa e perfeita. É isso que faz do suco de aipo a maior e melhor fonte de eletrólitos.

As substâncias químicas neurotransmissoras que atuam em nosso cérebro são feitas de eletrólitos. É preciso que os eletrólitos completos do suco de aipo entrem no corpo para restaurar plenamente essas substâncias, devolvendo a vida a neurotransmissores desidratados, disfuncionais e praticamente não existentes. (O neurotransmissor é como uma colmeia vazia. As substâncias químicas são como as abelhas que dão vida à colmeia.) As outras fontes restauram as substâncias neurotransmissoras por acaso – fragmentos de eletrólitos parciais passam por ali e vão sendo acumulados aos poucos. Um pouquinho de potássio deste alimento, um pouquinho de magnésio daquela bebida, um pouquinho de sódio deste sal marinho. Esses elementos acabam espalhados pelo corpo e, embora o corpo esteja sempre tentando utilizá-los, nós ficamos, em geral, com deficiência eletrolítica. São os eletrólitos completos do suco de aipo que realmente dão vida à nossa circulação sanguínea e aos órgãos à medida que vão sendo levados pelo sangue. Nenhum outro alimento, nenhuma outra erva ou bebida pode fornecer de uma só vez todos os eletrólitos ativados necessários para formar uma substância neurotransmissora completa; só o suco de aipo faz isso. E os eletrólitos completos do suco de aipo dão aos neurotransmissores a melhor revitalização possível dentro do cérebro. Quando um eletrólito do suco de aipo faz contato com um neurônio e penetra em seu sistema elétrico, é ativado por um impulso elétrico e atua como um interruptor sendo ligado. Isso nos oferece um alívio sem paralelo. Não são somente eletrólitos completos, mas, mais ainda, substâncias neurotransmissoras completas que se apossam do nosso organismo e o restauram, para que nossos neurotransmissores possam voltar a funcionar e para que cheguemos à nossa melhor forma. Pelo fato de os eletrólitos do suco de aipo conterem todo o necessário, o corpo não tem de trabalhar para ajuntar minerais na esperança de conseguir se sustentar. Recebe o pacote completo e pronto de uma só vez.

HORMÔNIOS VEGETAIS

O suco de aipo contém um hormônio vegetal específico, não descoberto, que alimenta e reabastece todas – sem exceção – as glândulas do sistema endócrino, entre as quais o pâncreas, o hipotálamo, a glândula pituitária, a glândula pineal, a tireoide e as glândulas adrenais. Esse é um dos motivos pelos quais o suco de aipo põe o corpo em equilíbrio de maneira quase milagrosa e é uma das principais causas de as pessoas se curarem e se recuperarem tomando suco de aipo.

É também uma das razões pelas quais o suco de aipo é como um botão mágico de cura para quem sofre de um transtorno autoimune: todos que têm uma doença autoimune ou outra doença viral enfrenta desafios no campo endócrino. Juntos, os sais aglomerados de sódio e o hormônio vegetal do suco de aipo atuam como uma sequência de socos que atingem a doença autoimune. De um lado, os sais aglomerados combatem a atividade dos patógenos responsáveis pelas doenças autoimunes; de outro, o hormônio vegetal do suco de aipo ajuda as glândulas endócrinas (como a tireoide), na medida em que entra nelas e as fortalece e estabiliza. Quando uma glândula está levemente hipoativa, a lenta infusão do hormônio – pois o suco de aipo é tomado todos os dias – vai equipando a glândula com uma dosagem suficiente para começar a retomar o equilíbrio. Quando uma glândula está hiperativa, as infusões regulares ajudam a acalmá-la. Esse hormônio vegetal também é muito útil para as irregularidades endócrinas de leves a severas de que todo mundo sofre, e não somente quem tem doenças autoimunes. De adrenais enfraquecidas até uma tireoide hipoativa, os problemas endócrinos são extremamente comuns, e o hormônio vegetal do suco de aipo os resolve.

A verdade é que o suco de aipo contém um grande número de hormônios vegetais que ainda não foram estudados nem classificados pela medicina e pela ciência. Só um hormônio vegetal específico oferece esses benefícios endócrinos, embora alguns outros ofereçam também benefícios ao corpo humano. Outro hormônio vegetal benéfico do suco de aipo fortalece o sistema reprodutivo nos seres humanos – tanto homens quanto mulheres. Esse hormônio vegetal ajuda a regular e equilibrar a produção dos hormônios reprodutivos e estimula o sistema reprodutivo em geral. Não é esse o caso de outras plantas do reino vegetal, cujos hormônios atendem somente às necessidades e aos processos de crescimento daquela planta. Embora alguns hormônios do aipo visem à própria planta, ele também contém hormônios vegetais que servem de remédio para nós. Esse é um aspecto que dá ao aipo uma eficácia maior que a de todas as outras ervas e hortaliças para estabilizar o organismo de quem está doente ou está sofrendo. O aipo é único e nos oferece o mais potente remédio fitoterápico existente.

Muitos remédios fitoterápicos não podem ser consumidos em grande quantidade. Esse é outro motivo pelo qual o suco de aipo é um grande dom e é capaz de mudar a vida das pessoas: podemos bebê-lo em grande quantidade com segurança e, com isso, receber uma dosagem maior dos medicamentos nele contidos. (No capítulo seguinte falaremos mais sobre por que o suco de aipo é apropriado.) Décadas se passarão antes que a ciência financie as pesquisas necessárias para descobrir os hormônios vegetais medicinais do aipo – e, depois disso, para estudar o bem que eles podem fazer ao corpo humano. No entanto, você já sabe disso e pode utilizá-los desde já.

ENZIMAS DIGESTIVAS

As enzimas digestivas do suco de aipo não são do tipo que decompõe o alimento no estômago. Sua função é muito mais surpreendente e única. Elas são como pequenas cápsulas ativadas pela mudança de pH quando entram no intestino delgado. Nenhum outro alimento tem enzimas que funcionam exatamente dessa maneira.

Não é preciso que o suco de aipo tenha uma tonelada de enzimas para que elas tenham forte impacto na digestão, pois elas têm uma qualidade infecciosa positiva. A enzima do suco de aipo é como um comediante que sobe ao palco e conta uma piada que faz todos rirem. Ou seja, uma única enzima do suco de aipo é capaz de reativar, reviver e reacender múltiplas enzimas digestivas enfraquecidas fornecidas por outras fontes e que estejam desocupadas no intestino delgado.

Algumas dessas outras enzimas vêm dos alimentos. Muitas vêm do pâncreas e muitas enzimas desconhecidas vêm do fígado. A produção desse terceiro tipo de enzima digestiva é uma função química não descoberta do fígado; ela não deve ser confundida com as "enzimas hepáticas" que aparecem nos exames de sangue. As enzimas digestivas de que estou falando são produzidas pelo fígado e liberadas no intestino delgado por meio da bile. São completamente diferentes das enzimas pancreáticas; para descobrir as enzimas digestivas do fígado, o pesquisador precisaria saber o que está procurando, e esse tipo de investigação não é uma prioridade para a medicina e a ciência neste momento. Nas décadas por vir, entretanto, a medicina e a ciência descobrirão que essas enzimas digestivas existem dentro da bile que vem do fígado.

Quando o fígado está sobrecarregado e enfraquecido – e é esse o caso do fígado da maioria das pessoas –, suas enzimas digestivas não são tão fortes quanto deveriam ser e, por isso, não podem prestar o devido auxílio a funções como a digestão e a dispersão das gorduras. As enzimas do suco de aipo tornam a estimular essas enzimas enfraquecidas para que elas possam cumprir sua função. Além disso, as enzimas do suco de aipo tornam a estimular as enzimas dos alimentos que se alojaram no intestino delgado; e o próprio suco de aipo dá vida nova ao fígado, ou seja, o ato de consumi-lo leva o fígado a produzir enzimas digestivas mais fortes. E mais: as enzimas do suco de aipo ajudam a fortalecer o pâncreas e ativam as enzimas pancreáticas. Mas não é só isso: as próprias enzimas do suco de aipo tem um imenso poder quando se trata de decompor, digerir e assimilar certos nutrientes que não são decompostos nem pela bile nem pelo ácido clorídrico, pois o processo de digestão é altamente complexo. Juntando isso temos um belo pacote, não? Mas temos ainda mais.

Lembre-se de que a ciência e a medicina ainda não sabem tudo o que acontece com o alimento quando ele entra no estômago. Elas têm certas teorias, mas não têm todas as respostas. Quando falamos das enzimas digestivas do suco de aipo que desempenham essas funções, não estamos falando de um único tipo de enzima. Estamos falando de três variedades. Como a ciência ainda não as descobriu, vou, por diversão, chamá-las de Primavera, Verão e Outono. Quando forem descobertas, os cientistas poderão renomeá-las, rotulando-as com os números 374, 921 e 813, por exemplo.

Independentemente de qualquer coisa, essas três enzimas não descobertas existem no suco de aipo. Como você acaba de ver, preservam a vida das enzimas digestivas cansadas, enfraquecidas e hipoativas vindas de outras fontes. Também são parcialmente responsáveis pela redução do ácido e do muco improdutivos que se acumulam no trato intestinal. A maior parte das pessoas tem a seção superior do intestino delgado cheia de muco e ácido tóxicos, e essas enzimas são essenciais para difundir, reduzir e equilibrar o ácido ao mesmo tempo que corroem, reduzem e dissolvem o muco, empurrando-o para fora do trato intestinal. Uma vez eliminado o muco, os sais aglomerados de sódio do suco de aipo têm muito mais acesso aos micróbios e podem, assim, destruir germes como os estreptococos (responsável pelo supercrescimento bacteriano no intestino delgado), outras bactérias improdutivas e vírus no intestino delgado. (Sei que algumas fontes creem haver também parasitas no intestino. Se você realmente tivesse um parasita, você saberia – estaria tão doente que teria de ir ao hospital. Se mesmo assim acredita que é um parasita que está por trás do seu problema de intestino, as enzimas do suco de aipo também cuidariam disso.)

O suco de aipo contém mais de vinte tipos de enzima, a maioria das quais ainda não foi descoberta. Todas estão envolvidas na decomposição de resíduos dentro do trato intestinal. São as três enzimas especiais – as quais chamamos de Primavera, Verão e Outono – que atuam especificamente no intestino delgado, desempenhando por trás do pano muitas funções do suco de aipo que são responsáveis por fazer com que nos sintamos tão melhor. Dependendo do local de cultivo do aipo, da sua variedade e de ele receber uma quantidade maior ou menos de água e nutrientes da terra, a planta pode ter um volume maior dessas três enzimas digestivas, o que significa que você pode obter, em certos casos, benefícios ainda mais potentes. Uma safra de aipo pode ter também quantidade extra de uma ou duas dessas enzimas. Tudo isso varia, mas todos os aipos, independentemente de qualquer coisa, sempre têm as três enzimas especiais.

ANTIOXIDANTES

Uma das funções dos antioxidantes no suco de aipo é eliminar os depósitos de gordura acumulados ao redor dos depósitos tóxicos de metais pesados no seu corpo. Dois dos lugares mais comuns onde esses metais pesados costumam se acumular são o cérebro e o fígado. Os depósitos de gordura se ligam aos depósitos de metais pesados como se fossem ventosas e, quando os dois tipos de depósito se tocam, os metais se oxidam. Os metais pesados tóxicos possuem uma carga destrutiva, e esse é um dos motivos pelos quais eles reagem de maneira tão agressiva aos depósitos de gordura e a outros metais pesados tóxicos, criando oxidação nesse processo. Estamos falando, essencialmente, de metais que enferrujam dentro do corpo, produzindo resíduos corrosivos que danificam os tecidos próximos. Os depósitos de gordura, que têm alto poder de absorção, absorvem esses resíduos tóxicos, que são extremamente lipossolúveis. Em consequência disso, o depósito de gordura se torna altamente tóxico e pode, então, servir de combustível para o vírus de Epstein-Barr (EBV), o vírus do herpes-zóster, o vírus do herpes humano 6 (VHH-6) ou qualquer outro tipo de patógeno que possa chegar ao cérebro e causar mil sintomas e doenças, algumas das quais são diagnosticadas como doenças autoimunes.

Os metais pesados e a oxidação por metais pesados são as principais causas – ainda não descobertas – de confusão mental (névoa mental), perda de memória, depressão, ansiedade, transtorno bipolar, transtorno de déficit de atenção e hiperatividade (TDAH) e autismo, além dos processos severos de deterioração mental e física, como o mal de Alzheimer, a esclerose lateral amiotrófica e a doença de Parkinson. Os antioxidantes do suco de aipo ajudam a impedir a oxidação dos metais, pois removem os depósitos de gordura do entorno imediato dos depósitos de metais pesados e revestem os próprios metais a fim de impedir que oxidem. Os sais aglomerados de sódio ligados aos antioxidantes do suco de aipo desarmam as cargas destrutivas dos metais pesados, tornando-os muito menos agressivos. Com a carga destrutiva neutralizada, os antioxidantes especiais do suco de aipo ganham muito mais eficácia na tarefa de impedir a oxidação. Esse é mais um dos poderes únicos e desconhecidos do suco de aipo, que lhe permitem ajudar a pôr fim a sintomas, transtornos e doenças.

VITAMINA C

Quando você pensa na vitamina C, que é um antioxidante específico, é pouco provável que a relacione com o aipo. A pequena quantidade de vitamina C que essa hortaliça contém não é significativa, certo? Errado. A vitamina C do aipo é mais notável que a do tomate, é mais notável que a do brócolis, até mesmo que a da laranja. Isso se deve ao fato de a variedade especial de vitamina C do aipo não precisar sofrer metilação no fígado para que o corpo possa aproveitá-la. Isso significa que a vitamina C do suco de aipo pode impulsionar o sistema imunológico como nenhuma outra vitamina C: tudo isso em razão de sua forma já metilada e biodisponível.

A maioria dos que sofrem de qualquer tipo de sintoma, doença ou enfermidade está às voltas com um fígado doente, preguiçoso, estagnado e cheio de toxinas e patógenos: vírus, bactérias, metais pesados tóxicos, pesticidas, herbicidas, o DDT de antigamente e até traços de radiação, entre outros. Isso sem mencionar que, inadvertidamente, nos expomos cotidianamente a uma dieta de alto teor de gorduras – saudáveis ou não saudáveis. Em geral, a metilação dos nutrientes ocorre dentro do fígado; a medicina e a ciência não sabem em que medida o fígado é responsável por esse processo de conversão, pelo qual as vitaminas e os minerais se tornam aproveitáveis pelo resto do corpo. Quando se soma a isso a sobrecarga e o comprometimento do fígado de tanta gente, o que temos é uma epidemia de problemas de metilação. Ou seja, embora a vitamina C que recebemos de outros alimentos seja útil, o fígado terá de processá-la – mais uma tarefa em sua infindável lista de tarefas, e uma tarefa que ele não conseguirá desempenhar com excelência.

No caso da vitamina C do suco de aipo, o fígado não precisa processá-la, conformá-la, convertê-la e submetê-la à metilação para que ela se torne útil e aproveitável pelo corpo. Ela é pré-metilada na máxima extensão possível. Embora a vitamina C de outras frutas e hortaliças seja importante, a vitamina C do suco de aipo é única por isso. E esse é um dos motivos pelos quais o suco de aipo pode desencadear o seu processo de cura.

Essa vitamina C também tem uma relação especial com os sais aglomerados de sódio do suco de aipo. Pelo fato de os sais aglomerados terem a capacidade de envolver os outros nutrientes do suco de aipo e ajudarem a distribuí-los pelo corpo, são capazes de se ligar à vitamina C e deslocar-se com ela até os locais onde o sistema imunológico mais precisa dessas duas substâncias.

No que se refere à vitamina C do suco de aipo, quanto mais, melhor. A dose de vitamina do aipo, que parece pequena, na verdade é muito maior do que você imagina. Basta se conscientizar de que está bebendo o suco de todo um maço de aipo. A vitamina C pré-metilada de todo um maço, concentrada em 480 ml de suco bebidos de estômago vazio, dá um impulso instantâneo ao sistema imunológico.

Quem sofre de doenças autoimunes – ou seja, que têm altas cargas virais ou bacterianas – tende a encontrar mais dificuldade para se desintoxicar, pois seu fígado encontra-se sobrecarregado e estagnado, de modo que o sangue permanece sempre cheio de toxinas, em especial de detritos virais. Um sangue saturado de neurotoxinas, dermatotoxinas e outros dejetos virais pode produzir diagnósticos que vão desde a esclerose múltipla até a doença de Lyme. (Isso não ocorre, porém, porque os médicos e os laboratórios sabem que os exames estão detectando subprodutos virais e que essas doenças têm, na verdade, origem viral; os exames só detectam marcadores de inflamação não identificados.) Nesses casos de saturação viral, em geral o corpo tem dificuldade para processar a vitamina C em grandes quantidades. A vitamina C do suco de aipo, entretanto, é diferente: é suave e biodisponível e exige menos do organismo que sofre de qualquer tipo de comprometimento. Também tem facilidade para sair do corpo; quando sai, a vitamina C do suco de aipo nos ajuda, pois se liga a dejetos virais e os conduzem para fora por meio dos rins e até mesmo da pele. Ou seja, a vitamina C do suco de aipo ajuda a eliminar os detritos virais que de outra maneira fariam com que a doença autoimune se tornasse cada vez pior. A vitamina C do suco de aipo é a resposta e o antídoto para quem se vê às voltas com sintomas e doenças causados por vírus.

FATOR PROBIÓTICO

Outros alimentos probióticos matam de fome as bactérias improdutivas, prejudicando a capacidade delas de se alimentar pelo menos por certo tempo. Com isso, colônias de bactérias benéficas podem se multiplicar. Já o fator probiótico do suco de aipo trabalha em um nível que os demais probióticos não alcançam. Além de matar de fome as bactérias improdutivas, ele as decompõe, enfraquece e destrói ativamente.

O suco de aipo também rouba as fontes de alimento desses germes que vivem no intestino. A sobrevivência das colônias de bactérias improdutivas depende, em parte, de pequenos depósitos de alimento apodrecido no trato digestório. Esses bolsões são como a ração que elas comem quando a vida fica difícil. O suco de aipo é como uma granada atirada nesses bolsões: decompõe e dispersa antigos acúmulos de gorduras e proteínas desidratadas. Quaisquer bactérias que sobrevivam aos efeitos iniciais do suco de aipo, que as mata de fome, acabam depois perdendo suas fontes de alimento. Esse é o poder purificador dos sais aglomerados de sódio.

Isso é algo que nenhuma outra erva, fruta e hortaliça ou nenhum outro probiótico é capaz de fazer: o suco de aipo aproveita as bactérias decompostas e mortas e as transforma em alimento para as bactérias produtivas do intestino. À medida que as bactérias ruins se saturam de sais aglomerados de sódio, podem ser devoradas pelas bactérias boas. O motivo pelo qual isso acontece é que os sais aglomerados de sódio do suco de aipo desinfetam as bactérias improdutivas, retirando os venenos delas depois de as destruir. As células bacterianas se tornam carcaças vazias e saborosas que as bactérias boas podem consumir a fim de prosperar.

ÁGUA HIDROBIOATIVA

Você ouvirá algumas fontes dizerem que o suco de aipo é quase todo feito de água. Perde-se, assim, um dos entendimentos mais essenciais acerca dessa humilde erva e do que ela pode fazer por nosso corpo. É verdade: o suco de aipo é feito de uma substância que poderíamos facilmente chamar de água. No entanto, não é a água que usaríamos para encher uma piscina ou um aquário. Não é a água que sai de uma mangueira ou da torneira ou que cai do céu na forma de chuva. Não há nenhum rio na terra em que corra a água contida no suco de aipo. Essa simplesmente não é a água que estamos acostumados a conceber. O suco de aipo é uma bebida que vive e respira. A água do suco de aipo contém a vida de um modo todo especial. É uma agua *hidrobioativa.*

O suco de aipo e a água comum são tão diferentes que não devem ser misturados. É por isso que não aconselho que o suco de aipo seja diluído em água ou que se lhe acrescentem cubos de gelo. A água comum torna inúteis os benefícios do suco de aipo. É também por isso que não aconselho que o aipo ou o suco de aipo sejam desidratados e depois reconstituídos com água. O que assim se recria não é um copo de suco de aipo, pois a água comum não é viva. O líquido do aipo recém-espremido sustenta a vida em geral – e, logo, sustenta a sua vida em particular. Dizer que se trata de simples água é tirar o poder do suco de aipo. É como dizer à sua filha que o trabalho que ela preparou para a escola não é especial, que é igual a qualquer outro trabalho. Você jamais diria isso. O trabalho dela é totalmente diferente dos outros trabalhos da classe. É especial.

É por isso que, ao ouvirmos rumores de que beber um copo de água é a mesmíssima coisa que beber um copo de suco de aipo, não precisamos deixar que isso nos inspire dúvidas. O suco de aipo é um líquido curativo, um tônico estruturado e repleto da vida, da história, da energia e dos nutrientes da planta. Não devemos insultar o suco de aipo, como se o aipo não fizesse nada para transformar a água que absorveu quando estava crescendo. Não devemos nos preocupar com a possibilidade de que o suco de aipo seja simples água com alguns nutrientes dissolvidos.

Um copo de suco de aipo vem saturado de informação, de inteligência, de grandes quantidades de oligoelementos e sais aglomerados de sódio. Mas isso não é tudo. A água hidrobioativa do suco de aipo é organizada de tal modo que seus nutrientes vivificantes e compostos fitoquímicos ficam em suspensão, prontos para serem entregues ao seu corpo. Essa água é viva e é, ela própria, um organismo, que será estudado nos anos vindouros.

A água que está dentro do seu sangue também é diferente da água que bebemos. A água do seu sangue é uma parte organizada de sua força vital. Agora que faz parte do seu sangue, já não é uma simples água. O suco de aipo também é assim. Temos de entender a água do suco de aipo como a própria força vital do aipo, da mesma maneira que o sangue é nossa força vital. Essa força vital do suco de aipo se mistura com a nossa força vital, o nosso sangue, e as duas se tornam uma coisa só. Por sermos organismos vivos, o consumo dessa água-viva é mais benéfico para nós do que o consumo de água regular. A água hidrobioativa do suco de aipo é ainda mais do que uma água-viva. É a própria vida.

"Este capítulo é sua testemunha de defesa. Seu sofrimento é real, você não o merece, e seu corpo não o decepcionou. Com as informações corretas, você será capaz de se curar."

— ANTHONY WILLIAM, o Médium Médico

CAPÍTULO 3

Alívio para seus Sintomas e suas Doenças

O que você vai encontrar neste capítulo são informações de cura avançadas, que falam sobre por que as pessoas sofrem e como podem finalmente encontrar alívio.

Os nomes dos sintomas, doenças, enfermidades, transtornos e distúrbios, especialmente dos de natureza crônica, nem sempre nos dizem muito sobre a causa que está por trás daquele problema de saúde. A razão disso é que a causa muitas vezes permanece desconhecida; o que existe são teorias que a medicina e a ciência formulam enquanto continuam buscando respostas. Os problemas de saúde são uma tremenda provação. Além dos desafios físicos e mentais, há a provação emocional de perdermos a confiança no nosso próprio corpo e enfrentarmos pessoas que não entendem nosso sofrimento, que o subestimam e até duvidam de que estejamos realmente sofrendo. Há tantas mensagens confusas e conflitantes que muitos podem passar a se perguntar se de algum modo mereceram ficar doentes, se atraíram sobre si a própria doença por meio de pensamentos negativos ou se ficaram doentes só para chamar a atenção. A verdade é a seguinte: é preciso ter muita força para suportar o isolamento e o desrespeito e, ao mesmo tempo, continuar buscando respostas para resolver o mistério. Este capítulo pretende acabar com os mistérios e ao mesmo tempo validar as causas e a experiência real das doenças crônicas, por curto que seja o espaço aqui disponível. Também vamos apresentar ideias sobre como o suco de aipo pode ajudar a aliviar ou prevenir seus problemas de saúde. Este capítulo é sua testemunha de defesa. Seu sofrimento é real, você não o merece e seu corpo não o decepcionou. Com as informações corretas, você será capaz de se curar.

Muitos leitores ainda não sabem que existe toda uma série de livros O Médium

Médico para desmistificar as doenças crônicas e misteriosas. Saiba que, agora mesmo, milhares de médicos estão usando os livros O Médium Médico em seus consultórios como manuais de referência para ajudar seus pacientes – isso somente nos Estados Unidos, sem contar o resto do mundo. Isso aconteceu porque, ao longo dos anos, os pacientes foram levando os livros para suas consultas médicas, falaram sobre suas melhoras e pediram aos médicos que incorporassem as informações dos livros às orientações que eles próprios davam. Antes de publicar esses livros, trabalhei por muitos anos ao lado de médicos em seus consultórios, proporcionando-lhes informações médicas avançadas para ajudá-los a ajudar pacientes que sofriam de doenças crônicas e misteriosas.

Se o principal problema de saúde de que você sofre não estiver mencionado neste capítulo, não se desespere. Eu gostaria de ter espaço suficiente para incluir todos os problemas aqui. Outros sintomas e doenças estarão explicados, muitas vezes de maneira mais detalhada, nos outros livros O Médium Médico, acompanhados de orientações sobre como curá-los. E mais: o fato de sua doença não ser mencionada neste capítulo não significa que o suco de aipo não possa ajudá-lo. Continue lendo. Você provavelmente encontrará nesta lista pelo menos um sintoma que já apresentou e, ao procurar curá-lo, estará tomando o caminho que o levará a uma saúde geral melhor.

Agora o prato principal. Daqui a muito pouco, você conhecerá melhor as verdadeiras causas de cerca de 100 sintomas e doenças. Boa parte do que vai ler poderá lhe parecer surpreendente caso você já esteja acostumado a ouvir as expressões "doença idiopática" ou "causa desconhecida" e nunca tenha entendido de verdade por que suas articulações doem, por que sua mãe sentia tanta fadiga quando você era criança, por que sua irmã não consegue ter filhos, seu tio tem zumbido no ouvido, seu primo recebeu diagnóstico de várias doenças autoimunes e seu sobrinho tem dificuldade para dormir à noite. Em todos os casos, também vou lhe mostrar como o suco de aipo pode atacar o problema para ajudar você e sua família a se recuperarem e a voltarem à boa saúde.

AFINAMENTO CAPILAR E QUEDA DE CABELO

As deficiências hormonais das glândulas adrenais são as causas mais comuns por trás dos mistérios do afinamento e da queda de cabelo. As glândulas adrenais são complexas. A medicina e a ciência ainda não estudam a maioria dos hormônios que elas produzem; em matéria de conhecimento sobre as adrenais, a medicina ainda está na infância. A verdade é que elas produzem 56 misturas diferentes de adrenalina para diferentes situações da vida, sobre as quais você pode ler no livro *Médium*

Médico. E elas não se limitam a produzir adrenalina e cortisol; produzem uma abundância de hormônios, entre os quais alguns hormônios reprodutivos. O suco de aipo é bom para ajudá-las, pois é quase tão complexo quanto as próprias adrenais.

Nossa dieta não contém tudo aquilo de que as adrenais precisam, e por isso essas glândulas às vezes ficam sem certos nutrientes essenciais. Como você já sabe, até o aipo cultivado em um solo pobre possui os importantíssimos sais aglomerados de sódio. Por isso, qualquer que seja a safra do aipo, o suco feito com ele contém sais aglomerados de sódio que alimentam de modo muito específico o tecido das glândulas adrenais. Uma vez que as adrenais recebam os sais aglomerados de sódio do suco de aipo, podem se reequilibrar e começar a produzir uma quantidade maior de seus hormônios vegetais específicos, permitindo que áreas críticas do corpo, como os folículos capilares, recebam as mensagens de que precisam. A retomada da produção hormonal atua quase como uma espécie de fertilizante para os folículos, estimulando-os para que façam o cabelo crescer.

Os pacientes em geral notam que, quando passam tempo suficiente em um local agradável, sem sofrer muito estresse, sua queda de cabelo diminui e, às vezes, o cabelo até volta a crescer. Isso ocorre porque as adrenais se estabilizam um pouco, o que lhes permite dar apoio aos folículos capilares. Quando estamos sujeitos a muito estresse, o que acontece é o contrário: a adrenalina e o cortisol podem saturar os folículos capilares, causando surtos de perda de cabelo. Nem sempre podemos controlar o que nos acontece na vida. O suco de aipo dá apoio às adrenais e, por extensão, aos folículos capilares, tanto nas épocas difíceis quanto nas felizes.

BEXIGA HIPERATIVA

A inflamação crônica do revestimento da bexiga ou dos nervos relacionados à bexiga é o que causa a bexiga hiperativa. No geral, são bactérias – como os estreptococos – que colonizam a bexiga e acabam deixando cicatrizes e pequenas dobraduras e orifícios no revestimento interno desse órgão. Produz-se, assim, uma irritação constante e crônica e, em seguida, a bexiga hiperativa. Vírus como o de Epstein-Barr também podem inflamar os nervos na bexiga e ao redor dela. Até os nervos pudendo e ciático podem afetar os níveis de sensibilidade da bexiga, e o vírus do herpes-zóster pode inflamar os nervos na bexiga e ao redor dela. O suco de aipo destrói os patógenos que causam a bexiga hiperativa, sejam eles virais ou bacterianos. Os sais aglomerados de sódio entram na bexiga e fragmentam as colônias de bactérias, soltam os detritos produzidos por bactérias e vírus, protegem o revestimento da bexiga para que ele possa se curar e se recuperar e, em essência, lavam o revestimento da bexiga de todo e qualquer subproduto patogênico. O suco de aipo também ajuda os nervos na bexiga e ao redor dela.

CALAFRIOS, AFRONTAMENTOS DA MENOPAUSA, SUDORESE NOTURNA, CALORES, FLUTUAÇÕES DE TEMPERATURA

Todos esses sintomas derivam de um fígado preguiçoso e estagnado, cheio das mais diversas toxinas – hormônios tóxicos acumulados ao longo de décadas de reações de raiva e medo; metais pesados tóxicos, como o mercúrio, o alumínio e o cobre; dejetos virais venenosos produzidos por vírus como o de Epstein-Barr, o VHH-6, o vírus do herpes-zóster e até o citomegalovírus; medicamentos; e os pesticidas, herbicidas e fungicidas a que estamos expostos. Quando o fígado recebe todas essas cargas e ao mesmo tempo trabalha duro para se defender contra uma dieta rica em gordura – que é a dieta seguida pela imensa maioria das pessoas, quer tais gorduras sejam consideradas "saudáveis", quer não –, chega um momento em que o fígado se cansa. Isso acontece para cada pessoa em um determinado momento de sua vida. Alguns já nascem com o fígado preguiçoso e estagnado em razão das toxinas transmitidas pelas gerações anteriores e, nesses casos, os sintomas podem surgir mais cedo. Para outros, os sintomas chegam aos 30 e tantos anos ou entre os 40 e os 60 anos.

O suco de aipo é um tônico que se contrapõe a tudo isso. Entra no fígado pela veia porta hepática e imediatamente começa a reviver e revitalizar as células hepáticas danificadas, desalojando e removendo detritos e substâncias tóxicas, neutralizando dejetos virais na forma de neurotoxinas e dermatotoxinas e decompondo e dispersando células de gordura. O resultado final disso tudo é um sangue mais limpo e mais vigoroso, que está menos tóxico quando é levado de volta ao fígado pela corrente sanguínea. Na prática, o suco de aipo devolve a vida ao fígado, diminuindo a carga tóxica que a maioria das pessoas vai acumulando ao longo do tempo. Com um fígado renovado e revigorado, esses sintomas relacionados à temperatura podem melhorar. Esse é um dos casos em que a combinação entre o suco de aipo e uma dieta aperfeiçoada de fato pode ajudar – veja o Capítulo 8, "Mais Orientações para a Cura".

CÂNCER

Quase todos os cânceres são causados por vírus. Os poucos cânceres que não são virais são causados por agentes químicos tóxicos ou substâncias químicas industriais isoladas. O amianto é um exemplo de toxina que causa câncer sem a presença de um vírus. A maioria dos cânceres tem um componente viral. Especificamente são causados por vírus que se alimentam de toxinas. No entanto, nem sempre que vírus e toxinas estiverem presentes conjuntamente no corpo o resultado será o câncer. São apenas determinadas estirpes mutantes de certos vírus que causam o câncer, e mesmo elas não o provocam caso não haja quantidade suficiente de combustível tóxico.

Quando estirpes virais particularmente agressivas se alimentam de toxinas também agressivas, os vírus liberam resíduos tóxicos que são, em essência, a mesma toxina inicial, só que em uma forma mais venenosa. A liberação desses resíduos vai envenenando as células saudáveis. Então, as células humanas saudáveis morrem e proporcionam ainda mais combustível para os vírus. Esse ciclo continua até que as células sofrem uma mutação e se tornam células cancerosas. Enquanto isso, o vírus também está sofrendo mutação até um ponto em que suas próprias células podem se tornar células do câncer. Esse processo pode ocorrer em qualquer ponto do corpo, pois os vírus podem chegar a qualquer lugar – e as toxinas também.

O suco de aipo é um dos alimentos ou derivados de ervas que previnem o câncer de modo mais profundo. Por mais que seja saudável mastigar alguns talos de aipo todo dia, o aipo integral não é um remédio tão bom quanto o suco. O suco de aipo nas quantidades que serão recomendadas no próximo capítulo pode fazer duas coisas em prol de quem está tentando prevenir ou curar o câncer. Primeiro, pode ajudar a eliminar as toxinas que servem de combustível para os vírus. São exemplos dessas toxinas: hormônios estranhos que invadem o corpo vindos de fora, metais pesados tóxicos, medicamentos tóxicos, plásticos e outros derivados tóxicos de petróleo. O suco de aipo se liga a essas toxinas, desaloja-as e ajuda a expulsá-las do fígado e de outros lugares do corpo, diminuindo a carga tóxica e aumentando sua chance de prevenir o câncer. Se você já está com câncer, o suco de aipo oferece a oportunidade de tornar mais lento o avanço da doença e, eliminando as mesmas toxinas e os venenos, previne a ocorrência de cânceres futuros. Em segundo lugar, o suco de aipo é antiviral. Seis sais aglomerados de sódio ajudam a destruir os vírus agressivos que gostam de consumir toxinas e excretam toxinas ainda mais venenosas – o processo que desnatura e danifica as células a ponto de torná-las cancerosas. Tirando o poder dos vírus, o suco de aipo ajuda a interromper a formação do câncer ou sua disseminação. Ou seja, ganha-se pelos dois lados: o suco de aipo combate tanto as toxinas quanto os vírus.

A vitamina C do suco de aipo é um poderoso antioxidante que é facilmente assimilado pelo corpo e alimenta as células que matam o câncer. Os hormônios vegetais do aipo restauram o sistema endócrino, impedindo que ele fique hiperativo – o que é útil, pois o excesso de impulsos de medo e raiva pode causar a liberação de muita adrenalina associada ao medo, que é outro combustível para as células virais cancerígenas.

A maior parte dos que sofrem de câncer já está trabalhando com médicos compassivos e altamente preparados e fazendo tratamentos naturais, tratamentos convencionais ou ambos. Converse com seu médico sobre a possibilidade de acrescentar o suco de aipo a qualquer protocolo anticâncer que você já esteja seguindo. Agora, se você é um sobrevivente do câncer, o suco de aipo é excelente para prevenir recaídas, pois é capaz de reunir e expulsar do corpo as toxinas e os venenos que poderiam estar se acumulando para servir de combustível para os vírus.

COLESTEROL ALTO

Qualquer coisa que tenha a ver com o colesterol tem a ver com o fígado. O desenvolvimento de qualquer problema de colesterol é sinal de um problema que já vinha se desenvolvendo no fígado desde antes. O fígado produz, controla, organiza e armazena colesterol. Por isso, quando o fígado se torna preguiçoso, estagnado e tóxico no decorrer dos anos – sem que o médico consiga detectar esse processo – e começa a ter problemas para cumprir suas funções, os índices de colesterol podem começar a mudar. Isso pode acontecer muito antes de os exames acusarem um índice elevado de enzimas hepáticas, de modo que ninguém perceberá que esse problema tem algo a ver com o fígado.

Você já se perguntou como uma pessoa cuja dieta alimentar é péssima pode fazer exames que acusem índices excelentes de colesterol? O fígado dessa pessoa ainda não atingiu o ponto de degradação. Por outro lado, pode haver alguém com uma dieta aparentemente saudável cujo médico diagnostica um problema de colesterol em razão dos resultados de seus exames. O fígado dessa pessoa está começando a dar sinais de cansaço, em razão da sobrecarga prolongada. O fígado de cada um se encontra em um determinado estado. Alguns são repletos de patógenos, como o vírus de Epstein-Barr e o estreptococo. Alguns são cheios de patógenos e toxinas, como metais pesados tóxicos, pesticidas, herbicidas, fungicidas, medicamentos, plásticos e outros derivados de petróleo. Quando o fígado atinge sua capacidade máxima de armazenagem, seu poder de processar, converter, criar, armazenar e desenvolver o colesterol começa a diminuir.

O suco de aipo, mais poderoso do que qualquer estatina, atinge a própria raiz dos problemas de colesterol: o fígado. Ali, ajuda a eliminar, limpar e purificar os venenos, as toxinas e os patógenos. Restaura e revitaliza os lóbulos hepáticos danificados, enquanto seus sais aglomerados de sódio reduzem as cargas virais e bacterianas. Esses sais aglomerados também revitalizam as múltiplas funções hepáticas relacionadas ao colesterol e aumentam a força da bile produzida pelo fígado. Uma bile mais forte, por sua vez, decompõe melhor as gorduras.

COMPLICAÇÕES DAS ADRENAIS

Fadiga, estresse, debilidade e doenças das adrenais

O suco de aipo ajuda a resolver qualquer tipo de disfunção das adrenais, restaurando os tecidos adrenais danificados e as glândulas adrenais enfraquecidas, quer tenham sido afetadas por uma doença, quer por uma transição constante e crônica do medo para a raiva e vice-versa. A medicina e a ciência não sabem quanto as nossas glândulas adrenais fazem por nós e as dezenas de misturas complexas de hormônios que elas produzem e que dão apoio a tudo o que fazemos na vida. Nossas adrenais são as maiores produtoras de hormônios do corpo, mais ainda que as glândulas reprodutivas. Quer estejamos passando por uma dificuldade, sentindo amor, alegria e felicidade, desempenhando tarefas simples (como ir ao banheiro, tomar banho, escovar os dentes e consumir e digerir alimentos) ou fazendo qualquer outra coisa, as adrenais estão presentes nesses estados e nessas atividades e produzem a cada vez uma mistura única de adrenalina para nos ajudar.

Temos duas glândulas adrenais, a direita e a esquerda. Cada uma delas produz uma variedade diferente de hormônios. Em geral, as duas não têm a mesma força – uma delas, de tanto trabalhar, tornou-se mais fraca que a outra. A outra então é obrigada a compensá-la e, com o tempo, se enfraquece também. Os componentes do suco de aipo têm a capacidade de entrar nas adrenais e saturar o tecido adrenal, fortalecendo todos os aspectos das glândulas adrenais – curando-as, acalentando-as, abraçando-as. Eu poderia dar aos sais aglomerados de sódio o apelido de "sais glandulares de sódio", por serem eles tão poderosos para recuperar adrenais. Os sais aglomerados de sódio são um milagre para essas glândulas. O sal marinho e o sal de rocha são vendidos como bons para nós – são considerados os melhores que existem. E é verdade que são sais de qualidade superior. No entanto, sua variedade de sódio não é medicinal; esses sais não oferecem o que os sais aglomerados do suco de aipo têm a oferecer. Os oligoelementos se ligam aos sais aglomerados do suco de aipo de um modo que não vemos em nenhuma outra variedade de sal ou alimento. Os sais aglomerados restabelecem e reativam a vida das glândulas adrenais, permitindo que elas rapidamente produzam novas células saudáveis e fortes.

O suco de aipo equilibra as glândulas adrenais, de modo que a mais fraca alcance o mesmo nível de atividade da outra, e permite que as duas glândulas se comuniquem entre si, sendo essa uma faceta de sua função que a medicina e a ciência ainda não descobriram. São os poderosíssimos eletrólitos do suco de aipo que criam essa comunicação interglandular: os sais minerais do suco de aipo entram em uma glândula adrenal, saem pela corrente sanguínea e depois entram na outra glândula levando informações da primeira.

Para saber mais sobre a fadiga das adrenais, veja a seção "Fadiga" neste capítulo, bem como o capítulo inteiro que foi dedicado ao assunto no livro *Médium Médico*. Ali, você também vai encontrar informações sobre as 56 misturas adrenais únicas que podem atender às nossas necessidades cotidianas. O suco de aipo é uma bênção imensa para ajudar a restaurar nossas adrenais, de modo que não nos tornemos nem permaneçamos suscetíveis a complicações, disfunções e doenças dessas glândulas.

CONFUSÃO MENTAL

A confusão mental tem duas causas principais, que às vezes ocorrem juntas, às vezes separadas. Um dos principais motivos da confusão mental é uma infecção viral branda do vírus de Epstein-Barr dentro do fígado. Quando o vírus de Epstein-Barr se alimenta das toxinas do nosso ambiente cotidiano que acabam se alojando em nosso fígado – estamos falando de medicamentos que tomamos há muito tempo; mercúrio, alumínio, cobre e outros metais pesados tóxicos; solventes; e derivados de petróleo –, ele libera neurotoxinas que podem sair flutuando pela corrente sanguínea, entrar no cérebro e amortecer ou causar curto-circuito nos impulsos elétricos cerebrais, ao mesmo tempo que enfraquecem as substâncias químicas neurotransmissoras. O resultado é a confusão mental. A medicina e a ciência estão completamente inconscientes dessa causa.

Observe que quem sofre de confusão mental de origem viral não costuma ter o vírus no próprio cérebro, mas sofre de uma infecção viral no fígado. Os compostos químicos do suco de aipo entram no fígado por meio da veia porta hepática. A partir dali, os sais aglomerados de sódio do suco de aipo se ligam às neurotoxinas virais, neutralizando-as ao mesmo tempo que neutralizam as células virais do vírus de Epstein-Barr, antes ainda que possam chegar ao cérebro e causar confusão mental.

A outra razão pela qual alguém pode sentir confusão mental é a presença de metais pesados tóxicos dentro do cérebro. O mercúrio e o alumínio são dois dos mais comuns; alojam-se no cérebro e bloqueiam os impulsos elétricos. Estes tendem a entrar em curto quando se deparam com depósitos de metais pesados tóxicos, e o resultado é a dificuldade para formular pensamentos claros. A confusão mental é mais complicada do que se imagina. Tem centenas de variações, e cada um sofre da sua própria versão desse mal; a versão de cada pessoa tem uma natureza própria. Um dos motivos pelos quais a confusão mental é tão diferente para cada indivíduo é que, para cada um, os depósitos de metais pesados estão alojados em partes diferentes do cérebro – para alguns, estão "espalhados" por todo o órgão, ao passo que, para outros, estão mais localizados. Além disso, o cérebro de cada um abriga variedades, combinações e níveis específicos desses metais pesados.

Os sais aglomerados de sódio do suco de aipo ajudam a fortalecer as substâncias químicas neurotransmissoras para que tenham velocidades de deslocamento mais rápidas e possam cobrir distâncias maiores. Com o combustível correto, o fogo que está por trás da eletricidade cerebral queima com mais força, produzindo uma luz mais clara que penetra a confusão mental – e esse "combustível correto" é exatamente o proporcionado pelos sais aglomerados de sódio do suco de aipo. Esses sais aglomerados de aipo também desintoxicam, desalojam e desarraigam os metais pesados do cérebro.

Outra consequência da presença de metais pesados no cérebro – e outro fator que contribui para a confusão mental – é a oxidação. Quando os metais pesados tóxicos se oxidam, quer pelo fato de estarem ali há muito tempo, quer por haver muita gordura na dieta e na corrente sanguínea, eles geram resíduos que podem prejudicar ainda mais a função cerebral. O suco de aipo tende a desarmar, neutralizar e dispersar os materiais oxidativos, dando mais espaço para os neurônios e tecidos cerebrais e libertando as células cerebrais da contaminação por metais pesados. Assim, os impulsos elétricos e os neurônios podem se desincumbir de suas tarefas com mais liberdade, o que ajuda a aliviar a confusão mental.

CONSTIPAÇÃO

Só as enzimas digestivas do suco de aipo já são suficientes para ajudar a decompor alimentos no intestino delgado e pôr o sistema digestório para funcionar naquele dia em que você se sente constipado. O suco de aipo também pode ajudar quando a constipação é um problema mais crônico.

A maioria dos que sofrem de constipação estão tendo de lidar com um fígado preguiçoso, estagnado. Quando isso acontece com pessoas mais jovens, pode ser que elas já tenham chegado a esta vida com um fígado sobrecarregado de toxinas transmitidas pelos antepassados. Se você é mais velho, pode ser que o fígado preguiçoso tenha sido afetado aos poucos, ao longo de décadas. Pode ser que você também tenha começado a vida com um fígado comprometido e, depois, a dieta de alto teor de gordura com que todos nós estamos acostumados, consumida ao longo de uma vida inteira, pode ter sobrecarregado esse órgão. O fígado sobrecarregado e enfraquecido produz menos bile, e a bile é essencial para a digestão da gordura dos alimentos. Quando a quantidade de bile diminui, as gorduras não se decompõem nem se dispersam como deviam e acabam se tornando rançosas dentro do intestino, onde alimentam grandes colônias de bactérias improdutivas.

Outro modo pelo qual a digestão pode se interromper é o enfraquecimento do ácido clorídrico no estômago. (Saiba mais sobre a complexa mistura de sete ácidos produzida pelo estômago no livro *Fígado Saudável* da série O Médium Médico.) Se as glândulas estomacais são obrigadas a produzir um excesso de ácido clorídrico no decorrer dos anos para compensar a fraqueza do fígado ou os danos sofridos por esse órgão, elas acabarão perdendo a força. Com a consequente diminuição do nível de suco gástrico, as proteínas não serão decompostas adequadamente, quer sejam de origem animal, quer de origem vegetal. Essas proteínas apodrecerão no intestino e, mais uma vez, servirão de alimento para colônias de bactérias improdutivas.

Quando as bactérias improdutivas proliferam no trato digestório, este se inflama e os movimentos peristálticos começam a diminuir. "Pontos sensíveis" podem se desenvolver nos intestinos delgado e grosso, ou seja, locais onde bolsões de bactérias se desenvolvem ou onde o tubo digestório sofre um estreitamento, causando mais constipação no decorrer do tempo. É por isso que, atualmente, muita gente que sofre de constipação acaba recebendo o diagnóstico de supercrescimento bacteriano no intestino delgado, sobretudo no contexto da medicina alternativa. A medicina e a ciência não têm consciência de que a principal bactéria responsável pelo supercrescimento bacteriano no intestino delgado é o estreptococo e que existem dezenas de variedades de estreptococos não identificadas.

Os sais aglomerados de sódio do suco de aipo são a substância mais eficaz que existe para destruir patógenos. Eles começam imediatamente a destruir as colônias de bactérias não produtivas, entre as quais os estreptococos, e é por isso que o suco de aipo é um remédio essencial para combater a constipação (e o supercrescimento bacteriano no intestino delgado). Embora os estreptococos desenvolvam resistência a antibióticos, não a desenvolvem em relação aos sais aglomerados do suco de aipo. Estes continuam exercendo seu efeito. Como você leu no capítulo anterior, esse mesmo processo alimenta as bactérias benéficas que vivem no intestino.

O suco de aipo também revitaliza o fígado preguiçoso, estagnado, de modo a reforçar a produção de bile. Revitaliza ainda as glândulas estomacais, de modo a restaurar a produção de ácido clorídrico: as glândulas estomacais que produzem ácido clorídrico encontram, no suco de aipo, oligoelementos específicos que alimentam seus tecidos.

Às vezes a constipação resulta de dobraduras no intestino delgado ou no intestino grosso. Não se trata de obstruções, mas de um tecido conjuntivo enfraquecido ao redor do intestino, que pode criar, às vezes, uma leve dobradura que dificulta a excreção de fezes. Muitas vezes isso também decorre da toxicidade do fígado – o tecido conjuntivo ao redor do intestino se enfraquece por estar saturado de toxinas, bactérias e vírus que não são filtrados em razão da sobrecarga do fígado. Esses elementos problemáticos podem acabar até entrando no trato intestinal. A escolha de alimentos também pode contribuir. Certas pessoas que não comem fibras em quantidade suficiente precisam de alimentos que facilitem seus movimentos peristálticos. Para muitos, o remédio mais fácil consiste em acrescentar um pouco mais de alimentos de origem vegetal à dieta geral. O suco de aipo também é um incrível indutor dos movimentos peristálticos. (Mesmo que não tenha fibras – para eliminar qualquer confusão sobre as fibras, leia "A questão das fibras", no Capítulo 4, e consulte também o Capítulo 7, "Rumores, Preocupações e Mitos".) O suco de aipo desencadeia naturalmente a ação peristáltica; se o indivíduo não ingere fibras em quantidade suficiente em sua dieta cotidiana, o suco de aipo é capaz de estimular os movimentos peristálticos para transportar o bolo alimentar pelo intestino. Além disso, ele corrige as dobraduras nos intestinos delgado e grosso, pois recupera o revestimento interno do intestino e rejuvenesce o tecido conjuntivo ao redor dele.

Existe ainda a constipação emocional. Se o paciente segura as fezes por tempo demais ou está sofrendo problemas emocionais, preocupações, estresse, aflições e traições, a tensão e a inquietude internas podem levar à constipação. Nessas situações, o suco de aipo dá uma grande ajuda ao cérebro. Seu intenso poder eletrolítico restabelece as substâncias químicas neurotransmissoras, relaxando e esfriando a mente e o cérebro. Quando seus sais aglomerados de sódio entram nos neurônios e os alimentam, o estado de ser da pessoa se altera, o que acaba liberando, por fim, a ação peristáltica.

DEPENDÊNCIA

Muitas vezes, a dependência é causada pela falta de nutrientes. O fígado problemático que não é capaz de transformar os nutrientes e distribuí-los pela corrente sanguínea em quantidade suficiente para que alimentem o cérebro e o resto do corpo é uma das principais causas da dependência. Um índice elevado de metais pesados tóxicos, como o mercúrio, o cobre e o alumínio, alojados no fígado e no cérebro, é outra causa. A aflição emocional, o estresse, situações mal resolvidas, mágoas e feridas podem também contribuir. O suco de aipo pode ajudar com tudo isso.

O suco de aipo estabiliza todos os aspectos do fígado, entre eles a recepção de glicose. Um dos maiores motivos pelos quais isso é importante é o seguinte: a maioria das pessoas que têm problemas de dependência também tem resistência à insulina. O suco de aipo ajuda a aliviar a resistência à insulina e ajuda as células a se abrirem para receber glicose sem depender unicamente da insulina.

O suco de aipo nutre o cérebro, restaura os neurônios e reabastece os neurotransmissores. Ajuda a neutralizar, desarmar e liberar os metais tóxicos do cérebro e ajuda a varrer para fora do organismo os subprodutos da colisão e interação dos metais entre si. Além disso, os hormônios vegetais do suco de aipo ajudam a proteger as células do cérebro – retardando a morte delas e até promovendo a produção de células novas –, de modo que quem sofreu um trauma emocional possa reencontrar o equilíbrio e a tranquilidade. Por fim, os hormônios vegetais do suco de aipo melhoram, robustecem e revigoram as adrenais, equilibrando sua hipoatividade ou sua hiperatividade e contrapondo-se, assim, aos comportamentos relacionados à dependência.

Outro benefício do suco de aipo é que ele alcaliniza o sangue e o corpo, reduzindo a acidose. Isso por si só já é capaz de minimizar os impulsos de dependência, reduzindo a sensação de necessidade de acender um cigarro ou comer mais um pedaço de chocolate. O suco de aipo ajuda a remover do organismo antigos medicamentos ou outros produtos farmacêuticos envolvidos na luta cotidiana de tanta gente que sofre de dependência – ajuda a lavar o fígado e a retirar esses produtos da corrente sanguínea, diminuindo o número de recaídas.

DIABETES (TIPOS 1, 1,5 E 2), HIPERGLICEMIA E HIPOGLICEMIA

Os primeiros sintomas de resistência à insulina, como a hipoglicemia, a hiperglicemia ou um índice elevado de hemoglobina glicada, começam com um fígado preguiçoso, estagnado. Quando o fígado se enfraquece, sua capacidade de digerir a gordura diminui, permitindo que maiores volumes de gordura se acumulem no intestino, ao redor de outros órgãos e até na corrente sanguínea. É isso que produz a resistência à insulina. Além disso, quando o fígado acumula gordura, ele perde a força de que precisa para controlar e armazenar a glicose na forma de preciosas reservas de glicogênio. O suco de aipo revive o fígado, permitindo que ele dissolva e elimine os acúmulos de gordura que guardou em si para proteger o cérebro e o coração contra os excessos lipídicos. Quando recupera a vitalidade, o fígado saudável é capaz de preservar e liberar as reservas de glicogênio na medida necessária para prevenir a resistência à insulina.

É recuperando o fígado que o suco de aipo também ajuda quem tem diabetes tipo 2. Junto às recomendações dietéticas corretas, que você encontrará em toda a série de livros O Médium Médico, o suco de aipo é muito útil para curar o diabetes tipo 2. Quando o fígado recuperar a vida graças ao suco de aipo e a outros apoios dietéticos – quando seus lóbulos estiverem revitalizados, ele estiver livre de gorduras antigas e o armazenamento de glicose voltar a funcionar como deve –, o pâncreas também poderá rejuvenescer com maior rapidez. Reservas mais fortes de bile também poderão se formar, de modo que a bile tenha uma ação mais robusta na decomposição e dispersão das gorduras. Quando há menos gordura na corrente sanguínea, isso significa que, quando qualquer carboidrato entrar no corpo – seja esse carboidrato saudável ou não –, a resistência à insulina que com tanta frequência acaba produzindo o diabetes tipo 2 não ocorrerá com tanta facilidade.

Os diabetes tipo 1 e tipo 1,5 (sendo este último também conhecido como diabete autoimune latente do adulto) são causados por lesões no pâncreas, quer por causa da atividade de patógenos, quer por causa de ferimentos físicos. Pode acontecer de um vírus entrar no pâncreas, atacá-lo e causar inflamação pancreática, a qual pode produzir um diabetes crônico. Os teóricos afirmam que os diabetes de tipo 1 e 1,5 são autoimunes, ou seja, que é o sistema imunológico do próprio corpo que está atacando o pâncreas. Não caia nessa confusão. Nos casos em que a causa não é uma lesão física, a verdade é que o que está atacando o pâncreas é um patógeno invasor e que o sistema imunológico está apenas reagindo para tentar salvar essa glândula. Esses patógenos são altamente alérgicos aos sais aglomerados de sódio do suco de aipo; quando o suco de aipo entra no organismo, ajuda a matá-los. Lembre-se também de que os hormônios vegetais presentes no suco de aipo ajudam a estabilizar e fortalecer todas as glândulas endócrinas do corpo, inclusive o pâncreas. Isso significa que o uso prolongado de suco de aipo pode ajudar um doente a se recuperar do diabetes tipo 1 ou 1,5, desde que ele também aplique diretrizes dietéticas melhores em sua alimentação, como a diminuição do consumo de gordura e o uso de suplementação correta para reduzir a carga viral dentro do pâncreas. À medida que a resistência à insulina diminui, a necessidade de insulina suplementar também diminui.

Às vezes perguntam se o suco de aipo pode ser consumido com segurança por diabéticos. Como você acaba de ver, a resposta é sim. O suco de aipo é uma bênção divina para os diabéticos. O que não é bom para eles são alimentos como ovos, queijo, carne de porco, leite e manteiga. Para um entendimento aprofundado do porquê disso e explicações suplementares sobre as diversas variedades de diabetes, consulte os livros *Fígado Saudável* da série O Médium Médico e *Médium Médico*.

DIARREIA

Dizem por aí que o suco de aipo *causa* diarreia. A verdade, porém, é que ele acaba por aliviar a diarreia. Quando uma pessoa fica de intestino solto depois de beber suco de aipo, trata-se de uma reação de cura temporária, um indício de que o intestino está cheio de bactérias improdutivas (estreptococos, por exemplo), fungos, talvez alguns vírus, bolsões de muco e alguns bolores e leveduras. Também o fígado pode estar cheio de resíduos produzidos por germes e substâncias problemáticas: de detergentes e outros limpadores domésticos, cosméticos, perfumes e águas de colônia a metais pesados tóxicos como o mercúrio, o alumínio e o cobre, derivados de petróleo como a gasolina e pesticidas, fungicidas e herbicidas. Certas pessoas já têm a síndrome do intestino irritável, o que significa que o trato intestinal, a vesícula biliar e o fígado talvez já estejam inflamados. Quando a toxicidade e a inflamação são excessivas e o suco de aipo entra em cena, seus sais aglomerados de sódio agem em todas as frentes – matando germes, limpando o fígado –, e disso pode resultar uma diarreia, mas só porque já havia uma doença pré-existente. Os sais aglomerados são agentes de limpeza. A reação de cura depende da toxicidade do organismo em questão. Certos organismos estão mais carregados de patógenos e outras substâncias problemáticas. Quando isso acontece, o melhor talvez seja começar com menos de 480 ml e ir aumentando aos poucos.

Quando o indivíduo sofre de diarreia sem beber suco de aipo, o problema pode ter muitas causas diferentes. Uma das mais comuns é uma reação negativa a determinados alimentos, como ovos, laticínios – leite, queijo, manteiga –, glúten e até soja e milho. Esses alimentos são consumidos pelos patógenos que residem no tubo digestório, desde o estômago até o cólon e o reto. O estreptococo é uma bactéria comum que adora se banquetear com esses alimentos. Isso também vale para o vírus de Epstein-Barr, o vírus do herpes-zóster e variedades de fungos agressivas e hostis (entre as quais não se inclui a *Candida*, que é amistosa). A proliferação desses germes pode produzir um desequilíbrio no intestino: não há micro-organismos produtivos em quantidade suficiente para coibir os improdutivos. Em consequência disso, os germes nocivos se multiplicam, o que pode produzir uma inflamação crônica em todo o intestino, tanto o delgado quanto o grosso. Podem-se criar bolsões que se expandem no trato intestinal, e algumas de suas áreas podem até diminuir de tamanho, o que leva a diagnósticos de doença de Crohn, doença celíaca, supercrescimento bacteriano no intestino delgado, síndrome do intestino irritável e até colite. Os sintomas podem ir desde uma leve irritação dos intestinos até úlceras e inflamações severas. Pode acontecer também de o paciente viver com uma diarreia branda mas constante, que jamais chega a ser diagnosticada.

O suco de aipo ajuda a reverter a diarreia, pois destrói e elimina essas variedades improdutivas de bactérias e vírus. Enfraquece-as, decompõe-nas e ajuda a eliminá-las do trato digestório. O suco de aipo também alimenta as bactérias produtivas com oligoelementos e antioxidantes especialmente protetores e fortificantes, que só o suco de aipo possui. Assim, a população desses micro-organismos benéficos pode restabelecer-se em um nível saudável. Quando a carga de patógenos se reduz, o fígado começa a se revitalizar e a eliminar os venenos; o intestino começa a eliminar toxinas pelas fezes; e a inflamação crônica cai de modo acentuado, libertando o paciente da diarreia. Caso a inflamação já tenha saído do intestino e chegado ao pâncreas, o suco de aipo ajuda a eliminar os patógenos que a causaram e a restabelecer também o tecido pancreático. Quem consome suco de aipo por um longo período pode se livrar completamente da diarreia, em especial se estiver seguindo as orientações de dieta e suplementação apresentadas nos demais livros da série O Médium Médico. Comece a buscar ideias no Capítulo 8.

DIFICULDADES EMOCIONAIS

Ansiedade, mudanças bruscas de humor, culpa, tristeza, irritabilidade, transtorno bipolar e depressão

Ninguém gosta de viver irritado, desanimado, preocupado; tampouco de se sentir cronicamente culpado ou de sofrer mudanças de humor bruscas e frequentes. Todo mundo quer viver se sentindo bem, feliz e em paz, com a mente clara. Quando falamos de saúde mental, temos sempre de partir desse princípio. Com demasiada frequência, quem sofre de dificuldades emocionais tem de ouvir que tudo depende de sua atitude mental e que basta mudar de perspectiva. Quando quem enfrenta desafios emocionais é mulher, tem de ouvir também que os culpados são os hormônios. Isso é um sinal de que a medicina e a ciência ainda não têm uma ideia clara a respeito dos problemas de saúde mental.

O suco de aipo ajuda a manifestar o bem-estar, a felicidade, a paz e a clareza mental que todos nós buscamos, pois atinge diretamente a verdadeira causa dos transtornos de humor: as toxinas. É verdade que as dificuldades e circunstâncias da vida podem, por si mesmas, gerar alguma irritabilidade, ansiedade e tristeza. Nesses casos, a compreensão da causa e do efeito costuma ser bem clara. O suco de aipo pode ajudar nesses casos porque rejuvenesce os tecidos cerebrais, incluindo-se aí os centros emocionais do cérebro, onde sofremos nossas lesões emocionais. Quando falamos dos problemas emocionais crônicos que vêm à tona mesmo quando a vida parece estar correndo em seu ritmo normal, sem nenhum acontecimento específico que os desencadeie, é nesse caso que temos de levar em conta as toxinas. Cada pessoa tem uma mistura específica de toxinas dentro do seu corpo. A carga tóxica de alguns é mais prejudicial aos neurotransmissores e aos neurônios dentro do cérebro, e é isso que explica, em parte, as variações de saúde mental.

Uma coisa que a maioria das pessoas têm em comum é um acúmulo tóxico de metais pesados, toxinas virais ou ambos, geralmente dentro do fígado. O que são essas tais "toxinas virais"? Quando certos vírus – que adoram se esconder no fígado – consomem seus alimentos favoritos, como metais pesados tóxicos, ovos e substâncias químicas sintéticas, tendem a liberar neurotoxinas. (Isso é péssimo, pois muita gente acha que comer ovos é saudável.) Então, essas neurotoxinas flutuam pelo corpo e podem chegar ao cérebro, onde obstaculizam a ação das substâncias químicas neurotransmissoras e enfraquecem os impulsos elétricos em todo o cérebro. Isso pode causar irritabilidade, ansiedade, mudanças bruscas de humor e até flutuações de comportamento e de humor que podem ser diagnosticadas como bipolares. A severidade do sintoma muitas vezes varia com a severidade dos metais pesados tóxicos e o grau da carga viral, bem como o tipo fixo de mutação viral que reside no fígado.

Um vírus muito comum que libera essas neurotoxinas é o Epstein-Barr, e há mais de 60 estirpes desse vírus. As diferentes estirpes têm apetite por diferentes alimentos. Como cada um tem uma mistura tóxica diferente – diferentes metais pesados tóxicos, diferentes pesticidas, herbicidas e outras substâncias –, essa fonte de variação deve ser acrescentada à variabilidade viral para explicar os diferentes graus de ansiedade, depressão e outros transtornos. Certas pessoas têm uma carga viral maior no fígado, onde um vírus está engolindo seus pesticidas e herbicidas favoritos, glúten, ovos e laticínios e liberando uma abundância de neurotoxinas que chegam ao cérebro pela corrente sanguínea, resultando em formas mais brandas de depressão, transtorno bipolar e ansiedade.

Cada pessoa é uma alma única, um indivíduo único, e não há duas pessoas com exatamente os mesmos índices de toxinas virais ou metais pesados. Isso significa que o modo pelo qual cada um vive suas dificuldades emocionais é único e exclusivo. O modo pelo qual as neurotoxinas acabam saturando o cérebro, reduzindo ou enfraquecendo as substâncias químicas neurotransmissoras e obstaculizando a atividade elétrica cerebral afeta uma pessoa de um modo, outra pessoa de outro modo, e assim por diante. A mesma coisa vale para os metais pesados tóxicos que acabam se instalando dentro do cérebro. O modo pelo qual o mercúrio, o alumínio, o cobre e outros metais pesados se instalam e a quantidade em que estão presentes afetam o modo como desencadeiam episódios de depressão, comportamento bipolar, tristeza persistente ou culpa inexplicada, bem como o modo pelo qual o indivíduo experimenta e sente essas coisas. A experiência desses estados emocionais pode variar imensamente de pessoa para pessoa. Em casos mais severos de transtorno bipolar e depressão, é comum que haja uma quantidade maior de metais pesados tóxicos residentes no próprio cérebro e causando curto-circuito nos impulsos elétricos e nos neurotransmissores. O mau humor difuso costuma resultar de uma sobrecarga generalizada de toxinas no corpo, que são ao mesmo tempo uma causa e uma consequência de um fígado estagnado, preguiçoso. As feridas emocionais se associam aos metais pesados tóxicos ou a uma carga viral dentro do fígado para criar uma irritabilidade ou uma ansiedade mais pronunciadas ou mesmo severas.

O suco de aipo segue, para cada pessoa, um ritmo diferente no processo de aliviar as dificuldades emocionais. A pessoa irritável pode melhorar depois de consumir suco de aipo diariamente por uma semana. Quem sofre de ansiedade ou depressão severas ou de qualquer outro transtorno emocional grave pode levar mais tempo, muito embora seja provável que logo se torne mais fácil e suportável viver com o problema e que o paciente vá melhorando continuamente.

Beber suco de aipo é como deixar que uma lufada de ar fresco entre em sua consciência. Ele é um agente de limpeza que entra no cérebro e reúne e elimina as toxinas a fim de liberar tecidos cerebrais que há anos estavam saturados pelo acúmulo de neurotoxinas e metais pesados tóxicos. O poder de restauração da saúde mental do suco de aipo vem de seus sais aglomerados de sódio, que revitalizam as substâncias químicas neurotransmissoras e as reabastecem, limpando e renovando as que estão combalidas e fornecendo outras completamente novas, de modo que os neurônios possam funcionar como devem dentro do cérebro. Esses sais aglomerados também reúnem toxinas dentro do cérebro – metais pesados tóxicos como o mercúrio, o alumínio e o cobre – e colaboram na tarefa de desarmá-los, neutralizá-los e dispersá-los. Removem as toxinas dos neurotransmissores e neurônios, ligando-se a elas e obrigando-as a dispersar-se, ao mesmo tempo que revitalizam as células cerebrais.

O cérebro de quase todas as pessoas é subnutrido em razão da má qualidade da nossa dieta alimentar (porque ninguém nos ensina o que é uma dieta realmente saudável), da superabundância de estresse e da exposição a toxinas. Com o tempo, isso exaure nosso cérebro. O suco de aipo é como um multivitamínico para o cérebro – um dos melhores remédios que existem para rejuvenescer e alimentar as células cerebrais. Célula a célula, o suco de aipo restabelece sua saúde cerebral, de modo que o cérebro possa curar-se naturalmente, por si mesmo. Ao mesmo tempo, o suco de aipo combate as substâncias problemáticas específicas que interferem em nossas emoções.

Os sais aglomerados de sódio do suco de aipo também diminuem os índices de patógenos responsáveis pela própria produção das neurotoxinas. Arrancam e decompõem as membranas celulares exteriores dos vírus, enfraquecendo-os de modo que o nosso sistema imunológico possa destruir os patógenos. Além disso, o suco de aipo limpa o fígado e chega a dar suporte às glândulas adrenais. Os sais minerais são o melhor alimento possível para as adrenais – e qualquer um que sofra de ansiedade, mudanças bruscas de humor, culpa, tristeza, irritabilidade, transtorno bipolar ou depressão também tem de lidar com problemas das glândulas adrenais, como fraqueza ou mesmo fadiga adrenal. Isso ocorre porque os sentimentos de inquietude que acompanham essas doenças põem as adrenais em permanente estado de alerta, preparando-se para lutar ou fugir. É muito difícil ter de lidar com essa fadiga, além de já lidar com os problemas emocionais. Quando o suco de aipo revitaliza e fortalece as adrenais, permite que você tenha mais energia, e esse é um elemento fundamental da recuperação.

DOENÇA DE PARKINSON

Acredita-se que a doença de Parkinson seja causada pela perda da dopamina, uma das substâncias químicas neurotransmissoras do cérebro. Isso não é exato. A falta de dopamina não é suficiente para criar uma doença. Já a ausência de diversas variedades de neurotransmissores, sendo a dopamina apenas um deles, pode ser *parte* da causa. Os portadores de mal de Parkinson sofrem com a perda de múltiplas substâncias químicas neurotransmissoras. A causa disso, por sua vez, são neurônios lesionados e saturados de metais pesados tóxicos. No mal de Parkinson, o principal metal pesado envolvido é o mercúrio. Os depósitos de mercúrio se oxidam de modo rápido e liberam dejetos oxidativos altamente tóxicos, os quais começam a revestir o tecido cerebral vizinho, sufocando os neurônios. Quando um neurônio fica sufocado dessa maneira, seus neurotransmissores também ficam saturados de material oxidativo e sua quantidade diminui rapidamente. Isso significa que, na realidade, a doença de Parkinson é causada por dejetos de metais pesados e pela perda de muitas substâncias químicas neurotransmissoras, decorrente da presença desses dejetos.

Os antioxidantes do suco de aipo ajudam a deter o processo de emissão de dejetos oxidativos. No caso do mal de Parkinson, também é essencial restaurar os neurônios. O suco de aipo faz isso na medida em que fornece vários oligoelementos aos neurônios. O suco de aipo também ajuda o fígado a formular e metilar a vitamina B_{12}; como os sais aglomerados de sódio têm a capacidade única de levar nutrientes ao cérebro em alta velocidade, eles conduzem essas pequenas quantidades de vitamina B_{12} do fígado para o cérebro, onde essa substância é fundamental para o crescimento dos neurônios. O consumo prolongado de uma quantidade maior de suco de aipo pode ajudar a restaurar as substâncias químicas neurotransmissoras reduzidas e a recuperar os neurônios e fazer com que eles tornem a crescer.

Se o paciente já está sofrendo de sintomas severos de doença de Parkinson, a reversão dos sintomas demorará muito mais. Quanto maior o tempo em que as descargas oxidativas de metais pesados vêm saturando o tecido cerebral adjacente aos depósitos de metais pesados tóxicos, maior o tempo para restaurar os neurônios e o tecido cerebral. Quem sofre de uma variedade mais branda da doença de Parkinson tem mais chance de reabastecer-se mais rapidamente de substâncias químicas neurotransmissoras e de recuperar-se com mais rapidez. Quem quer que esteja lidando com um caso de Parkinson deve considerar a possibilidade de complementar a rotina de consumo de suco de aipo com a remoção ativa dos metais pesados tóxicos, mediante o consumo diário de uma Vitamina para Desintoxicação de Metais Pesados (veja o Capítulo 8).

DOENÇAS AUTOIMUNES

Se você está sofrendo de um problema de saúde que foi rotulado como autoimune, saiba que ele não resulta, de maneira alguma, de um ataque que seu corpo desfere contra si mesmo. Seu corpo está procurando eliminar os patógenos. A teoria da autoimunidade decolou na década de 1950 sem nenhuma base científica e ainda não foi corroborada pela ciência. É fato que as doenças autoimunes são graves. Qualquer coisa que leve o rótulo de autoimune é grave. São sintomas de verdade e doenças de verdade, e os doentes realmente sofrem. O termo *autoimune*, porém, é equivocado. Se a medicina e a ciência fossem avançadas o suficiente quando essas doenças começaram a se disseminar pela população, anos atrás, teriam usado o termo *viral-imune*, pois as doenças decorrem do fato de o corpo estar procurando se livrar de invasores, que em sua maioria são vírus.

Não é por culpa dos médicos que eles dizem a um paciente que o corpo deste está atacando a si mesmo. Os próprios médicos estão presos na armadilha da autoimunidade. As faculdades de medicina não ensinam aos futuros médicos as verdadeiras causas de centenas de doenças, pois todas elas são desconhecidas pela ciência. Uma vez que os pesquisadores são incapazes de detectar o verdadeiro problema, concluem que é o sistema imunológico do próprio indivíduo que está destruindo seus órgãos, suas glândulas e seus tecidos. A explicação mais razoável que se lhes apresenta é de que a culpa é do corpo do paciente. Se isso fosse verdade, seria importante que o paciente o soubesse. No entanto, não é isso que acontece, e a ideia de que o seu corpo se voltou contra você prejudica o processo de cura.

Isso vale em especial para os jovens que recebem o diagnóstico de autoimunidade. Quanto mais jovem o paciente, mais a mensagem de que seu corpo é defeituoso ou está destruindo a si mesmo fica cimentada em sua noção de eu. A ideia de que sua doença autoimune tem origem genética (o que não é verdade) cria outra combinação prejudicial. Quando uma jovem sai do consultório médico com o diagnóstico de tireoidite de Hashimoto e a mensagem de que seu sistema imune está destruindo sua tireoide, além da informação de que essa disfunção está codificada nas próprias fibras de seu ser, a necessidade de se recuperar do baque emocional provocado por essa imagem mental acrescenta toda uma nova dimensão de cura à necessidade de recuperar-se da doença em si.

Não há nada de consolador em um diagnóstico de autoimunidade. O único consolo vem do fato de o sofrimento ser visto, reconhecido e nomeado. Se as doenças crônicas não fossem tão misteriosas para a medicina e a ciência, a ciência poderia lhe dizer: sim, seu sofrimento é real. O que acontece é que seu corpo está criando anticorpos para identificar e destruir patógenos, ou seja, seu sistema imunológico está caçando germes. Esses germes, porém, são difíceis de capturar. Há centenas de variedades de vírus comuns, e todo ano aparecem novas mutações. Esses vírus causam o caos nos órgãos e no resto do corpo dos pacientes, criando várias doenças que, como os médicos não conseguem explicá-las, acabam sendo diagnosticadas como autoimunes.

Nos casos em que pesquisadores pensam ter identificado anticorpos e os definiram como anticorpos criados por seu sistema imunológico para destruir seu próprio corpo, eles estão enganados. Os anticorpos existem e foram produzidos pelo sistema imunológico, no entanto não foram produzidos para atacar você. Foram produzidos para atacar um vírus – em geral, um vírus enterrado lá no fundo do seu organismo, a ponto de não ser detectável pelos exames médicos atuais.

Na verdade, são esses patógenos não detectados que criam as inflamações. Não se trata de uma atividade excessiva do sistema imunológico nem de reações a alimentos considerados inflamatórios. O motivo pelo qual certos alimentos produzem inflamação é que esses alimentos são consumidos pelos patógenos, e são esses patógenos que se revigoram e criam a inflamação. A tarefa do nosso sistema imunológico é exatamente a de procurar e destruir vírus e bactérias. Quando o sistema imunológico está deprimido, essa tarefa é difícil. No entanto, nem mesmo a depressão do sistema imunológico o leva a voltar-se contra o próprio corpo e começar a atacá-lo. Há sempre um patógeno oculto.

Qualquer pessoa que sofra de qualquer tipo de doença rotulada como autoimune está, em razão disso, sofrendo de problemas do sistema endócrino. Os hormônios vegetais que apenas o suco de aipo possui são essenciais para remediar essa situação. Eles entram em todas as glândulas endócrinas para apoiá-las, fortalecê-las e equilibrá-las, para que elas possam sair de um estado de hipoatividade ou hiperatividade. Esse equilíbrio das glândulas endócrinas, das adrenais ao pâncreas, permite que elas produzam hormônios no nível correto.

Como evidenciamos, todos que sofrem de uma doença autoimune estão sofrendo de uma infecção viral. Algumas são infecções crônicas, mas não muito intensas, de um vírus como o de Epstein-Barr, ao passo que outras são infecções muito mais severas de um vírus como o VHH-6. Certas pessoas sofrem de nevralgia do trigêmeo provocada pelo vírus do herpes-zóster. Algumas sofrem de esclerose múltipla causada pelo vírus de Epstein-Barr. (Antigamente, poucas doenças eram consideradas autoimunes. Agora, a lista das doenças autoimunes já incorpora várias dezenas de doenças. A lista tende a aumentar, de tal modo que, a certa altura, praticamente todas as doenças que a ciência não compreende serão taxadas, sem nenhuma prova, de autoimunes e genéticas.) Em todas essas situações e outras ainda, os sais aglomerados de sódio do suco de aipo são as melhores armas de que dispomos para destruir os vírus.

É por isso que as inflamações se reduzem quando o suco de aipo é tomado. Uma vez que as inflamações são causadas por vírus, quando os sais aglomerados destroem as membranas exteriores das células virais, enfraquecendo-as e diminuindo o número delas, a inflamação misteriosa também diminui. Além disso, os sais aglomerados se ligam aos resíduos dos vírus, como as neurotoxinas que eles produzem quando se alimentam de outras toxinas e como os metais pesados tóxicos. As neurotoxinas virais são outro aspecto das doenças autoimunes que a medicina e a ciência desconhecem. Na realidade, elas inflamam o sistema nervoso de todos os que apresentam sintomas autoimunes. Os sais aglomerados do suco de aipo matam a causa raiz dessa inflamação – o excesso de vírus; ao mesmo tempo, a neutralização dos resíduos neurotóxicos liberta o sistema nervoso e permite aos pacientes reassumir o controle da própria vida.

É a essa combinação potente entre os hormônios vegetais e os sais aglomerados de sódio do suco de aipo que devemos agradecer por nos ajudar a nos recuperar dos sintomas daquelas doenças que a medicina chama de autoimunes. Vamos agora olhar de maneira mais específica para as causas que, ignoradas pela medicina e pela ciência, de fato provocam algumas das doenças autoimunes mais comuns. Veremos também de que maneira o suco de aipo pode ajudar a resolver esses problemas. Lembre-se de que, dependendo da gravidade da sua situação, você talvez precise usar, além do suco de aipo, outras informações de cura da série O Médium Médico.

Artrite reumatoide, artrite psoriática e esclerodermia

Essas dores nas articulações são inflamações virais causadas pelo EBV. A razão pela qual se pensa erroneamente que a artrite reumatoide e a artrite psoriática são causadas pelo sistema imunológico do paciente, o qual estaria atacando as articulações dele próprio, é que a medicina e a ciência identificaram a presença de anticorpos que creem ser autoanticorpos. Repito: na verdade, esses anticorpos não são produzidos pelo sistema imunológico por engano. O que causa a inflamação das articulações e dos nervos é o vírus de Epstein-Barr. Os anticorpos são criados por seu sistema imunológico para caçar o vírus, não para atacar seu próprio corpo. O suco de aipo entra em cena para ajudar, pois tem intensa potência antiviral. Ajuda a livrar o corpo do vírus de Epstein-Barr e a aliviar os sintomas de artrite reumatoide e artrite psoriática.

Aliás, a artrite psoriática não é, de maneira alguma, causada por pedras de cálcio. É causada pelo vírus de Epstein-Barr que se instalou no fígado, alimenta-se de cobre e mercúrio e libera, na corrente sanguínea, neurotoxinas que depois se instalam nas articulações. Nesse caso, o vírus de Epstein-Barr também libera dermatotoxinas que vêm à superfície da pele, ao redor das articulações, causando erupções periódicas. A artrite psoriática pode assumir muitas formas diferentes, dependendo do grau de toxicidade do fígado do paciente e da presença de vírus nele. O suco de aipo ajuda a eliminar o cobre e o mercúrio do fígado; isso por si só já contribui para diminuir a carga viral, pois esses metais pesados tóxicos são os alimentos de que o vírus mais gosta. Ao mesmo tempo, os sais aglomerados de sódio do suco de aipo ajudam a eliminar os bolsões do vírus de Epstein-Barr espalhados pelo corpo, de modo que o paciente possa finalmente avançar no caminho da cura.

No caso da esclerodermia, as dermatotoxinas e as neurotoxinas são produzidas por uma estirpe do vírus de Epstein-Barr que se alimenta de mercúrio e cobre. O que serve de combustível para os vírus, nesse caso, são inseticidas, outros pesticidas e fungicidas. As dermatotoxinas resultantes geram calor e dor nos tecidos profundos. A ação purificadora do suco de aipo dentro do fígado ajuda a neutralizar os pesticidas, fungicidas e herbicidas e a retirá-los do corpo. O suco de aipo ajuda ainda a livrar o fígado das dermatotoxinas, de modo que o portador de esclerodermia possa finalmente encontrar alívio de seus sintomas.

Doença de Lyme

O suco de aipo destrói bactérias como a *Borrelia*, a *Bartonella* e a *Babesia*. Se acredita que está sofrendo de uma infecção bacteriana, o suco de aipo é o remédio correto para você.

Por outro lado, talvez lhe interesse saber que a doença de Lyme é uma infecção *viral* crônica. Por mais que você tenha recebido o diagnóstico de infecção bacteriana, os sintomas da doença de Lyme se devem a um vírus. Mesmo que estejam presentes bactérias como a *Borrelia*, não são elas que provocam os sofrimentos dos portadores de doença de Lyme. Os sintomas dessa doença são neurológicos, e as bactérias não criam sintomas neurológicos, pois não produzem neurotoxinas. Somente os vírus que se alimentam de metais pesados tóxicos, como o mercúrio, o alumínio e o cobre – além de glúten, ovos, laticínios, pesticidas, herbicidas e fungicidas que estão dentro do nosso fígado e em outras partes do nosso corpo –, criam as neurotoxinas que causam a doença de Lyme.

Nesse caso, especificamente, os vírus envolvidos são todos da família do herpes: o vírus de Epstein-Barr e suas mais de 60 mutações e estirpes não descobertas; todas as variedades do vírus da catapora (que é o mesmo do herpes-zóster), incluindo-se aí estirpes desconhecidas que não causam erupções de pele visíveis; e as múltiplas mutações do VHH-6, do VHH-7 e dos VHH-10 a 16, que ainda não foram descobertos. Esses vírus liberam neurotoxinas que inflamam todo o sistema nervoso, causando os sintomas neurológicos da doença de Lyme. É por isso que muitos portadores da doença de Lyme também acabam sendo diagnosticados como portadores de outras doenças crônicas, como esclerose múltipla, artrite reumatoide, tireoidite de Hashimoto, fibromialgia e síndrome da fadiga crônica/encefalomielite miálgica. Todas essas doenças, e outras, são causadas pelo vírus de Epstein-Barr. A doença de Lyme também. Todas provêm da mesma fonte.

Os médicos, no entanto, não percebem esse fato. Aprendem que, no máximo, algumas dessas doenças têm uma *correlação* com o vírus de Epstein-Barr. Não sabem que esse vírus é a causa não descoberta de todas elas. Assim, o diagnóstico acaba confundindo as coisas e induzindo a erro. O que você precisa saber é nada mais, nada menos que a verdade: os inúmeros sintomas neurológicos da doença de Lyme são causados por infecções virais crônicas e relativamente brandas, cujos vírus se alimentam dos alimentos de que os pacientes mais gostam e depois liberam neurotoxinas.

Se você ainda está aferrado à maneira antiga e obsoleta de entender a doença de Lyme, mesmo assim o suco de aipo é o remédio que você deve usar, pois ele erradica a *Borrelia*, a *Bartonella*, a *Babesia* e qualquer outra bactéria que a medicina e a ciência, confusas do jeito que estão, procurem relacionar à doença de Lyme. Não deixe que a descrença de seu médico, ou a sua, que negam o caráter viral da doença de Lyme, ponham em descrédito o suco de aipo. Ele é um poderoso agente antibacteriano e pode ajudar você. Aliás, como eu já disse, depois que os livros da série O Médium Médico começaram a ser publicados, muitos médicos começaram a usá-los como manuais de orientação em seus consultórios. Esses médicos têm se interessado de modo particular pelas orientações relacionadas à doença de Lyme. Para eles, a ideia de que essa doença tem origem viral faz mais sentido que a tese bacteriana. Já existem milhares de médicos que apoiam essa informação. O suco de aipo também será útil se essas informações avançadas e futuras sobre a doença de Lyme – a revelação de sua origem viral – ressoarem em você. Como você leu na introdução às doenças autoimunes, o suco de aipo é um poderoso agente antiviral.

Esclerose Múltipla

O suco de aipo pode ser excelente fonte de cura para quem sofre de esclerose múltipla. Há vários motivos pelos quais você pode receber dele poderosos benefícios de cura. A verdadeira causa da esclerose múltipla é a liberação de neurotoxinas pelo vírus de Epstein-Barr, que inflamam o sistema nervoso central. Os sais aglomerados de sódio do suco de aipo contêm e detêm o vírus, enfraquecendo-o e decompondo-o à medida que dissolvem as membranas exteriores das células virais. Quando a carga viral se reduz, os portadores de esclerose múltipla encontram alívio, e seus sintomas começam a desaparecer.

O suco de aipo também neutraliza as neurotoxinas acumuladas no corpo de quem sofre de esclerose múltipla. Esse paciente tem um fígado preguiçoso, estagnado, repleto de toxinas e detritos virais, além de metais pesados tóxicos e outras substâncias que causam problemas de fígado. O suco de aipo ajuda a limpar o fígado, neutralizando essas toxinas e neurotoxinas, ligando-se a elas e conduzindo-as de modo seguro para fora do corpo.

A eliminação dos vírus e das toxinas reduz a inflamação, um dos principais sintomas de que sofrem os portadores de esclerose múltipla. Pode tratar-se, conforme o caso, de inflamações agudas ou crônicas das bainhas de mielina dos nervos. O suco de aipo alivia ambas.

Os portadores de esclerose múltipla têm também um sistema endócrino desequilibrado, e os hormônios vegetais que o suco de aipo oferece são preciosos para ajudar a fortalecer as glândulas endócrinas. Além disso, a variedade única de vitamina C encontrada no suco de aipo é biodisponível, ou seja, pode ser assimilada e usada pelo corpo de maneira imediata. O fígado é obrigado a converter a maioria dos nutrientes. A vitamina C do suco de aipo, no entanto, não precisa ser convertida. Já está prontinha para dar um impulso ao sistema imunológico. Isso é importantíssimo para quem convive com a esclerose múltipla – pois essa pessoa está lutando contra o vírus de Epstein-Barr e precisa desse apoio poderoso ao sistema imunológico.

O suco de aipo já é, por si só, um dos remédios mais poderosos para quem sofre de esclerose múltipla. Quando ele é combinado com as outras verdades relacionadas à esclerose múltipla e ao modo pelo qual ela pode ser curada, verdades essas que estão declaradas nos livros da série O Médium Médico, os portadores de esclerose múltipla podem, por fim, tomar um caminho que os leve a livrar-se dos vários sintomas associados a essa doença.

Fibromialgia

O suco de aipo é utilíssimo para a fibromialgia, porque neutraliza as toxinas responsáveis pela doença: as neurotoxinas produzidas pelo vírus de Epstein-Barr. Essas neurotoxinas que se ligam aos nervos são responsáveis pela inflamação do sistema nervoso central e do periférico que acomete quem sofre de fibromialgia. Quando o suco de aipo entra no organismo, seus sais aglomerados de sódio se ligam às neurotoxinas e as retiram do corpo de maneira segura, de modo que os nervos ficam menos expostos a elas. Mas não é só isso. Muitas vezes, os portadores de fibromialgia têm o fígado carregado de toxinas, e esse problema não é diagnosticado. O suco de aipo limpa e purifica o fígado, removendo desse órgão boa parte dos venenos neurotóxicos que o vírus produz, antes mesmo que tenham a chance de chegar aos nervos do resto do corpo. Com o uso do suco de aipo ao longo do tempo, a dor generalizada pode diminuir e os pontos de dor mais intensa podem melhorar de modo substancial.

Síndrome de fadiga crônica, encefalomielite miálgica, síndrome de disfunção imune, doença sistêmica de intolerância ao esforço

Alguns dos nomes mais novos da síndrome de fadiga crônica foram propostos quando a medicina e a ciência finalmente reconheceram que, quando os pacientes se queixavam de estar cronicamente cansados, sentir as pernas pesadas como sacos de cimento, não conseguir manter os olhos abertos e não conseguir dormir e sofrer de inúmeros outros sintomas que dificultam imensamente a vida cotidiana, estavam falando a verdade. À medida que a comunidade médica começou a levar essas queixas a sério, percebeu que uma das causas poderia ser uma inflamação do cérebro, e é por isso que termos como *encefalomielite* (inflamação do cérebro e da medula espinhal) começaram a entrar em voga.

Muito antes de o *establishment* médico reconhecer a síndrome de fadiga crônica, eu já sabia que ela era uma doença real e chamava-a de *fadiga neurológica*. Como sempre disse, sua causa é o vírus de Epstein-Barr. Isso vale para os milhões de pessoas que sofrem dessa doença em todo o mundo. Os casos mais fortes de síndrome de fadiga crônica são causados por certas estirpes do vírus de Epstein-Barr que são mais agressivas e criam neurotoxinas mais fortes, as quais inflamam todo o sistema nervoso. Até os neurônios do cérebro são afetados, causando confusão mental e dificuldade para caminhar.

Como em qualquer outra infecção viral, nossa melhor arma é o suco de aipo. O vírus de Epstein-Barr não pode adquirir imunidade aos sais aglomerados de sódio desse suco. Além disso, quem sofre de síndrome de fadiga crônica tem o sistema imunológico comprometido, e os glóbulos brancos encontram paz e repouso quando são alimentados com os oligoelementos que o suco de aipo fornece. E mais: sua vitamina C alimenta o sistema imunológico e o fortalece para buscar e destruir os vírus EBV, que causam a síndrome de fadiga crônica.

Você logo vai constatar que, hoje em dia, a maioria das pessoas que recebe o diagnóstico de síndrome de fadiga crônica também recebe o de doença de Lyme. Vê como as duas coisas estão ligadas? O que está por trás de ambas, e sempre esteve, é o vírus de Epstein-Barr. As duas são erroneamente diagnosticadas como problemas separados, muito embora provenham – como você agora sabe – da mesma fonte. O suco de aipo tem uma influência profunda na recuperação do sistema nervoso comprometido e inflamado pelo vírus de Epstein-Barr, e isso faz toda a diferença para quem está tentando se curar de síndrome de fadiga crônica, da doença de Lyme ou de ambas.

DOENÇAS DE PELE AUTOIMUNES

Dermatite

Há uma variedade de dermatite que chamo de *dermatite clássica*: uma variedade do vírus de Epstein-Barr, encontrada comumente em jardins, alimenta-se de depósitos de alumínio, cobre e pesticidas localizados dentro do fígado e causa pele seca, caspa ou a formação de placas de pele irritada. O suco de aipo ajuda a destruir essa infecção branda do vírus de Epstein-Barr e ajuda a deslocar e eliminar pesticidas antigos, como o DDT. Além disso, neutraliza os subprodutos do cobre e do alumínio.

A dermatite seborreica, por outro lado, é mais comumente causada pela presença de gordura no fígado, o que engrossa e enche de resíduos o sangue do paciente. Nesse caso, não há vírus algum envolvido. O fígado é que está cheio das mais diversas substâncias; as toxinas escapam do fígado e chegam à pele, em vez de serem rearmazenadas no fígado ou eliminadas do corpo. O suco de aipo ressuscita o fígado, retirando dele a sobrecarga de toxinas e revigorando suas células de modo que o órgão se torne novamente capaz de desempenhar suas mais de duas mil funções químicas, muitas das quais ainda não foram descobertas pela medicina e pela ciência. Uma das funções mais importantes do fígado é a de fornecer nutrientes para outros órgãos, como a pele – e isso, por si só, ajuda a reduzir a dermatite seborreica.

Eczema, psoríase, rosácea e ceratose actínica

O eczema e a psoríase são causados pela infecção branda de um vírus herpético dentro do fígado. Na maioria dos casos, esse vírus é o de Epstein-Barr. Quando o vírus se alimenta do cobre e do mercúrio tóxicos que também estão no fígado e depois os excreta, esse cobre se transforma em uma dermatotoxina. Essas dermatotoxinas se acumulam, saem do fígado e acabam chegando a níveis inferiores da derme. Quando estão ali, o corpo procura se desintoxicar e as empurra para o exterior da pele. Esse processo pode produzir quase 100 variedades de erupções, todas classificadas como eczema ou psoríase, que recebem diversos nomes. Em nenhum desses casos o sistema imunológico está atacando a pele. Essa é uma explicação imprecisa que só surgiu em razão da falta de compreensão do verdadeiro mecanismo do eczema e da psoríase.

Pelo fato de o suco de aipo alimentar a pele, as pessoas que o bebem percebem benefícios imensos nessa parte do corpo. Um desses benefícios é o desaparecimento gradual do eczema e da psoríase. A cumarina presente no suco de aipo chega à superfície da pele e revigora as células da pele de dentro para fora. (No Capítulo 7 falaremos mais sobre a cumarina.) Isso resulta na diminuição da taxa de morte e deterioração das células epidérmicas e fortalece os nervos, os vasos sanguíneos e o fluxo sanguíneo na pele. A variedade especial de vitamina C encontrada no suco de aipo ajuda a restaurar o sistema imunológico personalizado do fígado, a fim de combater qualquer carga viral que ali esteja presente.

A rosácea é uma forma particular de eczema que pode assumir muitas formas no rosto e no pescoço. O suco de aipo ajuda a combatê-la na medida em que expulsa do corpo as toxinas à base de mercúrio que residem no intestino delgado e alimentam os vírus de Epstein-Barr que ali se encontram. Quando os sais aglomerados de sódio minimizam a carga viral dentro do intestino e ajudam a desarmar e neutralizar as toxinas de mercúrio e seus subprodutos, a rosácea pode começar a desaparecer. A eliminação de alimentos como ovos, laticínios e glúten, os quais alimentam o vírus de Epstein-Barr, pode acelerar o processo.

A ceratose actínica é outra forma de eczema. Ela resulta de uma infecção viral branda que se alimenta de mercúrio e, em menor escala, de cobre. O suco de aipo age da mesma maneira que nos casos de rosácea e eczema: livra seu organismo dos metais pesados e destrói o vírus oculto.

Quem sofre de casos mais agressivos e avançados de eczema e psoríase costuma ter uma carga maior de metais pesados tóxicos e vírus dentro do fígado. Ao começar a beber suco de aipo e este começar a lavar o fígado, os metais pesados começam a se movimentar e o vírus começa a ser combatido. Disso pode resultar a morte de um grande número de vírus. Os vírus mortos podem liberar no organismo uma quantidade de toxinas maior que a normal, provocando episódios de eczema ou psoríase que parecem mais intensos. Caso isso lhe aconteça, saiba que se trata de uma reação temporária, de cura. Diminua a quantidade de suco de aipo e dê tempo para que ele atue. O suco de aipo é seu melhor amigo e acabará por aliviar sua doença de pele. Enquanto isso, consulte o Capítulo 8 – "Mais Orientações para a Cura" – e faça pesquisas nos demais livros da série O Médium Médico para aprender o que mais você pode fazer para melhorar sua pele.

As pessoas costumam procurar informações sobre sua saúde em múltiplas fontes e acabam experimentando coisas que nada farão para ajudá-las. Quem começa uma nova rotina, como a de tomar suco de aipo, muitas vezes começa outras rotinas ao mesmo tempo. Pode ser que adote uma nova dieta, por exemplo – uma dieta que nem sempre estará alinhada com aquilo de que realmente precisa. Porém, pelo fato de ter começado a tomar o suco de aipo na mesma época, é o suco que acaba levando a culpa quando algo dá errado. Se você tiver algo que lhe pareça uma reação ao suco de aipo, lembre-se disso. Você começou a tomar suco de aipo e, ao mesmo tempo, começou a seguir os conselhos de saúde recebidos de outra fonte? Pode ser que esteja comendo coisas que alimentam o vírus e que seja esse o verdadeiro motivo da erupção cutânea; pode ser que a erupção cutânea nada tenha a ver com a morte de vírus ou a desintoxicação do fígado. Se você evitar alimentos improdutivos (veja o Capítulo 8), isso o ajudará no processo de cura.

Erupções cutâneas tipo lúpus

Esse tipo de erupção é causado pelo vírus de Epstein-Barr que se alimenta de mercúrio e alumínio, criando uma dermatotoxina que sobe à pele nas áreas em que residem importantes vias linfáticas. É por isso que uma erupção em forma de borboleta pode surgir no rosto, bem como outras erupções que acabam sendo diagnosticadas como lúpus. Mais uma vez, não se trata de um ataque que o corpo desfere contra si mesmo. Trata-se de uma infecção viral branda. Muita gente que tem lúpus também recebe separadamente o diagnóstico de vírus de Epstein-Barr, pois o vírus aparece em um exame de sangue. Em geral, o médico não associa o vírus a erupções típicas do lúpus. O portador de lúpus que consulta um médico especializado em doença de Lyme pode acabar sendo diagnosticado também como portador dessa doença – e ninguém percebe que isso se deve ao fato de todas essas doenças terem a mesma origem: o vírus de Epstein-Barr. O suco de aipo ajuda a resolver tudo isso. Os sais aglomerados de sódio reduzem a infecção viral subjacente e ajudam a desarmar e neutralizar as dermatotoxinas responsáveis pela erupção em si.

Líquen escleroso

Essa doença de pele é causada por uma combinação de cobre, mercúrio e DDT antigo, herdado de seus pais. Tudo isso é acompanhado por uma infecção viral branda. O suco de aipo pode ajudar a desalojar, remover e eliminar antigos depósitos de DDT e metais pesados tóxicos de dentro do fígado, ao mesmo tempo que reduz a carga viral. Portanto, quem sofre de líquen escleroso encontram alívio, quando toma suco de aipo por um período prolongado.

Vitiligo

O suco de aipo pode ajudar quem sofre de vitiligo, pois neutraliza o subproduto do alumínio que flutua pela corrente sanguínea e causa essa doença. A medicina e a ciência ignoram que o vitiligo é causado por um vírus – como o VHH-6 ou o vírus de Epstein-Barr – que se alimenta de alumínio e de vestígios de formol, no fígado e em outras partes do corpo, e libera uma dermatotoxina à base de alumínio que, ao chegar à pele, destrói os pigmentos de melanina dentro das células epidérmicas. É isso que produz as manchas brancas e outras formas de descoloração que ocorrem em quem convive com o vitiligo. Não é que o sistema imunológico da pele esteja atacando o pigmento; o vitiligo é uma doença real, que tem uma causa real. O suco de aipo ajuda a curá-la, pois combate o vírus responsável e ajuda a eliminar do organismo o alumínio e os traços de formol que se acumularam no fígado e em outras partes do corpo.

DOENÇAS DOS RINS E PEDRAS NOS RINS

É a lesão dos rins que produz problemas e doenças nesse órgão. Ora, a lesão dos rins pode ocorrer de várias formas. Existe a lesão tóxica provocada por medicamentos, drogas recreativas, metais pesados tóxicos, pesticidas, herbicidas e solventes.

De longe, a causa mais comum de lesão no rim é a lesão patogênica, que ocorre quando vírus ou bactérias entram no rim por meio dos vasos sanguíneos ou do trato urinário. Os vírus mais comuns que causam esse tipo de lesão são o VHH-6, o VHH-7 e o vírus de Epstein-Barr – e eles não são reconhecidos pela medicina e pela ciência como causadores de patologias renais. Quando um vírus inflama o rim, muitas vezes o médico acredita que o sistema imunológico do próprio paciente está atacando essa glândula. Os vírus também desempenham um papel na criação de tumores e cistos renais, quer cancerosos, quer benignos. No caso de infecções renais bacterianas, o estreptococo é uma causa comum; essa bactéria também é responsável por infecções urinárias que se transformam em infecções renais severas.

Há também as lesões provocadas pela alimentação. As dietas com alto teor de proteína encurtam a vida dos rins. A popularidade das dietas de alto teor proteico é extraordinária, considerando-se que até mesmo a medicina e a ciência sabem que os portadores de doenças renais, mesmo leves, não devem consumir proteínas em grande quantidade. As dietas de alto teor proteico também têm elevado teor de gordura, e essa combinação desgasta muito os rins, entupindo-os, cansando-os e preparando o caminho para que os patógenos, ou qualquer outra das possíveis causas de lesão renal que examinamos, acabe por impor aos rins uma pressão que eles não podem suportar.

Especialmente se você estiver fazendo diálise ou algum outro procedimento renal complexo, fale com seu médico antes de introduzir qualquer coisa em sua vida – mesmo o suco de aipo. Se o médico aprovar, saiba que o suco de aipo tem ação suave sobre os rins e pode ser muito útil em pequenas doses. Como com qualquer problema ou doença dos rins, nada deve ser consumido em grandes doses – nem medicamentos, nem proteína animal, nem proteína vegetal, nem certos suplementos. Mesmo com o suco de aipo, devemos ser respeitosos e saber que, quando os rins se encontram em um estado problemático e enfraquecido, nem sempre mais é melhor. Para quem sofre de doença renal, pequenas doses de suco de aipo podem proporcionar oligoelementos, vitamina C e sais aglomerados de sódio para combater os patógenos responsáveis pelas disfunções renais mais comuns. Pequenas doses de suco de aipo também podem ajudar a rejuvenescer os rins, recuperando-os das lesões tóxicas causadas por fontes como substâncias químicas ou excesso de proteína. Quando os rins se enfraquecem, as adrenais também sofrem, e os hormônios vegetais do suco de aipo podem ajudar a restaurar essas glândulas.

Além de tudo isso, o suco de aipo ajuda a diminuir e a dissolver as pedras nos rins, que são fruto de dietas com alto teor de proteínas e gorduras. As pedras nos rins podem ser formadas por proteínas, por cálcio ou até pelas duas coisas juntas. O suco de aipo corrói as pedras, permitindo que elas se quebrem e se dissolvam. Ele também atua para prevenir a formação de novas pedras. Embora não possa garantir que você não venha a desenvolver novas pedras nos rins caso ainda consuma uma dieta com alto teor de gordura, o suco de aipo pode ajudar a contrabalançar alguns efeitos do excesso de proteína e gordura.

DOR DE CABEÇA E ENXAQUECA

As causas da dor de cabeça e da enxaqueca podem variar. Seu número é grande demais para que eu arrole todas aqui, por isso exploraremos apenas algumas. (Para conhecer outras, veja o capítulo sobre dor de cabeça em *Médium Médico*.) Mas fique tranquilo, pois o suco de aipo combate todas as diversas causas originais da dor de cabeça e da enxaqueca.

A enxaqueca, em especial, ainda é um mistério para a medicina e a ciência – milhões de pessoas sofrem disso sem entender o porquê. Uma das causas da enxaqueca é a inflamação dos nervos frênico, vago e trigêmeo causada por neurotoxinas produzidas pelo vírus do herpes-zóster. (Como eu disse em *Médium Médico*, há mais de 30 variedades de herpes-zóster; esse vírus é muito mais comum do que se pensa.) O suco de aipo atua como anti-inflamatório para esses nervos importantíssimos, suavizando-os, rejuvenescendo-os ou revitalizando-os com seus preciosos oligoelementos contidos dentro dos sais aglomerados de sódio. O suco de aipo também se liga às neurotoxinas e neutraliza suas propriedades nocivas, que, caso contrário, tenderiam a irritar os nervos. Ou seja, o suco de aipo enfraquece sua toxicidade e ajuda a diminuir seu caráter prejudicial. Em razão disso, os nervos frênico, vago e trigêmeo se tornam menos sensíveis às neurotoxinas do herpes-zóster – os sais aglomerados de sódio do suco de aipo atuam como uma espécie de escudo.

Outra causa da dor de cabeça e da enxaqueca é a presença de metais pesados tóxicos dentro das células cerebrais. Os depósitos de metais pesados tóxicos, como o mercúrio e o alumínio, fazem com que o cérebro funcione acelerado, pois criam bloqueios dentro do cérebro que impedem o fluxo natural de eletricidade. Em vez de viajar livremente pelos tecidos cerebrais, os impulsos elétricos acabam ricocheteando. Isso, além de esquentar o cérebro, exige um gasto maior de energia para que se possa processar informações, pensar e funcionar de maneira geral. O suco de aipo alimenta todas e cada uma das células cerebrais, oferecendo-lhes a nutrição de que precisam para livrar-se dos metais pesados tóxicos para que a eletricidade possa fluir livremente de neurônio em neurônio. Também recupera as substâncias químicas neurotransmissoras, permitindo que o cérebro funcione em seu nível ótimo, mesmo que ainda contenha metais pesados.

Muita gente sofre de dor de cabeça e enxaqueca em razão da desidratação crônica e da falta de oxigênio provocada pela sujeira no sangue. Isso resulta de um fígado preguiçoso, estagnado e de uma dieta com alto teor de gordura que satura a corrente sanguínea de lipídios, expulsando o oxigênio e diminuindo de maneira radical o nível de oxigênio em órgãos como o cérebro. O suco de aipo ajuda a dispersar as gorduras na corrente sanguínea, limpando e purificando o sangue e limpando o fígado das substâncias problemáticas que ali se acumularam, uma vez que o fígado é o maior filtro do corpo. A revitalização do fígado faz com que ele recupere uma de suas funções químicas principais, que chamo de *efeito camelo*: retirar preciosas moléculas de água dos alimentos saudáveis que comemos – maçãs, por exemplo – e usá-las para ressuscitar a água "morta" de fontes desidratantes, como o café, o chá preto e os refrigerantes. (Leia mais sobre o assunto em *Fígado Saudável* da série O Médium Médico.) O próprio suco de aipo é reidratante; é a fonte suprema de eletrólitos que ajuda melhorar o estado da água já presente no corpo e na corrente sanguínea. Essa água torna-se, assim, mais vitalizada e colabora para reduzir a desidratação crônica de que milhões de pessoas sofrem sem que os médicos se deem conta.

O suco de aipo também ajuda a diminuir as dores de cabeça e enxaquecas relacionadas ao estresse, à emoção e à tensão, que resultam da ação cerebral da adrenalina produzida em nossa vida cotidiana, em que estamos sempre à mercê da raiva e do medo. Uma vez que o suco de aipo fortalece as adrenais e reduz a adrenalina tóxica, também ajuda a reduzir essas dores de cabeça provocadas por surtos de produção de adrenalina.

DORES ARTICULARES E ARTRITE

Quando alguém sofre de artrite, várias coisas diferentes podem estar acontecendo. Para começar, calcificações podem se desenvolver no decorrer dos anos, acumulando-se nas articulações e nas cavidades destas, desgastando, assim, as cartilagens. Elas podem ser acompanhadas ainda por muitas toxinas e por venenos diferentes, como metais pesados tóxicos, que se alojam nas articulações de todo o corpo – resultado de um fígado que está preguiçoso e estagnado há muito tempo. A combinação de toxinas e calcificação pode produzir aquilo de que tanta gente sofre: a artrite típica que vem com a idade. Projeções ósseas que diminuem a qualidade de vida também podem se desenvolver com o tempo. São essencialmente nódulos ósseos cujo crescimento também é devido à exposição às toxinas.

O suco de aipo ajuda a lubrificar as articulações e cartilagens, fortalece os tendões e o tecido conjuntivo ao redor das articulações e reduz as inflamações nervosas que podem ocorrer nas áreas articulares. Ele tem a capacidade exclusiva de fragmentar e dispersar os depósitos de cálcio – capacidade essa que também serve para dissolver pedras na vesícula, pedras nos rins, adesões e os tecidos cicatrizados. Tudo isso faz parte das coisas que tornam o suco de aipo tão milagroso. Sua capacidade de desagregar os depósitos de cálcio, um fragmento por vez, e de mandar os fragmentos de volta à corrente sanguínea para serem eliminados do corpo tem muito a ver com sua natureza alcalina. Depois de entrar no corpo, o suco de aipo tem forte ação alcalinizante. Não se deve confundir essa propriedade com a de substâncias que são altamente alcalinas fora do corpo, como a água de pH alto. Na verdade, o consumo dessas substâncias não é benéfico para o pH do corpo – leia mais sobre esse assunto em *Fígado Saudável*. Quando o suco de aipo entra no estômago, começa a se alterar rapidamente e torna-se muito mais alcalino do que era antes. Essa é uma das maneiras pelas quais ele reduz a dor da artrite.

Para informações sobre a artrite reumatoide e a artrite psoriática, consulte a p. 70.

EDEMA E INCHAÇO

Inchaço dos olhos, do rosto, do pescoço, das mãos, dos braços, dos pés, dos tornozelos, da batata das pernas, das coxas e do abdome

Quando se sofre continuamente de inchaços e edemas e não se tem diagnóstico de doença cardíaca, doença dos rins ou outra doença qualquer que explique o problema, o inchaço se afigura um mistério para a medicina e a ciência. Milhões de pessoas andam por aí com edemas de todo tipo e não obtêm de seus médicos nenhuma explicação quanto ao que possa estar causando isso. Os médicos sabem que o edema é, às vezes, efeito colateral do uso de algum medicamento, embora não percebam que, mesmo quando o edema não é um efeito colateral conhecido e direto, certos medicamentos podem continuar produzindo inchaço quando congestionam ou enfraquecem o fígado. A maioria das variações de edema que não têm relação com o coração ou o rim estão relacionadas ao fígado, com ou sem a interferência de um medicamento.

O que acontece dentro do fígado para causar edema e inchaço? Essa é mais uma consequência de um fígado estagnado, preguiçoso, cheio de toxinas. Nesse caso, o mais comum é haver também uma infecção viral do fígado que os médicos não percebem nem diagnosticam. Muitas vezes, quem apresenta edema ou inchaço experimenta também outros sintomas, e ninguém percebe que a raiz de tudo é essa infecção viral não descoberta. Quem sofre de tireoidite de Hashimoto, fibromialgia, síndrome de fadiga crônica, doença de Lyme, artrite reumatoide ou esclerose múltipla, por exemplo, também apresenta edemas de moderados a severos, e uma infecção viral do fígado foi o que deu início a tudo isso. Às vezes há mais de um vírus envolvido, entre os quais diferentes estirpes do vírus de Epstein-Barr e do vírus do herpes-zóster. Também os estreptococos podem proliferar no fígado, e tanto os vírus quanto as bactérias podem gerar uma quantidade tremenda de subprodutos e detritos. Um dos mecanismos de defesa do corpo quando grandes depósitos de resíduos tóxicos desse tipo se acumulam no fígado é enviar esses resíduos para o sistema linfático. O sistema linfático então incha, pois acumula água na tentativa de diluir as toxinas. O sistema linfático não foi feito para lidar com uma quantidade grande demais de subprodutos e detritos virais e bacterianos. Suporta poluentes ambientais cotidianos, as toxinas que nosso próprio corpo produz e aquelas que vêm com os alimentos. No entanto, ele não foi feito para ser o saco de pancadas dos patógenos, sendo golpeado por grandes quantidades de dejetos virais e bacterianos ao mesmo tempo que se desincumbe de sua principal responsabilidade, qual seja, um influxo de substâncias problemáticas absorvidas e criadas no dia a dia.

O suco de aipo ajuda a eliminar esses depósitos de detritos do sistema linfático. Também ajuda a decompor e destruir os patógenos dentro do próprio fígado, diminuindo a carga viral e, ao mesmo tempo, reduzindo a carga tóxica tanto do fígado quanto de outros órgãos. Além disso, leva essa carga tóxica para a corrente sanguínea e a acompanha até tirá-la do corpo. Tudo isso colabora para reduzir a retenção de água.

Aliás, essa água retida não é nem um pouco agradável. Quando ficamos inchados e acumulamos líquido, não se trata de um fluido limpo e claro; ele costuma ter uma tonalidade amarelada, de muco. Também é mais grosso e de consistência mucosa, pois está sujo, cheio de toxinas e dejetos virais. O suco de aipo ajuda a purificar essa água viscosa e amarelada, limpando-a e renovando-a. Isso porque os sais aglomerados de sódio têm a capacidade única de neutralizar as toxinas e purificar os fluidos dentro do nosso corpo, permitindo que os líquidos efetivamente fluam e liberem com facilidade as toxinas presas lá dentro.

ESCLEROSE LATERAL AMIOTRÓFICA

A esclerose lateral amiotrófica ainda é um mistério para a medicina. Ela não é diagnosticada pela presença de uma substância ou de um estado real que explique o que está acontecendo no corpo. Uma multidão de sintomas neurológicos podem afetar quem convive com a esclerosa lateral amiotrófica – e os próprios diagnósticos, às vezes, são dados pelos médicos mediante a pura e simples observação dos sintomas a olho nu, de tão misteriosa que é essa doença.

A verdadeira causa da esclerose lateral amiotrófica é uma infecção viral dentro do cérebro, em geral pelo VHH-6, acompanhado de mais um ou dois vírus (o herpes-zóster ou o Epstein-Barr, por exemplo) em outras áreas do corpo. São as neurotoxinas virais que causam os sintomas de esclerose lateral amiotrófica, e essas neurotoxinas específicas só podem surgir na presença de uma grande quantidade de metais pesados tóxicos no organismo: alumínio no nível mais alto, mercúrio no segundo mais alto e cobre no terceiro. As reações entre esses metais produzem corrosão, e isso pode estressar os neurônios. Depósitos corrosivos de metais pesados também servem de alimento para o VHH-6, pois muitas vezes se acumulam no cérebro. E quando os metais pesados tóxicos e seus depósitos corrosivos estão presentes em outras partes do corpo, servem de combustível para vírus herpéticos que estão nas proximidades e têm a ver com a doença.

A maior parte das pessoas que sofrem de esclerose lateral amiotrófica sente dor em toda parte, tem inúmeras dificuldades, várias deficiências e inflamação crônica no corpo inteiro. O fígado delas nunca funciona bem e, por isso, elas têm problemas para converter nutrientes, o que causa as deficiências. O suco de aipo é tão biodisponível que a maioria de seus nutrientes (bem como sua versão única de vitamina C) e compostos químicos não precisa ser convertida no fígado. Isso é uma bênção para quem sofre de esclerose lateral amiotrófica, pois significa poder acessar todas as propriedades curativas do suco.

Os sintomas da esclerose lateral amiotrófica podem melhorar e a regeneração neuronal pode acontecer com um forte protocolo antiviral e a limpeza adequada dos metais pesados tóxicos. Para obter orientações sobre essas duas coisas, consulte *Tireoide Saudável* da série O Médium Médico. O suco de aipo é mais um instrumento que ajuda a acelerar esse processo. Na esclerose lateral amiotrófica, os neurônios precisam ser rapidamente reabastecidos, e o suco de aipo é a melhor fonte de eletrólitos que existe para esses fins. Seus sais aglomerados de sódio e os oligoelementos a eles ligados – com os antioxidantes, a vitamina C biodisponível e outros nutrientes que os sais aglomerados carregam e entregam com facilidade, em razão de sua velocidade – não somente reabastecem os neurônios como impulsionam e protegem os tecidos cerebrais adjacentes. Isso dá ao indivíduo com neurônios danificados – como no caso da esclerose lateral amiotrófica – a oportunidade de se curar. Aumentar o consumo de suco de aipo para 960 ml por dia, acrescentando uma Vitamina para Desintoxicação de Metais Pesados, sobre a qual você lerá no Capítulo 8, bem como outros suportes que recomendo em *Tireoide Saudável* da série O Médium Médico e em *Médium Médico*, são opções sábias para quem sofre dos sintomas da esclerose lateral amiotrófica.

FADIGA

A fadiga diária sem motivo algum, como a que acompanha a síndrome de fadiga crônica, é muitas vezes causada por uma carga viral crônica, em geral do vírus de Epstein-Barr. Quando esse vírus se alimenta de substâncias prejudiciais, como o mercúrio, pesticidas, herbicidas, medicamentos e derivados de petróleo, ele produz neurotoxinas que flutuam pelo corpo, criando sensibilidades e reações alérgicas no sistema nervoso e resultando no que chamo de *fadiga neurológica*. Se é esse o tipo de fadiga que o paciente enfrenta, o suco de aipo pode ajudar em razão de seu forte poder antiviral. Os sais aglomerados de sódio viajam pelo corpo em busca de toxinas virais e até dos próprios vírus ativos, destruindo as membranas virais e fazendo, assim, com que as células virais aos poucos diminuam de tamanho e se decomponham. Ao mesmo tempo, os sais aglomerados de sódio desarmam neurotoxinas livres que saturam o tecido cerebral e prejudicam e lesionam os neurônios e as substâncias químicas neurotransmissoras. Também desarmam as neurotoxinas que saturam o coração, o fígado, o pâncreas e até os pulmões. Neutralizando essas toxinas diariamente com o suco de aipo, é possível, com o tempo, recuperar o vigor. Se aplicados também outros protocolos antivirais, é possível retomar o nível de energia que se tinha antes de começar a sofrer de fadiga – ou chegar a um nível ainda mais alto.

Se a fadiga de alguém se resume tão somente à fadiga adrenal, que resulta de glândulas adrenais cansadas, e se ela apresenta sintomas como o de se sentir cansado o dia inteiro e recuperar a energia à noite, ou sentir cansaço no meio do dia a ponto de precisar tirar uma soneca para continuar funcionando, o suco de aipo fornece os melhores eletrólitos e alimenta as glândulas adrenais com sais aglomerados de sódio que permitem que elas se reconstruam, rejuvenesçam e se restaurem. À medida que as adrenais se fortalecem, tendem a se estabilizar, em vez de passar pelos ciclos de hiperatividade e hipoatividade. Com isso, o paciente se recupera da fadiga adrenal. Para saber mais sobre as adrenais, veja a seção "Complicações das adrenais".

A fadiga decorrente de exercícios físicos é outro tipo de fadiga que o suco de aipo pode ajudar a melhorar. Ela resulta do uso excessivo dos músculos e do esgotamento do sistema nervoso, seja qual for o tipo de exercício envolvido. Os corredores e outros atletas dão a esse fenômeno o nome de "bater no muro". Certas pessoas que não são atletas e que não aperfeiçoaram sua força e sua resistência podem sentir esse tipo de fadiga após meros 10 minutos de exercícios básicos. De um jeito ou de outro, o suco de aipo opera milagres e é melhor que qualquer outra coisa para recuperar os músculos. Ele também ajuda a apoiar os nervos dentro dos músculos, alimentando tanto os nervos quanto os músculos com seus sais aglomerados. As células musculares recebem esses sais aglomerados como um bebê recebe o leite de sua mãe, e os sais ajudam a livrar os músculos de ácido láctico e das toxinas que neles se acumulam em razão da nossa exposição cotidiana a essas substâncias. O uso rotineiro do suco de aipo pode permitir que seu tempo de recuperação diminua.

FOME CONSTANTE

A fome constante resulta da deficiência de glicose nos órgãos e é sinal de um fígado particularmente faminto, que está sentindo muita falta de novos depósitos de glicogênio (glicose armazenada). Muitas vezes, o fígado está congestionado por células de gordura que se acumularam em razão do excesso de gordura na dieta, bem como por toxinas e outras substâncias problemáticas. Isso dificulta para o fígado a tarefa de receber glicose, e é por isso que o paciente pode comer bastante e com frequência e, mesmo assim, sentir fome. O suco de aipo ajuda a tirar essas toxinas do fígado e a dissolver e dispersar as células de gordura, abrindo a porta para a absorção da glicose e o armazenamento de glicogênio, que pode ser obtido de frutas frescas, batatas e outras hortaliças amiláceas, como a abóbora. Aprenda mais sobre esses Carboidratos Limpos Críticos (CLC) no Capítulo 8 deste livro e no livro *Fígado Saudável* da série O Médium Médico.

GANHO DE PESO

Quando alguém ganha quilos a mais, isso significa que já há muito tempo o fígado vem absorvendo e armazenando células de gordura, tornando-se preguiçoso, estagnado, pré-gorduroso ou mesmo gorduroso, ainda que isso não seja diagnosticado. Ou seja, o ganho de peso não resulta de um metabolismo lento. O *fígado* é responsável por questões de peso em todas as partes do corpo. Quem enfrenta problemas de peso também enfrenta, muitas vezes, problemas linfáticos: seu sistema linfático está entupido e contém uma abundância de células de gordura em virtude da sobrecarga hepática. Quando os compostos químicos do suco de aipo entram no sistema digestório, são absorvidos pelas paredes intestinais, vão para a veia porta hepática e entram no fígado, eles começam a revitalizar as células hepáticas. É como uma infusão medicinal para o fígado.

Nosso fígado é um filtro que se entope com o tempo caso não o aliviemos. Muitas vezes, além de estar entupido de células de gordura, o fígado preguiçoso, estagnado ou gorduroso está sinalizando, por seu estado, que se encontra carregado de toxinas que chamo de substâncias problemáticas. Estas vão de detergentes convencionais a colônias e perfumes; da gasolina com que você abastece o carro a purificadores de ar; de herbicidas, pesticidas e metais pesados tóxicos como o mercúrio, o alumínio e o cobre a medicamentos que você tomou há muito tempo e ficaram presos no fígado. À medida que se entope, o fígado perde a capacidade de funcionar em seu nível ótimo. O suco de aipo revitaliza o fígado, ajudando a estimulá-lo ao mesmo tempo que remove as toxinas e os venenos.

Os sais aglomerados de sódio do suco de aipo também se ligam aos detritos virais presentes no fígado – o que é muito importante, pois todos os habitantes do Planeta Terra abrigam patógenos no fígado. Esses patógenos vão do vírus de Epstein-Barr, o vírus do herpes-zóster, o VHH-6, o VHH-7 e o citomegalovírus a bactérias como o estreptococo e a *E. coli* e muito mais. O fígado se torna um ninho para esses patógenos quando está também cheio de substâncias problemáticas, pois as toxinas e os venenos servem, na verdade, de alimento para os vírus. Os compostos químicos do suco de aipo se ligam aos detritos virais – subprodutos e toxinas dos vírus – e ajudam a purgá-los do fígado. Isso fortalece e desperta a capacidade do fígado de operar do melhor modo e desempenhar suas mais de duas mil funções químicas, a maioria das quais ainda não foi descoberta. O suco de aipo também arranca as membranas dos patógenos no fígado, enfraquecendo-os ou mesmo matando-os. Essa é uma das razões pelas quais o suco de aipo rejuvenesce o crescimento das células hepáticas.

Por fim, o suco de aipo pode decompor e ajudar a dissolver as células de gordura armazenadas dentro do fígado. Ele desaloja os depósitos de gordura ali instalados, decompondo-os, soltando-os e limpando as células para eliminar o armazenamento de gordura no fígado. Além disso, o suco de aipo é carregado de outras vitaminais e minerais além dos sais aglomerados de sódio, os quais ajudam a alimentar e fortalecer o fígado, tornando-o menos estagnado. O suco de aipo é um instrumento poderoso para a perda de peso.

HIPERTENSÃO

O suco de aipo equilibra a pressão sanguínea. Vamos falar aqui da hipertensão ou pressão alta, mas saiba que, embora o suco de aipo seja capaz de diminuir a pressão sanguínea de quem sofre de hipertensão, isso não significa que você deva evitá-lo caso tenha pressão baixa. O suco de aipo trabalha a partir do estado em que você se encontra. Se a pressão está baixa, ajuda a elevá-la; se está saudável, a mantém estável; e, se está alta... bem, é disso que vamos falar agora.

A pressão alta é um mistério para a medicina e a ciência quando o cardiologista não consegue encontrar uma cardiopatia reconhecível, um bloqueio vascular ou sinais de arteriosclerose. Ainda não se descobriu que o órgão responsável pela hipertensão, que não tem outras origens óbvias, é o fígado – sobretudo um fígado estagnado, preguiçoso, cheio de toxinas. No decorrer dos anos, o fígado se sobrecarrega por fazer parte do sistema de filtragem do corpo, atraindo para si todas as coisas que não deveriam estar no corpo e guardando-as dentro de si para tentar nos manter em segurança. O sangue que sai do fígado deveria ser fresco e limpo. Porém, quando o fígado se sobrecarrega, ele começa a liberar um sangue sujo, cheio de toxinas. O coração tem de exercer uma força de 10 a 50 vezes maior para puxar esse sangue grosso do fígado, que atua como um filtro entupido. É isso que causa hipertensão. Os exames médicos não detectam essa realidade porque ainda não existe um instrumento de diagnóstico capaz de detectar um fígado preguiçoso. Na verdade, não há nem mesmo a consciência de que o fígado pode encontrar-se nesse estado intermediário, antes do surgimento da gordura nesse órgão.

O suco de aipo ajuda a libertar o fígado dos venenos e das toxinas que o entopem, tornando-o menos preguiçoso e estagnado. Seus sais aglomerados de sódio dispersam as substâncias tóxicas que ali se encontram e as eliminam da corrente sanguínea, atuando como um agente de afinamento do sangue que age de modo suave e seguro, desagregando as toxinas aglomeradas e as gorduras improdutivas (que constituem a maioria das gorduras que flutuam em nossa corrente sanguínea), de modo que o sangue possa circular com mais liberdade. Os sais aglomerados de sódio também alimentam o coração, fortalecendo-o, para que ele não sofra demais com o excesso de trabalho. Consumido com regularidade, o suco de aipo pode trabalhar de maneira contínua para limpar os detritos tóxicos de dentro do fígado, de modo que, com o tempo, esse órgão esteja liberando um sangue puro e limpo. Com isso, o coração não precisa se esforçar demais.

INCHAÇO ABDOMINAL

O suco de aipo ajuda a aliviar o inchaço abdominal, por várias razões. Em primeiro lugar, revivifica o fígado, permitindo o aumento da produção e das reservas de bile.

Com o aumento da produção de bile, as gorduras – saudáveis ou não – presentes em excesso na dieta da maioria das pessoas são decompostas e digeridas com mais eficiência. A força da bile dispersa as novas gorduras que são consumidas continuamente e faz a mesma coisa com as gorduras antigas que endureceram e formaram crostas nas paredes do intestino, causando doenças e sintomas, como o inchaço abdominal.

À medida que o suco de aipo revitaliza o fígado, revitaliza também as glândulas estomacais. Usamos essas glândulas para produzir uma gama de sucos gástricos, alguns dos quais são essenciais para digerirmos, processarmos e decompormos nutrientes, como as proteínas. Quando as proteínas não são digeridas de maneira adequada e, em vez disso, ficam apodrecendo no intestino, uma das consequências pode ser o inchaço abdominal. Na verdade, esse simples fato é, para muita gente, uma causa do inchaço abdominal crônico. Os sais aglomerados de sódio do suco de aipo entram nas glândulas estomacais e alimentam suas células, purificando-as das toxinas advindas de substâncias químicas tóxicas presentes nos alimentos, como os conservantes e os "aromas naturais" (que são repletos de glutamato monossódico – leia mais sobre este assunto no livro *Médium Médico*). Quando o tecido das glândulas estomacais é revitalizado, as glândulas são capazes de produzir um ácido clorídrico – que na verdade é composto de sete ácidos diferentes – mais forte e em um ritmo mais acelerado. Com isso, a decomposição das proteínas é facilitada.

O suco de aipo também mata os patógenos que colonizam o intestino e provocam a síndrome de supercrescimento bacteriano no intestino delgado, como os estreptococos. (Se você leu *Fígado Saudável* da série O Médium Médico, já sabe que a medicina e a ciência ainda não descobriram que, de todas as bactérias, o estreptococo é o principal responsável pela síndrome de supercrescimento bacteriano.) Colônias de bactérias improdutivas, como o estreptococo, liberam gás de amônia à medida que vão se alimentando de proteínas e gorduras não digeridas no nosso intestino. Essa amônia sobe pelo trato digestório e provoca efeitos destrutivos, chegando ao estômago e até mesmo à boca, onde pode provocar a retração das gengivas e acelerar a deterioração dentária. À medida que o suco de aipo mata os estreptococos e outros patógenos e suas enzimas digestivas ajudam a processar os alimentos no trato gastrointestinal, o inchaço abdominal diminui.

As causas possíveis do inchaço abdominal são três: baixa produção de bile, baixa produção de ácido clorídrico e geração de gás pelos patógenos. Uma pessoa pode sofrer de uma delas, de duas ou das três ao mesmo tempo. A maioria sofre de mais de uma; mas quaisquer que sejam as duas causas, o inchaço abdominal crônico é, em geral, um dos primeiros sinais de uma doença de fígado que está se desenvolvendo. Esse é mais um motivo para passar a consumir suco de aipo, pois ele dá excelente apoio ao fígado.

INSÔNIA

Uma das causas da insônia são as perturbações emocionais – estresse excessivo, perda de um ente querido, traição ou fim de um relacionamento, brigas, incompreensão, uma questão não resolvida na vida. Quando alguém passa por essas experiências e perde o sono, suas substâncias químicas neurotransmissoras se queimam rapidamente. Quando isso acontece, o suco de aipo proporciona a melhor restauração possível dessas substâncias. Ora, o sódio é um componente crucial das substâncias químicas neurotransmissoras. O sódio do suco de aipo é de um tipo totalmente diferente daquele obtido de outras fontes e é o melhor componente neurotransmissor que existe. Isso sem mencionar que, ligados aos sais aglomerados de sódio do suco de aipo, há dezenas de oligoelementos que também ajudam o cérebro. Ao repor as substâncias químicas neurotransmissoras, o suco de aipo ajuda você a passar pelas épocas de tumulto na vida.

Outro motivo pelo qual se perde o sono são as infecções virais crônicas. O vírus de Epstein-Barr, tão comum, excreta uma quantidade imensa de neurotoxinas, que podem percorrer a corrente sanguínea, entrar no cérebro e enfraquecer os neurotransmissores, causando problemas de sono. Os sais aglomerados de sódio do suco de aipo ajudam a desativar, desarmar e neutralizar essas neurotoxinas, tornando-as menos nocivas para as substâncias químicas neurotransmissoras. O consumo de suco de aipo por um longo período ajuda também a destruir os vírus que dão início ao processo de produção das neurotoxinas que prejudicam o sono.

A insônia também pode resultar de problemas de fígado. Um fígado infeliz, preguiçoso, estagnado, cheio de subprodutos tóxicos pode sofrer espasmos durante a noite, acordando o indivíduo mesmo que ele não sinta o espasmo. Depois de acordar, se você tiver de ir ao banheiro ou sua mente começar a funcionar, às vezes é difícil voltar a dormir. O suco de aipo ajuda a desarmar as toxinas e a purificar o fígado delas, além de destruir os vírus alojados no fígado que poderiam produzir ainda mais toxinas. Isso ajuda a revitalizar o fígado e, ao mesmo tempo, aliviar sua hipertensão. Um fígado mais calmo se traduz em menos espasmos e em um sono menos interrompido.

Certas pessoas não dormem porque seu sistema nervoso como um todo é excessivamente sensível. Dores nervosas, perna inquieta, tiques, espasmos e fraqueza nervosa – essas coisas muitas vezes não as deixam dormir bem. A mesma coisa acontece com quem tem um caso diagnosticado de síndrome de fadiga crônica ou doença de Lyme. Os sais aglomerados de sódio do suco de aipo são os eletrólitos mais poderosos que o Planeta Terra tem a oferecer nesta época a partir de algum alimento – eletrólitos que ajudam a proteger o sistema nervoso central, de modo que possamos encontrar alívio das doenças e dos sintomas neurológicos e dos transtornos autoimunes que assediam a tantos.

É comum não conseguir dormir em razão da sensibilidade de seu revestimento intestinal, causada por uma inflamação. Isso significa que o bolo alimentar, passando à noite pelo intestino, pode acordá-lo constantemente. Como no caso dos espasmos hepáticos, isso pode ocorrer em um nível que o paciente sequer chega a sentir; ele pode ter a impressão de que acordou sem motivo algum. O suco de aipo melhora a digestão em todos os níveis. Fortalece o ácido clorídrico do estômago, por exemplo, de modo a proporcionar uma digestão melhor das proteínas. Restaura a textura natural – semelhante à de uma lixa – do revestimento intestinal desgastado, de modo que o intestino seja mais capaz de capturar e processar as fibras. E, pelo fato de ajudar a restaurar as terminações nervosas intestinais, que recebem as mensagens responsáveis pela ação peristáltica, o suco de aipo permite uma movimentação mais suave e contínua do intestino. Tudo isso se traduz em um sono melhor.

MAL DE ALZHEIMER, DEMÊNCIA E PROBLEMAS DE MEMÓRIA

Os problemas de memória podem assumir as mais diversas formas: dificuldades para recuperar memórias antigas ou recentes ou mesmo flutuações em que os problemas das memórias antiga e recente se alternam. Não estamos falando daqueles dias em que você está ocupadíssimo e coloca suas coisas no lugar errado ou se esquece até de onde deixou o carro em um estacionamento lotado – embora o suco de aipo também ajude a neutralizar essa sobrecarga, quando você tenta se lembrar de dez coisas diferentes no meio de um dia estressante. Quando falamos de problemas sérios, como o mal de Alzheimer e a demência senil, estamos nos referindo, sem perceber, a metais pesados tóxicos alojados no cérebro. Os mais comuns são o mercúrio e o alumínio, seguidos de perto por cobre, níquel, cádmio, chumbo e arsênico. Cada pessoa tem um volume e uma combinação diferentes de metais pesados tóxicos alojados no cérebro. Alguns metais cruzam os caminhos uns dos outros, alguns tocam uns nos outros e alguns se fundem, formando ligas.

Os problemas de memória ocorrem especificamente quando esses metais se oxidam. Os metais oxidados produzem resíduos. Pense em um pedaço da carroceria de um carro que enferruja, desenvolve uma crosta e, depois, pequenas bolhas que se abrem. É isso o que acontece no cérebro, embora em escala microscópica ou mesmo nanoscópica. Uma das principais causas dessa oxidação reativa é o alto teor de gordura na corrente sanguínea – não importa se gorduras saudáveis ou não. Quer a dieta consista em óleos de alta qualidade, sementes oleaginosas, abacate, queijo, ovos, frango, peixe e carne vermelha, ou em óleos hidrogenados, bolos, biscoitos, rosquinhas e outros alimentos fritos, a gordura que então entra na corrente sanguínea permite a ocorrência dessas reações oxidativas dos metais pesados no cérebro. Os metais pesados tóxicos começam a se decompor, mas não de maneira positiva. Enferrujam, mudam de forma, rompem-se e chegam até a crescer e expandir-se à medida que correm juntos. O suco de aipo, sendo a mais poderosa fonte de eletrólitos do planeta – nada poderia perturbá-la ou mesmo igualá-la –, ajudar a reparar os danos.

Para começar, a complexa mistura de oligoelementos do suco de aipo não somente ajuda a restaurar as substâncias químicas dos neurotransmissores como oferece essas substâncias em sua forma completa. Isso é importantíssimo, pois os resíduos da oxidação dos metais entopem os neurotransmissores, tornando-os sujos e menos úteis. Além disso, o suco de aipo limpa os resíduos de oxidação que se acumulam nos neurônios. Essa é outra função essencial, pois os neurônios não conseguem se conservar quando bombardeados por resíduos de metais pesados. O suco de aipo se liga ao material oxidado, neutraliza-o e torna-o menos tóxico. Dando vida nova a neurotransmissores combalidos e lesionados que estão inativos dentro dos neurônios e oferecendo substâncias neurotransmissoras em sua forma completa, o suco de aipo começa a ajudar a melhorar a memória e pode até ajudar a reverter o mal de Alzheimer.

Se você acha que não sofreu exposição a metais pesados, repense. Já comeu atum em lata? Tomou algo em uma lata de alumínio? Comeu um lanche ou um sanduíche que estava envolvido em papel-alumínio? Já tomou um gole de água que não seja totalmente pura, talvez a água de torneira que é servida em milhões de restaurantes pelo mundo afora? Já tomou algum remédio produzido em laboratório farmacêutico? Todas essas coisas, que estão presentes em nosso cotidiano, trazem metais pesados para dentro do nosso corpo. Até os remédios contêm metais pesados. Há traços de metais pesados inclusive no ar que respiramos, despejados nele pelos escapamentos dos carros e pela fumaça que sai dos motores dos aviões a jato. Além disso, herdamos metais que são passados de geração em geração, sendo o mercúrio e o cobre os mais comuns. A depressão pode ser um sintoma da presença de metais pesados tóxicos no cérebro, a ansiedade também. Os efeitos desses metais podem se manifestar muito rapidamente em certas pessoas – o estresse oxidativo pode atingir até mesmo adultos jovens – ou podem levar mais tempo, desenvolvendo-se ao longo dos anos. Tudo depende do local do cérebro onde estão os metais, de há quanto tempo estão lá e de quanto se oxidaram. Quando esses metais pesados causam problemas de memória, o que todos que sofrem nessa situação têm em comum é que os metais estão se decompondo, mudando de formato, oxidando-se, produzindo resíduos que saturam os tecidos cerebrais adjacentes e afetando os neurônios e as substâncias químicas neurotransmissoras. Quando os neurotransmissores se reduzem e se enfraquecem, a confusão mental pode instalar-se, antes ou depois do começo da perda de memória.

Dada a seriedade da demência, do mal de Alzheimer e de outras doenças que envolvem perda de memória, uma dose de 60 ml de suco de aipo por semana não ajudará a resolver o problema. No capítulo seguinte, procure dicas sobre a cura de doenças em estado avançado por meio do consumo de quantidades maiores de suco de aipo e leia sobre a Vitamina para Desintoxicação de Metais Pesados no Capítulo 8.

MÃOS E PÉS FRIOS; SENSIBILIDADE AO FRIO, AO CALOR, À EXPOSIÇÃO AO SOL E À UMIDADE

Quem sofre de sensibilidade excessiva aos extremos de temperatura normalmente está sofrendo as consequências de um sistema nervoso sensível. Os nervos e as terminações nervosas em várias partes do corpo, do nervo trigêmeo e outros nervos faciais ao nervo ciático, tornam-se sensíveis por estarem inflamados. O suco de aipo atinge a fonte dessa inflamação.

Quem consegue aguentar extremos de calor ou frio não sabe o que é quase sentir dor a uma temperatura de 10 graus Celsius. Também o vento pode parecer cortante para quem tem sensibilidade nos nervos faciais. Os portadores desse tipo de sensibilidade ficam facilmente com enxaqueca ou dor de cabeça ou sentem o equilíbrio do corpo afetado, com sensações de tontura ou, às vezes, de uma leve vertigem. O frio é terrível para essas pessoas, e o calor não é nada melhor. Algumas são muito sensíveis à permanência prolongada sob o sol ou não aguentam um ambiente em que a umidade relativa do ar seja muito alta. Qualquer que seja o nome que se dê a esse tipo de experiência e qualquer que seja o diagnóstico oferecido pelo médico, tudo isso acontece em razão da hipersensibilidade do sistema nervoso.

Quando a sensibilidade nervosa não ocorre devido a uma lesão física, os nervos estão inflamados em razão da elevada carga viral do corpo. Vírus como o de Epstein-Barr são responsáveis por muitas doenças e sintomas neurológicos. Esses vírus liberam seus resíduos, que são neurotoxinas; estas são transportadas pela corrente sanguínea, ligam-se aos nervos e provocam neles inflamações que vão de leves a severas, dependendo da pessoa e da carga viral. É isso que produz reações excessivas à temperatura. No caso de mãos e pés frios, isso se deve às neurotoxinas e aos problemas de circulação ocasionados por um fígado preguiçoso.

Os sais aglomerados de sódio do suco de aipo, que só existem nessa bebida e em mais nenhum outro lugar, têm um efeito sedativo imediato, pois neutralizam as neurotoxinas e se ligam a elas, tornando-as menos agressivas e ajudando a eliminá-las mais rapidamente por meio da urina, das fezes ou até mesmo da transpiração. Isso permite que os nervos se distensionem e se curem, diminuindo a inflamação nervosa em todo o corpo. Então, quando o corpo naturalmente incha em um ambiente de alta umidade, os nervos não sofrem tanta pressão, e a pessoa não sofre. A diminuição da quantidade de neurotoxinas que atacam os nervos em todo o corpo também faz com que, diante de uma exposição ao frio, os nervos se distensionem com mais rapidez, diminuindo a dor e a exaustão.

MUTAÇÕES DA MTHFR E PROBLEMAS DE METILAÇÃO

O suco de aipo pode reduzir os elevados níveis de homocisteína encontrados em pacientes com mutações genéticas da MTHFR (metilenotetrahidrofolato redutase). Os níveis de homocisteína sobem quando o fígado sofre de inflamação crônica, e o suco de aipo ajuda o fígado, rejuvenescendo-o e reabastecendo-o, ao mesmo tempo que o purifica do excesso de toxinas que tende a se alojar nele. Um dos tipos de toxina mais comuns no fígado são os dejetos virais. Quando vírus como o de Epstein-Barr estão ativos no corpo, excretam detritos no fígado. À medida que essas toxinas vão se acumulando, com o tempo elas inflamam o órgão. O suco de aipo neutraliza essas toxinas, tanto no fígado quanto em toda a corrente sanguínea. Mesmo que o paciente não tenha um índice elevado de homocisteína, a causa da chamada mutação genética da MTHFR é sempre a mesma: uma carga viral crônica, quer branda, quer elevada, dentro do fígado, sobrecarregando e enfraquecendo esse órgão. Nesse caso, a inflamação não está somente no fígado; pode estar em todo o corpo, mesmo sem marcadores de homocisteína. A inflamação aumenta quando as toxinas virais inundam a corrente sanguínea, e é isso que desencadeia um resultado positivo no exame de mutação genética da MTHFR – que é, na verdade, um exame de inflamação.

Os sais aglomerados de sódio do suco de aipo ajudam a neutralizar e diminuir a quantidade de toxinas virais que flutuam pela corrente sanguínea e elevam a inflamação. O suco de aipo ajuda a varrer essas toxinas para fora do fígado, da corrente sanguínea e dos rins. O folato presente no suco de aipo também é importantíssimo para quem tem problemas de metilação e diagnóstico de mutação da MTHFR, pois essa forma de folato é facílima de ser convertida por um fígado fraco, sobrecarregado, que não está desempenhando a contento a função de metilação. Uma vez que o fígado fique mais saudável, com o consumo prolongado de suco de aipo, ele voltará a desempenhar bem essa função, a qual é vital, uma vez que a tarefa de receber vitaminas e outros nutrientes do trato intestinal, convertê-los, às vezes armazená-los e liberá-los na corrente sanguínea em forma mais biodisponível é uma das funções mais importantes do fígado. Isso pode fazer diminuir a inflamação em todo o corpo e reverter um resultado positivo de mutação de MTHFR.

Se isso lhe parece confuso, saiba que já aconteceu com muita gente: um exame inicial de mutação genética deu positivo; depois, com a aplicação das técnicas de cura corretas, um segundo exame mostrou que a mutação genética já não existia. Os médicos tendem a ficar perplexos. A verdade é que, uma vez que o fígado se recupera pelo consumo de grandes quantidades de suco de aipo e pelas outras abordagens sobre as quais você pode ler na série de livros O Médium Médico, pode-se reverter um diagnóstico que, na verdade, desde o começo foi equivocado e ambíguo. Se essa nova linha de pensamento o deixa curioso, leia o livro *Fígado Saudável* para descobrir toda a verdade sobre as mutações da MTHFR.

PALPITAÇÕES, BATIMENTOS CARDÍACOS ECTÓPICOS E ARRITMIA

Se você vem sentindo palpitações, batimentos cardíacos ectópicos e arritmia cardíaca sem que esteja sofrendo de uma cardiopatia diagnosticada, de um entupimento arterial ou outra coisa a que um cardiologista poderia atribuir o problema, já pode ter ouvido alguém dizer que a questão é hormonal ou genética. No entanto, nenhuma dessas respostas é verdadeira. Esses rótulos significam apenas que a extrassístole, a arritmia ou os batimentos anormais são um mistério para seu médico. A verdadeira causa é uma substância gelatinosa excretada pelo fígado que se acumula na válvula mitral, na válvula aórtica ou na válvula tricúspide e as torna pegajosas. Quando você toma suco de aipo, ele vai à raiz do problema: a patógenos como o vírus de Epstein-Barr que produzem essa gelatina pegajosa.

O vírus de Epstein-Barr existe no fígado de quase todas as pessoas, e seus dejetos – na forma de subprodutos e cadáveres virais – é que criam essa substância gelatinosa. A gelatina tende a se acumular no fígado durante anos, a ponto de um pouco dela começar a vazar do órgão. Quando isso acontece, o coração atrai essa substância para si por meio das veias hepáticas, e a essa altura ela pode começar a revestir ligeiramente as válvulas cardíacas. Isso pode fazê-las perder um pouco de seu movimento, o que pode provocar a sensação de que o coração perdeu um batimento, ou deu um pulo no peito, ou deu um batimento que chegou até sua garganta, e por aí vai. A gelatina não é tão grave quanto a placa; não é perigosa. Mas vale a pena prestar atenção nela, pois é sinal de problemas de fígado que podem adquirir caráter de urgência.

O suco de aipo combate as flutuações cardíacas misteriosas decompondo os dejetos virais assim que entram no fígado. O suco também melhora a capacidade do fígado de liberar compostos químicos não descobertos que atuam como desengraxantes (mencionados em *Fígado Saudável*) para ajudar a dispersar a gelatina. Além disso, o suco de aipo enfraquece o vírus responsável (como o vírus de Epstein-Barr), de modo que a produção de dejetos virais diminui e o acúmulo de gelatina se minimiza. Por fim, o suco de aipo ataca os dejetos gelatinosos que já chegaram ao coração. Seus sais minerais percorrem a corrente sanguínea e entram nas válvulas cardíacas, onde soltam e decompõem a substância e a enviam para fora do corpo.

PEDRAS NA VESÍCULA

As pedras na vesícula se criam nesse órgão e nele apenas. No entanto, o material de que elas são feitas provém do fígado. O fígado tóxico, sobrecarregado, preguiçoso ou estagnado encontra-se repleto de proteínas não utilizáveis, grandes quantidades de glóbulos vermelhos, vírus e dejetos virais, bactérias e dejetos bacterianos e substâncias tóxicas acumuladas, estranhas ao corpo, provindas de muitas centenas de compostos químicos industriais que respiramos, consumimos ou aos quais nos expomos de outras maneiras – como quando o DDT e os metais pesados tóxicos são transmitidos de geração em geração, por exemplo.

O fígado não foi feito para ter de lidar com tanta coisa. Por isso – e esse fato é desconhecido pela medicina e pela ciência – ele transmite parte de sua sobrecarga à vesícula biliar, ejetando nela materiais tóxicos. A vesícula biliar tem temperatura mais fria que a do fígado, especialmente quando este se encontra superaquecido em razão do excesso de atividade. Assim, quando esses dejetos passam do fígado quente para a vesícula mais fria, pedras podem se formar. Quer se trate de pedras de bilirrubina ou de colesterol, não são formadas somente por essas substâncias. Elas contêm uma combinação de dúzias de toxinas, muitas das quais não são ainda estudadas pela medicina e pela ciência. As pedras da vesícula não são limpas, mas sujas.

Talvez você já tenha ouvido dizer que o suco de aipo ajuda a dissolver pedras na vesícula. Isso às vezes acontece com as informações originadas na série O Médium Médico: elas se tornam tão populares que acabam sendo divulgadas separadamente das outras orientações de cura de O Médium Médico. Isso pode deixar a todos um pouco perdidos, pois não sabem o que mais fazer em prol de sua saúde além de beber suco de aipo; ou não sabem quanto e quando beber. Agora você encontrou a própria fonte dessa informação. É verdade: o suco de aipo ajuda quem já têm pedras na vesícula. Quando os sais aglomerados de sódio entram na vesícula, imediatamente começam a corroer as pedras e a abrir buracos nelas, deixando-as como queijos suíços, de modo que elas possam se quebrar e se dissolver com o tempo. O suco de aipo também ajuda, lentamente, a limpar e revitalizar o fígado sobrecarregado; é um dos melhores desintoxicantes para o fígado que existem, e isso significa que desde o começo já pode ajudar a prevenir as pedras na vesícula.

(Para saber mais sobre pedras na vesícula, veja a seção "Problemas relacionados ao estreptococo".)

PELE SECA E RACHADA

A pele seca é um dos primeiros indícios de desidratação. Em geral, a pele se torna cronicamente seca e quebradiça quando o sangue se enche de uma combinação de gorduras e toxinas. A gordura impede o oxigênio de penetrar a derme com facilidade, e o oxigênio é fundamental para a saúde da pele. Quase todos nós seguimos uma dieta com altíssimo teor de gordura, e até as gorduras ditas saudáveis engrossam o sangue e minimizam o oxigênio, permitindo que as toxinas se multipliquem. Essas toxinas podem saturar os tecidos logo abaixo da pele e subir até a derme, fazendo com que a pele se rache na tentativa de deixá-las sair. O fígado preguiçoso, estagnado e cheio de toxinas é quase uma garantia de que a pele ficará seca e rachada, pois é pela condição do fígado que o sangue se torna mais sujo e menos oxigenado, causando essa situação.

O suco de aipo ajuda na medida em que limpa o fígado, liga-se às toxinas, desarma-as, neutraliza-as e as elimina do corpo. Além disso, ele se liga às gorduras na corrente sanguínea e as dispersa, permitindo que também elas saiam do corpo com mais facilidade. Não há um remédio rápido para a pele seca e rachada, pois o fígado preguiçoso, estagnado, repleto de detritos virais, metais pesados tóxicos e outras toxinas leva algum tempo para se recuperar. O fígado é capaz de filtrar uma determinada quantidade de toxinas a cada dia. Quando a toxicidade do fígado é elevada – como no caso da maioria das pessoas –, ele fica impedido de cumprir essa função cotidiana e passa a sofrer. Esse fato por si só já faz com que uma grande quantidade de toxinas se encaminhe para as camadas superficiais do corpo e sature a derme. Isso ocorre porque o fígado não consegue segurá-las, de modo que elas entram na corrente sanguínea e de lá chegam à pele. O fígado sobrecarregado não consegue desarmar e neutralizar essas substâncias problemáticas, as quais, quando chegam à derme, estão, por esse motivo, ainda mais agressivas.

Quando o fígado entra em estado de limpeza (quer por causa de uma limpeza boa, saudável e segura, como "A limpeza do suco de aipo" apresentada no Capítulo 5, quer em decorrência de uma limpeza improdutiva, como tantas outras que existem por aí), ele começa a eliminar toxinas. Durante esse período, sua pele ainda estará seca e rachada, pois algumas toxinas vão entrar na derme e sair pela pele. A diligência e a dedicação no consumo de suco de aipo por um longo período, aliadas a outras técnicas de O Médium Médico, como as encontradas no livro *Fígado Saudável*, serão capazes de tirar uma quantidade suficiente de toxinas de seu fígado e de sua corrente sanguínea para, enfim, resolver seu problema de pele seca e rachada.

PERDA DA LIBIDO

Quando tudo parece estar bem e o impulso sexual da mulher desaparece misteriosamente, a causa geralmente é a fraqueza das adrenais (que os médicos às vezes não percebem). Os oligoelementos ligados aos sais aglomerados de sódio do suco de aipo revitalizam o tecido das adrenais, embebendo-o e fortalecendo sua capacidade de produzir a adrenalina específica que essas glândulas liberam durante a relação sexual.

Os homens podem ter um impulso sexual forte mesmo com adrenais fracas. Muitas vezes, a causa da perda de libido masculina é o enfraquecimento das substâncias químicas neurotransmissoras em certas áreas do cérebro, a presença de metais pesados tóxicos ou ambas as coisas. O suco de aipo ajuda a restaurar os neurônios e o tecido cerebral, substitui as substâncias químicas neurotransmissoras e ajuda a soltar os metais pesados e a prepará-los para que saiam do cérebro.

PERDA DE PESO

Pelo fato de o suco de aipo ser tamanha bênção para quem quer perder alguns quilos, as pessoas às vezes pensam, preocupadas, que não devem tomá-lo quando têm o problema oposto – quando estão abaixo do peso e não querem perder ainda mais peso. A verdade é que, se esse é o seu caso, você ainda pode beber suco de aipo. Ele o ajudará, pois o suco de aipo é capaz de atuar positivamente em ambas as circunstâncias: tanto para quem quer ganhar peso quanto para quem quer perder ou manter o peso. Seu efeito é equilibrante.

A coisa mais importante a se saber é: o suco de aipo não substitui as refeições. É um remédio. Sobretudo se você está abaixo do peso, não pode usar o suco de aipo como fonte de calorias. Não deixe de comer uma refeição matinal – uma vitamina de frutas, por exemplo – que possa lhe proporcionar calorias saudáveis; não a substitua pelo suco de aipo. Tome as duas coisas: primeiro tome o suco de aipo e, depois de 15 a 20 minutos no mínimo ou, idealmente, de meia hora, tome seu café da manhã.

O motivo pelo qual o suco de aipo pode ajudar a perder e a ganhar peso é que tanto o peso excessivo quanto o peso insuficiente são causados por um fígado em dificuldades. A perda de peso involuntária e misteriosa costuma resultar de uma infecção viral crônica e de baixa intensidade dentro do fígado, muitas vezes causada pelo vírus de Epstein-Barr. O sistema de alarme do corpo então entra em ação, criando uma reação alérgica que leva as adrenais a liberar adrenalina em níveis constantemente altos. A adrenalina atua basicamente como uma anfetamina. Muitas vezes, a perda de peso não dura para sempre, pois o fígado acaba se tornando tão cansado, preguiçoso e exausto por ter de lidar com quantidades maciças de adrenalina que a situação se inverte, e o indivíduo começa a ficar com excesso de peso. Isso pode acontecer mesmo que seja dez anos depois.

O suco de aipo ajuda a combater o problema viral que cria a perda de peso, pois seus compostos químicos entram no fígado pela veia porta hepática e quebram as membranas das células virais. A carga viral, assim, diminui e enfraquece, ao mesmo tempo que os compostos do suco de aipo se ligam às toxinas virais – bem como a toxinas como metais pesados tóxicos, pesticidas, herbicidas e solventes, que servem de alimentos para os vírus – e as retiram do fígado. Os compostos químicos do suco de aipo também flutuam pelo restante da corrente sanguínea, coletando e neutralizando toxinas virais que correm pelo corpo e constantemente desencadeiam reações alérgicas mais ou menos brandas, e invisíveis, que também põem em ação as adrenais.

Muita gente que perde peso de maneira misteriosa tem uma frequência cardíaca mais rápida, tanto na vigília quanto no sono. Isso é causado pelos restos de adrenalina que correm pelo corpo em razão da reação alérgica a uma carga viral. O suco de aipo permite que essa situação se reverta ao longo do tempo, de modo que o peso possa se estabilizar.

Lembre-se: o suco de aipo não é uma fonte de calorias. Não tenha a expectativa de beber suco de aipo, não comer mais nada e começar a ganhar peso. Depois de deixar que o suco de aipo matinal atue em seu organismo por 15 a 30 minutos, você terá de ingerir calorias em quantidade suficiente para alimentá-lo pela manhã e durante o restante do dia. Quando essas calorias fazem parte da equação, o suco de aipo pode ajudar você a se equilibrar. Para ter ideias sobre como comer de maneira saudável, consulte o Capítulo 8, "Mais orientações para a cura".

PROBLEMAS DE EQUILÍBRIO

Vertigem, síndrome de Ménière e Tontura

As pessoas sofrem de inúmeras variedades de problemas de equilíbrio. Algumas são acometidas por sintomas severos, chegando a sentir que a própria sala em que se encontram sentadas está girando; o caso de outras é mais brando: sentem-se como se estivessem dentro de um barco que balança e que o chão está se movendo. Quando não existe uma causa externa óbvia – uma lesão, concussão ou tumor cerebral, por exemplo –, tudo isso é misterioso para a medicina e a ciência. A verdade, porém, é que o nervo vago tem tudo a ver com os problemas inexplicados de equilíbrio.

O nervo vago, que na verdade são dois nervos cranianos, sai do tronco cerebral, desce pelo pescoço e pelo peito e chega ao abdome. É um nervo muito sensível. As neurotoxinas produzidas pelo vírus de Epstein-Barr estão entre as substâncias que mais o atacam e irritam. Quando o vírus de Epstein-Barr está ativo no corpo, as neurotoxinas por ele liberadas podem se ligar ao nervo vago e levá-lo a inchar. O grau de inchaço pode variar ao longo do nervo. Às vezes é só a ponta do nervo que está inchada, perto do estômago, onde ele se ramifica. Às vezes ele está inchado um pouco mais para cima, no peito, o que pode provocar aperto no peito e uma dificuldade para respirar que é difícil de entender, pois o pneumologista dirá que não há nada de errado com os pulmões. Em certas pessoas, as neurotoxinas inflamam a parte superior do nervo vago, no local onde ele se origina, no cérebro. Esse problema é mais semelhante a uma inflamação cerebral relacionada ao nervo vago e pode explicar aquela sensação crônica de estar dentro de um barco ou a experiência em que um mínimo movimento ou giro de cabeça pode dar instantaneamente a impressão de que a sala está girando e até provocar vômitos. A gravidade da tontura e do problema de equilíbrio depende em grande medida da condição do fígado, pois é no fígado que o vírus de Epstein-Barr gosta de se esconder. O paciente está consumindo alimentos que podem servir de combustível para o vírus? A quantos pesticidas e fungicidas ele foi exposto? Essas substâncias químicas também alimentam o vírus.

Aliás, a síndrome de Ménière é muitas vezes atribuída a cristais ou pedras de cálcio que se soltam no ouvido interno. Isso não é bem assim. Trata-se somente de uma teoria que faz com que quem sofre de tontura sinta que tem uma resposta assim que sai do consultório médico. A verdade é que não há relação alguma entre essas pedras e a sensação crônica de vertigem, tontura ou outros problemas de equilíbrio. A síndrome de Ménière é uma doença neurológica real causada por uma infecção viral branda e crônica.

O suco de aipo é um dos melhores anti-inflamatórios que existem. É um remédio poderoso para estabilizar qualquer uma dessas doenças; afeta todas as causas possíveis dos problemas de equilíbrio. Os componentes do suco de aipo entram facilmente no cérebro, onde seus oligoelementos restauram neurônios e nutrem e reabastecem os nervos, inclusive grandes nervos centrais, como o nervo vago. Ao mesmo tempo, seus sais aglomerados de sódio ajudam a destruir e matar o vírus de Epstein-Barr. E não é só isso: os sais aglomerados se ligam a neurotoxinas, pesticidas, herbicidas, fungicidas e outros venenos dentro do fígado e do resto do corpo e ajudam a eliminá-los de modo a reduzir as reações entre essas toxinas e o nervo vago. Quando há neurotoxinas alojadas na superfície do nervo vago, causando uma reação, o suco de aipo é capaz de atraí-las magneticamente e tirá-las do nervo. O que o suco de aipo faz, em essência, é limpar o nervo vago, livrando-o de todas as espécies de poluentes, toxinas e neurotoxinas, em especial as produzidas pelo vírus de Epstein-Barr.

PROBLEMAS DE METABOLISMO

A palavra "metabolismo" não significa aquilo que passamos a acreditar que significa. Como elucidei em *Tireoide Saudável*, não é verdade que um metabolismo lento esteja por trás dos sintomas e das doenças de qualquer pessoa; isso nunca aconteceu e nunca acontecerá. Isso porque o termo *metabolismo* designa a descoberta de que estamos vivos, de que nosso sangue está correndo e nosso corpo está funcionando. Um "metabolismo lento" não nos dá a resposta quanto ao que de fato está errado no corpo para provocar um problema como o ganho de peso, por exemplo. Por outro lado, o "metabolismo" se tornou a desculpa e a explicação mais comum para os problemas. Se quisermos aceitar essa terminologia, podemos dizer que, de certa maneira, beber suco de aipo acelera sim o nosso metabolismo. Pode, sim, nos ajudar a perder peso.

A verdadeira causa do que se chama "metabolismo lento" é um fígado preguiçoso. É simples assim, e ajudar o fígado é o que nos ajuda a perder peso. O complicado é o seguinte: nossa vida está cheia de uma variedade de substâncias problemáticas, como as chamo, encontradas em nosso dia a dia: pesticidas, fungicidas, herbicidas, metais pesados tóxicos, substâncias químicas sintéticas, vírus, bactérias, plásticos e até hormônios tóxicos, como o excesso de adrenalina. Quando o fígado se entope com essas substâncias e com a gordura que vem de uma dieta de alto teor de gordura e proteínas, as substâncias problemáticas tornam sua atividade mais lenta, deixando-o preguiçoso. Com isso, desenvolve-se um fígado disfuncional, a caminho de ficar com gordura no fígado. Os depósitos de gordura no fígado se enchem por completo, e o corpo começa a armazenar gordura em outras áreas.

O suco de aipo revive as células do fígado, eliminando essas diversas toxinas e ajudando a dissolver e dispersar as células de gordura – em essência, o suco de aipo limpa o fígado, removendo várias toxinas e reduzindo a carga viral. Isso desperta o fígado, trazendo-o de volta à vida; e, quando o fígado melhora, tudo o mais no corpo melhora também. Todos os órgãos se tornam mais limpos. Até o sangue e o sistema linfático se tornam mais limpos e menos tóxicos. Se é isso que você chama de melhorar o metabolismo, ótimo. Mas saiba o que de fato está acontecendo abaixo da superfície: o fígado está melhorando graças ao suco de aipo.

PROBLEMAS DE TIREOIDE

Hipotireoidismo; hipertireoidismo; doença de Graves; tireoidite de Hashimoto; nódulos, cistos e tumores da tireoide; bócio

Essas doenças inflamatórias da tireoide, que podem causar inflamações de brandas a gravíssimas, são todas causadas pelo vírus de Epstein-Barr. O vírus entra na tireoide, danifica seus tecidos e se instala em outras partes do corpo, sendo essa a verdadeira origem dos sintomas que acompanham os problemas de tireoide. (Saiba mais sobre o assunto em *Tireoide Saudável*.)

Os sais aglomerados de sódio do suco de aipo são absorvidos pela tireoide e atuam como agentes antivirais que arrancam as membranas externas dos vírus. Assim, o vírus se enfraquece a ponto de ou operar com menos vigor ou mesmo de morrer. Os sais aglomerados de sódio são absorvidos com extrema facilidade; entram tranquilamente no fundo do tecido da tireoide, embebendo-a, de modo que a tireoide possa usar esses sais minerais especiais para rejuvenescer e desenvolver seus hormônios.

Você já sabe que simplesmente comer talos de aipo não tem o mesmo efeito que beber o suco. Isso vale, em especial, quando falamos sobre a cura da tireoide. Seria fácil pensar que os compostos do suco de aipo são absorvidos pela tireoide quando passam pela garganta. No entanto, para que os sais aglomerados de sódio do suco de aipo de fato embebam a tireoide, eles precisam primeiro ser absorvidos pelo revestimento intestinal e entrar na corrente sanguínea – é assim que viajam até essa glândula localizada na garganta.

Quando a tireoide vai mal, isso costuma significar que ela contém uma grande quantidade de detritos virais – carcaças de vírus mortos, subprodutos virais e neurotoxinas liberadas pelos vírus. Quando essas coisas se acumulam durante muito tempo, praticamente entopem o tecido tireoidiano. O suco de aipo, quando enfim chega à tireoide, tem um incrível efeito de limpeza e desintoxicação. Seus sais minerais se ligam aos detritos e ajudam a removê-los da tireoide e a melhorar sua condição. Quando há nódulos na tireoide, o suco de aipo também ajuda. Os nódulos são prisões de cálcio para o vírus de Epstein-Barr, e os sais aglomerados de sódio do suco de aipo ajudam a desintegrar e dissolver essas calcificações no decorrer do tempo – enquanto perseguem, simultaneamente, os vírus criadores dos nódulos.

PROBLEMAS OCULARES

Quando pensamos em cuidar da saúde dos olhos pela alimentação, as primeiras coisas que nos vêm à cabeça são a vitamina A e os pigmentos alaranjado e vermelho – betacaroteno e carotenoides. Ainda melhores são os antioxidantes das bagas, comumente chamadas frutas vermelhas: o azul do mirtilo selvagem, por exemplo, e o violeta da framboesa e da amora. Nesse contexto, é difícil acreditar que o suco de aipo seja ainda melhor que esses pigmentos ricos. Mas ele é.

A saúde ocular é comprometida por toxinas cuja ação, nesse sentido, a medicina e a ciência não reconhecem. Os metais pesados tóxicos são algumas das substâncias mais problemáticas para os olhos. Traços de mercúrio podem entrar nos olhos vindos do amálgama usado em obturações dentárias. (Mas tenha cuidado ao tirar essas obturações, pois a retirada pode liberar mais mercúrio ainda – leia mais sobre isso em *Médium Médico*.) Há também mercúrio na água que bebemos, nos peixes que comemos, e estamos expostos ao mercúrio acumulado pelas gerações anteriores, pois esse metal é transmitido na linhagem sanguínea. É assim que a maior parte do mercúrio entra em nossos olhos – transmitido por nossos ancestrais por meio dos óvulos e espermatozoides (e dentro do útero) de geração em geração. Não é a doença em si que vem dos antepassados: é o metal pesado. Doenças oculares degenerativas de toda espécie são relacionadas ao mercúrio, mesmo que a ciência e a medicina ainda estejam a décadas de perceber esse fato. Os metais pesados estão por trás de casos misteriosos de cegueira, que são considerados genéticos; as células responsáveis pela visão dentro do nosso olho se saturam de subprodutos corrosivos do alumínio que resultam das interações deste com o mercúrio.

Outro fator incômodo para a saúde ocular é a atividade viral. Pode-se sofrer de herpes simples durante anos, e isso pode acabar afetando os olhos. O vírus do herpes simples, o do herpes-zóster, muitas variedades diferentes do vírus de Epstein-Barr, o citomegalovírus e o VHH-6 são todos candidatos à produção de toxinas e subprodutos hostis que degradam lentamente a retina e outras partes do olho.

O suco de aipo é um dos alimentos mais poderosos para auxiliar a visão e restaurar os olhos. Nessa área, ele é igual ou superior ao mirtilo selvagem, que é o único outro alimento no Planeta Terra que tem o poder de proteger nossos olhos nesse grau. O mirtilo selvagem ajuda os olhos com seus antioxidantes. No caso do suco de aipo, um dos motivos pelo qual ele cura as pessoas é que ele remove do corpo o cobre tóxico. Os sais aglomerados de sódio contêm oligoelementos vitais para os olhos, entre eles o zinco e o cobre. O zinco impede qualquer tipo de atividade viral no olho ou ao redor dele, mesmo ao longo do nervo óptico, ao passo que o cobre, na forma de oligoelemento, se liga ao cobre tóxico e ajuda a soltá-lo e desalojá-lo, de modo que saia dos olhos, entre na corrente sanguínea e acabe sendo eliminado do corpo. O zinco também ajuda a interromper as reações entre o mercúrio e o alumínio que produzem corrosão e doenças oculares degenerativas.

A vitamina C do suco de aipo entra no olho montada nos sais aglomerados de sódio. Enquanto os sais aglomerados ajudam a renovar e restaurar os tecidos oculares, a vitamina C entra nas células com eles. Quase todas as pessoas que sofrem de qualquer tipo de transtorno ocular têm deficiência de vitamina C, pois quase todas elas têm problemas no fígado. O fígado preguiçoso, estagnado, sobrecarregado ou problemático não é capaz de converter a vitamina que entra nele – é incapaz de submetê-la às reações de metilação que a tornam biodisponível e acessível para o resto do corpo. A vitamina C do suco de aipo proporciona uma infusão instantânea para as células dos olhos, sustentando-as e ajudando-as a reverter a doença ou pelo menos a barrar seu avanço. Os neurônios do cérebro que enviam sinais ao nervo óptico também aproveitam os sais aglomerados de sódio, pois estes melhoram os neurotransmissores. Esse fato por si só já pode ajudar a aliviar uma multidão de sintomas oculares, dos mais básicos aos mais extremos.

Vamos ver, agora, de que maneira o suco de aipo ajuda a resolver diversos sintomas e doenças oculares. Mesmo que o problema específico de que você sofre não esteja nesta lista, fique tranquilo, pois o suco de aipo irá ajudá-lo.

Atrofia do nervo óptico

Nessa versão mais avançada do enfraquecimento da visão, as células nervosas se debilitam devido à presença de metais pesados tóxicos, derivados de petróleo, solventes, pesticidas, herbicidas, fungicidas e/ou neurotoxinas virais que saturam o nervo óptico. Ocorre, então, uma degeneração das células do nervo óptico, que prejudica a transmissão das mensagens transferidas do olho ao cérebro. Em alguns casos de atrofia do nervo óptico, ele é somente uma infecção viral. O vírus de Epstein-Barr é a causa viral mais comum, o VHH-6 é a segunda e o vírus do herpes-zóster é a terceira; são esses os três vírus que mais tendem a invadir o nervo óptico, criando inflamações que podem levar os médicos a fazer diversos diagnósticos por não saberem que se trata de um problema viral. Os sais aglomerados de sódio do suco de aipo ajudam a remover os vírus do nervo óptico e, ao mesmo tempo, restauram as células do nervo, permitindo também que novas células nasçam e cresçam. Além disso, graças ao reabastecimento de substâncias químicas neurotransmissoras, o suco de aipo fortalece os neurônios adjacentes ao nervo óptico, que recebem informações do nervo. Esse robustecimento dos neurônios ajuda muito a reverter a atrofia do nervo óptico.

Catarata

A causa aqui é uma deficiência prolongada de vitamina C causada por um fígado sobrecarregado, tóxico, que está abarrotado de pesticidas, herbicidas, fungicidas e DDT antigo. O suco de aipo ajuda a prevenir o crescimento da catarata, pois alivia o fígado e proporciona uma vitamina C potente e utilizável.

Ceratocone

Essa doença é causada por uma infecção viral crônica. O vírus mais comum a causá-la é o de Epstein-Barr. A placa que se desenvolve na córnea é formada pelos subprodutos emitidos pelo vírus, que se acumulam dentro do corpo. O suco de aipo reduz a infecção viral porque seus sais aglomerados de sódio ajudam a destruir o vírus, protegendo as células oculares contra a invasão viral. Também proporciona a vitamina C necessária para proteger os olhos que sofrem com a deficiência desse nutriente.

Conjuntivite

A conjuntivite é uma infecção bacteriana crônica causada pelo estreptococo. Há versões agudas e crônicas da conjuntivite, sendo as crônicas as mais graves; o tipo de conjuntivite depende da variedade de estreptococo e de tratar-se ou não de uma estirpe mais robusta, resistente a antibióticos. O suco de aipo tem seus sais aglomerados de sódio e sua vitamina C facilmente acessível que ajudam a reduzir as colônias de estreptococos que residem no fundo do olho e ao redor da cavidade ocular. Podem, assim, ajudar a combater a infecção. Os estreptococos não se tornam imunes aos sais aglomerados de sódio do suco de aipo.

Daltonismo

A exposição à toxicidade do alumínio no fundo do olho e em todas as partes desse órgão, quer no útero, quer logo após o nascimento, é a causa do daltonismo. Os daltônicos também tendem a ter sensibilidade nos olhos à medida que envelhecem, e tudo isso por causa da exposição ao alumínio. O suco de aipo ajuda a prevenir e a curar essas sensibilidades e doenças.

Defeitos oculares congênitos

Considera-se que esses problemas são transmitidos pelos genes. A medicina e a ciência, no entanto, não sabem que o que de fato está sendo transmitido de geração em geração são metais pesados tóxicos, que tendem a ir se acumulando cada vez mais. O mercúrio é o principal metal pesado que causa defeitos oculares inatos. O suco de aipo ajuda a proteger as células dos olhos de novos danos provocados pelo mercúrio à medida que se vai avançando rumo à idade adulta, pois ajuda a prevenir a expansão desse metal.

Degeneração macular

A degeneração macular é causada por uma combinação de metais pesados tóxicos e atividade viral. Como você já sabe, o suco de aipo ajuda a combater ambas as coisas, chegando assim à raiz do problema.

Fraqueza de visão

O enfraquecimento da visão sem causa conhecida resulta de uma debilitação e do encolhimento das células nervosas dentro do nervo óptico. Isso é causado por diversas toxinas, tanto virais quanto provindas de fontes como pesticidas, herbicidas, fungicidas e derivados de petróleo. Com o uso do suco de aipo, o nervo óptico pode se regenerar. Com sua alta contagem de eletrólitos, o suco de aipo ajuda a restaurar as células do nervo óptico. Seus oligoelementos e sais aglomerados de sódio proporcionam às células uma infusão que permite a regeneração de novas células no nervo óptico. Isso pode impedir que a visão continue se enfraquecendo e aumenta a capacidade de recuperar a visão perdida.

Glaucoma

O glaucoma é causado por uma variedade do vírus de Epstein-Barr que invade o olho, cria inflamação e gera fluidos. Essa inflamação e esses fluidos se combinam para elevar a pressão ocular. Os sais aglomerados de sódio e a vitamina C viável e acessível do suco de aipo entram no olho, revigoram suas células imunes e ajudam a decompor e destruir o vírus de Epstein-Barr.

Moscas volantes

O suco de aipo ajuda a eliminar as moscas volantes, pois reduz a inflamação do nervo óptico – a causa verdadeira desse sintoma misterioso que confunde a medicina e a ciência. Manchas brancas, pontos de luz ou manchas negras vistas sem que haja uma lesão evidente na retina, na pupila ou em qualquer outra parte do olho são consequência das neurotoxinas do vírus de Epstein-Barr, combinadas com metais pesados como o mercúrio, que causam inflamação no nervo óptico. Os poderosos flavonoides e a vitamina C que se ligam aos sais aglomerados de sódio do suco de aipo auxiliam nervos específicos no cérebro e o entorno dele, entre os quais o nervo óptico. Dispersam as neurotoxinas que se instalaram no nervo e chegam mesmo a proteger o nervo contra invasões virais. Ao mesmo tempo, alimentam as células do nervo e permitem que ele rejuvenesça.

Retinopatia diabética

Quando o indivíduo com retinopatia também tem diabetes, os médicos sempre dirão que as duas coisas estão ligadas. Isso é um erro. Muita gente tem retinopatia sem ter diabetes. Tanto os diabéticos quanto os não diabéticos têm o mesmo problema: um fígado preguiçoso, estagnado ou cheio de gordura, sobrecarregado com uma variedade de pesticidas, herbicidas, derivados de petróleo, solventes, metais pesados tóxicos e vírus. Quase todos os que sofrem de retinopatia, diabéticos ou não, ingerem uma dieta com alto teor de gordura. Todos os alimentos doces que associamos ao diabetes – bolos, biscoitos, rosquinhas e outros – são tão gordurosos quanto doces, e é essa gordura que cria problemas para o fígado, quer o paciente receba de fato o diagnóstico de diabetes, quer conviva com problemas de glicose no sangue que passam sem ser diagnosticados. Um fígado mais fraco acarreta severas deficiências de nutrientes em todo o corpo, pois o fígado é o armazém e o sistema de logística das vitaminas e outros nutrientes; e é essa deficiência que causa a retinopatia. O suco de aipo limpa e lentamente restaura o fígado, e esse processo pode minimizar e até reduzir a retinopatia.

Síndrome do olho seco

A maioria dos casos de olho seco resulta de desidratação crônica. O consumo de refrigerantes e café com uma ingestão insuficiente de água pura, água de coco, sucos ou frutas frescas nos deixam desidratados a longo prazo. Outro fator da desidratação crônica é o excesso de alimentos cozidos, que proporcionam uma quantidade pequena demais de água-viva e vibrante para nutrir as células. Quando o corpo está cronicamente desidratado, a secura dos olhos e da pele são dois dos primeiros sintomas a se manifestarem, pois o corpo está mais preocupado em proteger o cérebro e o coração. O suco de aipo reidrata o corpo, começando com o fígado, e isso revitaliza o órgão, habilitando-o a servir de novo como armazém de água-viva, como dissemos em *Fígado Saudável* da série O Médium Médico; minimizando o sangue tóxico e sujo que a maior parte das pessoas leva no corpo todos os dias; e reidratando o sistema linfático, a fim de proporcionar eletrólitos essenciais a todas as partes do corpo.

Alguns casos de secura no olho são causados por adrenais hipoativas. Nesses casos, os sais aglomerados de sódio do suco de aipo entram nas adrenais cansadas e as revitalizam.

PROBLEMAS RELACIONADOS AO ESTREPTOCOCO

A maioria das pessoas, quando pensa no estreptococo, lembra-se de faringite. Mas não é só isso que o estreptococo causa. Há inúmeras outras doenças que ocorrem quer na juventude, quer em idade mais avançada, que resultam de infecções de baixa intensidade causadas pelo estreptococo dentro do corpo. O estreptococo é um tipo de bactéria cuja plataforma e cuja força em nosso mundo foram construídas graças ao uso excessivo de antibióticos. É isso mesmo: foram os antibióticos que moldaram o estreptococo e o transformaram no que ele é hoje. São tantos os grupos, estirpes e mutações do estreptococo que a medicina e a ciência não conseguem acompanhá-los e classificá-los.

A faringite é apenas mais um indício da presença de estreptococos. Se você tomou antibióticos na infância para combater uma tosse, gripe ou otite, isso pode ter aberto o caminho para episódios futuros de doenças relacionadas ao estreptococo. E se você nunca tomou antibióticos na vida? Isso significa que nunca foi exposto a esses medicamentos? Sinto muito, mas não. Os antibióticos estão presentes na água que bebemos e nos nossos alimentos e são transmitidos pelas gerações anteriores por meio de nossa linhagem familiar. Por isso, quase todas as pessoas têm uma ou mais variedades de estreptococos em seu organismo. É um germe comum, com que todos nós convivemos. No entanto, quando introduzimos o suco de aipo em nossa rotina diária, não precisamos continuar prisioneiros do estreptococo.

O suco de aipo é o maior inimigo do estreptococo. Seus sais aglomerados de sódio destroem o estreptococo assim que entram em contato com ele em todo o corpo, e isso o torna excelente para as muitas doenças de que falaremos agora. A vitamina C do suco de aipo ajuda a equipar o sistema imunológico contra as doenças causadas pelo estreptococo. Seus inúmeros oligoelementos ajudam a fortalecer os tecidos e órgãos, protegendo-os contra os danos que podem ser causados por colônias de estreptococo.

O combate ao estreptococo é um dos motivos pelos quais tanta gente vem se curando de tantas doenças – porque ele está envolvido em muitas delas. Se você é jovem, pode ser que só tenha sofrido de acne, faringite ou infecção no ouvido – e o "só" nessa frase é um eufemismo, pois essas doenças podem afetar muito o seu dia a dia. À medida que os indivíduos vão entrando na casa dos 20 e na dos 30 anos, podem começar a desenvolver outros problemas relacionados ao estreptococo: sinusite, mais infecções de garganta, infecção urinária, candidíase. Com o tempo, você recebe o diagnóstico de supercrescimento bacteriano no intestino delgado ou *Candida*. O que ninguém lhe diz – pois ninguém sabe – é que todos esses diagnósticos, que aparentemente não têm nada a ver uns com os outros e são feitos ao longo de muitos anos, têm todos a sua origem no estreptococo. Algumas dessas bactérias estão no organismo há muito, muito tempo. Elas tendem a se esconder a longo prazo dentro do fígado, construindo colônias e causando cada vez mais problemas, à medida que o fígado vai ficando mais e mais enfraquecido, preguiçoso e estagnado. O suco de aipo nos dá um controle nunca antes visto sobre esse germe.

Acne

Como eu disse em *Fígado Saudável*, a acne é um sinal de batalhas precoces na vida, que não foram documentadas. Em geral essas batalhas começaram quando o estreptococo causou algum dos problemas mencionados nesta lista. Por causa disso, antibióticos entraram no corpo – prescritos, por exemplo, para uma infecção de ouvido – e, ao contrário do que todos pretendiam, esses antibióticos deram mais força ao estreptococo. Em alguns casos, os antibióticos nem entraram no organismo por meio de produtos farmacêuticos; eles foram consumidos no alimento ou na água ou herdados da família. Seja qual for a forma pela qual chegaram, os antibióticos deram ao estreptococo a chance de se multiplicar.

A medicina e a ciência creem que a acne é uma doença hormonal. Estão erradas. A acne tende a se manifestar em épocas de mudança hormonal, como a puberdade e a menstruação, porque nessas épocas o sistema imunológico perde muito do seu poder. O estreptococo se aproveita desse fato e cria doenças como a acne. A acne tampouco é causada pelo entupimento dos poros. É verdade que um poro entupido pode causar um cravo aqui e outro ali, mas uma série de cistos agressivos é sinal de uma infecção por estreptococo baseada no fígado e viajando pelo sistema linfático até a derme, em busca de alimento. Todos nós já ouvimos falar da pele oleosa que costuma acompanhar a acne. O sebo é produzido para tentar impedir que o estreptococo cause danos.

Os sais aglomerados de sódio do suco de aipo ajudam a dispersar o sebo, expondo o estreptococo e destruindo-o. Ao mesmo tempo, permitem que o próprio sistema imunológico do paciente destrua o estreptococo. Os linfócitos (um tipo de glóbulo branco) se alimentam dos oligoelementos do suco de aipo e são fortalecidos por sua vitamina C. Então, entram na derme e impedem que o estreptococo crie a acne. A eliminação de alimentos como laticínios, glúten e ovos também reduz a acne, pois esses são os alimentos favoritos do estreptococo; e, quando o indivíduo simplesmente não consome essas coisas, isso ajuda os estreptococos a morrer de fome. Enquanto o suco de aipo destrói o estreptococo no fígado e no sistema linfático e fortalece os linfócitos, ele também ajuda a eliminar do corpo os restos de alimentos tóxicos que você vinha consumindo e que serviam de combustível para a bactéria. Isso também ajuda a restaurar a pele.

Apendicite

A apendicite muitas vezes resulta de uma intoxicação alimentar. Para que ela aconteça, porém, o apêndice já precisa estar enfraquecido. Também é possível desenvolver apendicite sem nenhuma infecção alimentar. De um jeito ou de outro, o apêndice está abrigando colônias de estreptococo. Por que essa bactéria está ali? O sistema imunológico é altamente ativo na área do apêndice; este serve para atrair bactérias como o estreptococo, para que o sistema imunológico possa destruí-las. Caso haja uma quantidade muito grande de estreptococos presente no corpo por muitos anos, no entanto, isso pode desgastar o apêndice. Com o tempo, pode produzir uma ruptura aguda ou uma inflamação.

O suco de aipo é incrível para o apêndice. Quando o suco de aipo está por ali, os estreptococos tendem a fugir do apêndice. O suco de aipo entra no apêndice pelo cólon e por outras vias, como os vasos linfáticos, e ajuda a suavizar e curar o apêndice inflamado. Também ajuda a destruir o estreptococo, eliminando-o daquela área e até repelindo-o.

Diverticulite

A diverticulite pode ser causada por dois tipos de bactéria: *E. coli* ou estreptococo. O estreptococo é a causa mais comum, criando inflamações mais prolongadas que levam à diverticulite. A diverticulite causada pelo estreptococo tende a ocorrer mais tarde na vida, pois pode levar muitos anos para que os estreptococos se multipliquem a ponto de sair do intestino delgado e começar a se alojar em bolsões do intestino grosso. Muitas vezes, os estreptococos presentes no organismo também se acumularam em razão de alguma outra doença mencionada nesta lista, a qual deu origem ao uso de antibióticos talvez já na infância. Com isso, o estreptococo pôde crescer e se fortalecer ao longo do tempo.

Normalmente, não é uma variedade agressiva de estreptococo que está por trás da diverticulite. Costuma ser uma das variedades menos agressivas que vem colonizando o local há décadas. Às vezes, o estreptococo e a *E. coli* trabalham juntos, como insetos diferentes dentro da mesma toca em uma árvore. Cada um deles encontra os alimentos de que mais gosta e, no fim, eles cooperam para criar aqueles bolsões chamados divertículos.

O suco de aipo é um milagre para a diverticulite, pois seus sais aglomerados de sódio tendem a entrar nos divertículos – as pequenas fendas que se desenvolvem dentro do intestino grosso. O suco de aipo limpa e remove o estreptococo e a *E. coli* presentes nos bolsões e elimina essas feridas, permitindo que o cólon comece a se recuperar e a curar-se.

Dor de garganta e faringite

Quem sofre de faringite pode ter estreptococos no sistema linfático e na própria superfície da garganta. O suco de aipo é essencial tanto como mecanismo ofensivo como quanto mecanismo de defesa contra a faringite, pois, como já sabemos, todo indivíduo costuma ter diversas variedades de estreptococo, muitas das quais são imunes a antibióticos. O estreptococo não consegue desenvolver imunidade contra o suco de aipo.

Você já ouviu dizer que o gargarejo com água salgada é um tratamento contra faringite? Pois ele não tem sequer uma fração do poder dos sais aglomerados de sódio do suco de aipo, que entram em ação assim que o suco desce pela garganta. Quando é consumido, o suco de aipo ajuda a pulverizar o estreptococo já na superfície das membranas inflamadas da garganta. Os sais aglomerados ligam-se então aos estreptococos e levam-nos para fora do corpo por eliminação. Algumas horas depois, a vitamina C e alguns sais aglomerados de sódio remanescentes entram no sistema linfático e atacam o estreptococo por trás. Os glóbulos brancos – linfócitos – usam os sais aglomerados para caçar e destruir as bactérias.

Alguns casos de dor de garganta têm origem viral, como na mononucleose. Não obstante, a maioria das dores de garganta são causadas pelo estreptococo. Mesmo quando se tem mesmo o vírus, a dor de garganta pode ter origem bacteriana, pois o estreptococo é um cofator comum dos vírus. Muitas vezes acontece de o médico usar um algodão para colher uma amostra para análise. Se o exame não acusa a presença do estreptococo, o médico conclui que a dor de garganta não é causada por essa bactéria. O que ele não percebe é que o fato de o estreptococo não estar na superfície da garganta não significa que ele não esteja oculto nas entranhas do sistema linfático, causando o sintoma a partir do outro lado. Quer a dor de garganta seja causada pela presença superficial do estreptococo, quer este esteja oculto e não possa ser detectado, quer ainda a dor de garganta seja causada por um vírus, o suco de aipo é um grande aliado. No capítulo seguinte, você encontrará uma terapia oral que pode dar alívio específico a esse sintoma.

Infecção urinária, infecção da bexiga, vaginose bacteriana e candidíase vaginal

Todos esses problemas têm a mesma causa: o estreptococo. Dentro da categoria ampla das infecções urinárias, o estreptococo pode residir na bexiga e causar infecção ali; pode também residir no ureter ou na uretra (ou, como já vimos, nos rins). Na vaginose bacteriana, o corrimento, quer seja claro, quer tenha alguma cor, é produzido por uma infecção crônica causada pelo estreptococo. No caso da candidíase vaginal, embora os fungos estejam presentes, não são eles a causa da infecção; o supercrescimento fúngico é devido unicamente à presença de bactérias. Embora a multiplicação dos fungos não seja agradável, não são eles que causam dor ou desconforto, mas o estreptococo. O urologista ou ginecologista costumam confundir as duas coisas; a prática comum, e equivocada, é a de identificar o fungo como a causa.

O suco de aipo chega até os rins e desce pelo restante do trato urinário. Seus poderosos sais aglomerados de sódio atuam como um detergente ao longo do caminho, ligando-se ao estreptococo e conduzindo-o para fora do corpo por meio da urina. Para chegar ao sistema reprodutivo e cuidar da vaginose bacteriana e das candidíases, o caminho é um pouco mais difícil. Não é fácil chegar ao sistema reprodutivo pela corrente sanguínea. Embora parte do suco tome esse caminho, outra parte também entra no sistema reprodutivo por meio do sistema linfático, na virilha. Quando chega lá, o suco de aipo ajuda a eliminar o estreptococo, para que você sinta alívio.

Infecções de ouvido

Quase todas as infecções de ouvido são causadas pelo estreptococo. É por isso que, quando antibióticos são prescritos para as infecções de ouvido, eles nem sempre são eficazes, sobretudo quando o paciente já havia tomado antibióticos por esse motivo – o estreptococo tende a criar imunidade contra os antibióticos, em especial quando estes são usados de maneira constante. A maioria das infecções de ouvido começa na infância. Quando se consome antibióticos para combater infecções de ouvido, o estreptococo pode se tornar resistente já na infância, o que produz mais problemas relacionados a outras doenças causadas por estreptococo, à medida que se ganha idade.

Quando o estreptococo está dentro do ouvido, isso automaticamente significa que ele está no sistema linfático. Os sais aglomerados de sódio do suco de aipo conseguem entrar no sistema linfático de maneira rápida, fácil e eficiente – poucas horas depois do consumo do suco. Esses sais aglomerados caçam e destroem o estreptococo que ali encontram, a fim de reduzir o risco de infecções de ouvido no futuro.

Problemas da vesícula biliar

As infecções da vesícula biliar que não são causadas por pedras são causadas pelo estreptococo. O estreptococo tende a se esconder no fígado, onde se aloja. Também gosta de habitar no duodeno e no restante do intestino delgado. Isso significa que é fácil para ele penetrar na vesícula pelos dutos biliares. Ali, ele tende a se alimentar dos resíduos – substâncias químicas tóxicas e até os detritos pulverizados de alimentos tóxicos – que se acumulam na vesícula. O suco de aipo ajuda a desintegrar e retirar dali esses resíduos. Quando o suco de aipo entra no fígado, os sais aglomerados de sódio passam pelos dutos hepáticos e chegam à vesícula, onde podem, então, dissolver a gosma que se acumula e, ao mesmo tempo, matar os estreptococos que se encontram tanto na própria vesícula quanto nos dutos biliares.

Quem fez cirurgia para a remoção da vesícula geralmente pensa que deve evitar o suco de aipo ao ouvir dizer que ele pode aumentar a produção e a potência da bile. A verdade é o contrário disso. Quando o indivíduo não tem a vesícula, o ideal é que seu fígado seja forte e produza bile. Se o fígado for fraco, todas as outras partes do corpo ficarão afetadas; a doença do fígado causada por toxinas presas dentro dele pode deixar a pessoa doente mais tarde.

O único motivo pelo qual o fígado começa a produzir mais bile é o fato de o fígado estar expelindo essas toxinas e, nesse processo, tornando-se mais saudável e mais forte. Com um fígado mais saudável e mais forte, você não terá deficiência de nutrientes. O fígado poderá proporcionar nutrientes às outras partes do corpo, a fim de manter você vivo por mais tempo. Ou seja, você não envelhecerá tão rápido e será mais capaz de fazer frente aos problemas de colesterol, à hipertensão e às cardiopatias. O suco de aipo só aumenta a força da bile porque isso faz parte do processo inteiro de reconstrução do fígado. Não se trata, portanto, de um efeito colateral preocupante. Evitar o suco de aipo por não querer que sua bile seja mais abundante e mais forte é como evitá-lo por querer que o fígado continue fraco e doente. Ninguém quer isso.

A verdade é que o suco de aipo é essencial para quem sofreu remoção cirúrgica da vesícula. Tanto quanto qualquer outra pessoa, quem não tem a vesícula precisa de um fígado limpo e forte. Em geral, quem não tem a vesícula tem dificuldade para decompor e digerir as gorduras. O suco de aipo, além de ajudar de maneira indireta a resolver esse problema – na medida em que ajuda o fígado –, também é capaz de decompor e dispersar diretamente as gorduras, oferecendo alívio a quem vive sem a vesícula.

Sinusite

Muitos casos de sinusite são agudos e acompanham doenças como a gripe. Quem está se recuperando de uma gripe pode produzir uma quantidade tremenda de muco, e pode ser difícil expelir esse muco, pois o corpo continua a produzi-lo, a fim de nos proteger contra o vírus da gripe. Isso causa dano aos sínus.

A sinusite crônica é um pouco diferente. Nela, os estreptococos estão alojados nos sínus, às vezes desde que nascemos. Os otorrinolaringologistas costumam recomendar uma cirurgia nos sínus, na qual, para aliviar o paciente, raspam as cicatrizes que se formaram nessas cavidades ósseas. Isso quase nunca funciona a longo prazo. Em geral, as pessoas continuam sofrendo de sinusite crônica, mesmo após a cirurgia. Isso acontece porque não se sabe que o que causa a enxaqueca da sinusite, a presença de muco nos sínus e a dor nos sínus é uma presença alta de estreptococos, e a cirurgia não elimina essas bactérias. Muitas vezes, quem sofre de sinusite vêm consumindo antibióticos, e isso contribui para que o estreptococo se torne ainda mais forte em seu organismo.

O consumo prolongado do suco de aipo é muito benéfico para os casos de sinusite. Pelo fato de haver uma forte ligação entre os sínus e os vasos linfáticos e de o sistema linfático ser um dos maiores sistemas de distribuição dos compostos químicos presentes no suco de aipo, os benefícios curativos do suco chegam aos sínus com facilidade. Os compostos químicos do suco de aipo também podem entrar nas cavidades dos sínus por meio da corrente sanguínea, dando apoio por um outro ângulo. Mais uma vez, são os sais aglomerados de sódio e a vitamina C do suco de aipo que oferecem ao sistema imunológico as ferramentas de que ele necessita para ajudar a combater o estreptococo.

Supercrescimento bacteriano no intestino delgado, candidíase e câimbras intestinais

Há alguns anos popularizou-se o diagnóstico de candidíase. A verdade, porém, é que esse fungo não é problemático como todos pensam. A *Candida albicans* não é um fungo nocivo; pelo contrário, é útil. Acumula-se, prospera e cresce na presença de bactérias – e elas é que são problemáticas. A multiplicação da *Candida* é um sinal que alerta para a presença de um invasor: isso nos diz que estreptococos estão se multiplicando, quer no trato intestinal, quer em outras partes do corpo.

O supercrescimento bacteriano no intestino delgado é a nova candidíase: é diagnosticado com frequência para explicar os mais diversos sintomas e, no entanto, ainda não é bem compreendido. Embora a medicina e a ciência ainda não saibam, as bactérias envolvidas no supercrescimento bacteriano no intestino delgado são sempre estreptococos. Infelizmente, os médicos costumam usar antibióticos para tratar o supercrescimento bacteriano no intestino delgado. Embora os sintomas possam diminuir de modo momentâneo, em muitos casos eles acabam levando a episódios mais graves posteriormente – pois o estreptococo vai se tornando imune ao antibiótico e se fortalecendo.

Quer o médico tenha dito que seu problema é a *Candida albicans*, quer tenha dito que é o supercrescimento bacteriano no intestino delgado, o suco de aipo é um remédio excelente. Quando você consome o suco, ele entra diretamente no tubo digestório e passa devagar pelo intestino delgado, onde aniquila o estreptococo. Há também um ponto positivo inesperado: o suco de aipo não fere nem prejudica a *Candida* enquanto passa pelo trato digestório. E isso é ótimo, pois a *Candida* é um fungo benéfico. Ou seja, o suco de aipo é ainda mais inteligente do que se imagina, pois, ao contrário dos antibióticos, não destrói os micro-organismos benéficos; deixa a *Candida* em paz e caça o estreptococo. A *Candida* tem a função de engolir as substâncias nocivas no trato intestinal, para que o estreptococo não possa se alimentar delas. Quando você toma o suco de aipo de modo a destruir o estreptococo – a causa do supercrescimento bacteriano no intestino delgado – e eliminar aquelas substâncias nocivas que o alimentam, a quantidade de *Candida* naturalmente diminui até chegar a um nível saudável. Ou seja, o supercrescimento da *Candida* não é mais necessário quando o suco de aipo começa a agir no organismo.

Sempre que alguém sofre de supercrescimento bacteriano no intestino delgado, diagnosticado ou não, costumam ocorrer câimbras intestinais e inchaço abdominal. Isso resulta dos estreptococos que circulam pelo trato intestinal e criam pequenos bolsões de gás que podem causar desconforto. O suco de aipo cuida disso, pois elimina o estreptococo no intestino e, graças a suas enzimas digestivas, auxilia a digestão. (Para saber mais sobre o inchaço abdominal, veja a p. 87.)

SINTOMAS DE ESTRESSE PÓS-TRAUMÁTICO (TAMBÉM CHAMADOS DE TRANSTORNO DE ESTRESSE PÓS-TRAUMÁTICO, OU TEPT)

As lesões emocionais do cérebro produzem sintomas de estresse pós-traumático. O TEPT é, na verdade, uma variação do TOC. É semelhante ao TOC na medida em que é difícil de controlar, pode ser desencadeado facilmente e pode assumir formas mais brandas ou mais extremas. O modo como o TEPT se desenvolve em diferentes indivíduos depende de seus outros problemas e suas sensibilidades. Quem já se encontra sensível em razão do elevado índice de metais pesados tóxicos dentro de seu cérebro, por exemplo, pode ser mais suscetível ao TEPT. Pesticidas, herbicidas e fungicidas, por si sós, podem causar TEPT. A exposição à radiação também pode enfraquecer o indivíduo, tornando-o mais suscetível ao TEPT. É por isso que quem faz algum tratamento médico tende a sofrer pequenos acessos de TEPT, durante o tratamento ou depois dele. Dados os traumas presentes em nosso mundo, todos nós nos vemos às voltas, de tempos em tempos, com pelo menos um grau brando de TEPT, seja ele dificilmente identificável, seja do tipo severo desenvolvido após o enfrentamento de perigos graves ou de abuso físico ou emocional.

O suco de aipo é a mais poderosa fonte de eletrólitos que existe, e os eletrólitos têm muito a ver com a recuperação do TEPT. No TEPT, as ligações elétricas em certas partes do cérebro se tornam superestimuladas e geram um calor intenso. O estímulo a pensamentos e emoções como dor, medo e culpa pode criar impulsos elétricos contínuos nas áreas emocionais do cérebro, criando um ciclo vicioso. É difícil interromper esse ciclo. Os nutrientes do suco de aipo proporcionam alívio, nutrindo os neurônios, o tecido cerebral e as células da glia e restaurando os neurotransmissores para que os neurônios não se superaqueçam diante do medo contínuo, da preocupação e de imagens mentais obsessivas. O suco de aipo ajuda a deter o processo de derretimento e queima dos neurônios, a fim de que os indivíduos tenham uma chance mínima de se recuperar do transtorno de estresse pós-traumático sem usar medicamentos. O uso continuado de suco de aipo em maior volume pode ser a melhor ajuda possível para quem sofre de qualquer variedade de TEPT.

SINTOMAS NEUROLÓGICOS

Aperto no peito, tremor nas mãos, tiques e espasmos, fraqueza muscular, formigamento e amortecimento dos membros, pernas inquietas, inquietude, fraqueza dos membros, espasmos musculares, dores e desconfortos

Os indivíduos que apresentam sintomas neurológicos sem nenhum motivo aparente, como lesões físicas, têm todos algo em comum: uma carga viral alta, em geral do vírus de Epstein-Barr. Há mais de 60 variedades do vírus de Epstein-Barr, e pelo menos uma estirpe desse vírus está presente no fígado de quase todos. Para muita gente, o vírus permanece adormecido, de modo que sequer é percebido ali. Em outros casos, ele está ativo, embora não seja detectado pela medicina e pela ciência.

Seus portadores também não sabem que ele está ali, mas ele está, e causando múltiplos sintomas e doenças que os afetam todos os dias.

Para que um vírus como o de Epstein-Barr cause problemas de saúde de maneira ativa, ele precisa de combustível. Entre os combustíveis de que ele mais gosta estão os metais pesados tóxicos, como o mercúrio. O fígado é um local de armazenamento para substâncias problemáticas como os metais pesados e, em geral, há muitos deles acumulados nesse órgão. Quando o vírus de Epstein-Barr consome o metal pesado, excreta-o em uma forma muito mais potente: uma neurotoxina. As neurotoxinas virais, como o seu nome indica, são tóxicas para os nervos e estão por trás dos problemas neurológicos de milhões de pessoas.

A estirpe viral e a quantidade de metais pesados tóxicos (sobretudo mercúrio e alumínio) presentes em um indivíduo são o que determina sua experiência individual e sua sintomatologia. Qual o grau de toxicidade da neurotoxina expelida pelo vírus? Quão agressiva é a taxa de reprodução do vírus à medida que vai engolindo metais pesados e outros combustíveis? Uma vez excretadas, as neurotoxinas tendem a sair do fígado (ou de qualquer outro lugar do corpo onde os vírus as tenham produzido), a entrar na corrente sanguínea e a alojar-se, por fim, no cérebro ou em nervos por todo o corpo. Quando as neurotoxinas virais se alojam nos nervos, elas os inflamam, produzindo sintomas neurológicos. Quando se alojam especificamente em nervos das pernas, dos braços, dos ombros ou da coluna, podem produzir sensação de peso, fraqueza ou cansaço muscular em um ou mais membros. Podem também causar uma fadiga neurológica mais generalizada, diante da qual o corpo inteiro se sente pesado e fatigado, como se algo impedisse o paciente de se movimentar. Quando as neurotoxinas entram no cérebro, sintomas muito semelhantes ocorrem. As mensagens nervosas enviadas aos membros podem ficar comprometidas, produzindo fadiga e fraqueza em um lado do corpo ou nos dois. (Leia mais sobre a fadiga neurológica na seção "Fadiga", p. 84.)

As neurotoxinas virais podem ser tão potentes que desencadeiam tiques e espasmos musculares. Isso acontece quando os nervos recebem do cérebro sinais que dizem que algo está impedindo a comunicação entre os neurônios no tecido cerebral ou está agitando esses neurônios. Esse "algo" são as neurotoxinas. Quando um neurônio se satura de neurotoxinas, a eletricidade cerebral que tenta passar por esse neurônio acaba por ricochetear ou sofrer um curto-circuito. Esses problemas elétricos podem causar episódios brandos de inflamação cerebral. Os impulsos elétricos têm dificuldade para passar pelo tecido cerebral inflamado; são frequentemente obrigados a encontrar caminhos mais compridos e incomuns, passando por outros neurônios – e isso cria nos membros as sensações de tiques e espasmos e até de dores inexplicáveis em lugares em que não há ferimento algum.

As sensações de formigamento e amortecimento ou de torpor podem ser causadas por tecidos cerebrais saturados de neurotoxinas, embora esses sintomas ocorram principalmente quando os nervos dos membros, do pescoço ou de outros lugares do corpo se encontram levemente inflamados em razão da presença de neurotoxinas.

O tremor nas mãos ocorre com frequência quando o indivíduo tem altos índices de mercúrio no fígado e no cérebro – e porque o vírus de Epstein-Barr está se alimentando do mercúrio e criando neurotoxinas mais potentes, que acabam inflamando nervos bem próximos ao cérebro. Essa inflamação tende a ocorrer de maneira esporádica, em momentos em que o vírus se prolifera ou encontra novos depósitos de mercúrio com que se alimentar.

Os portadores de doença de Lyme muitas vezes enfrentam sintomas neurológicos. Esses sintomas também têm origem viral – não são bacterianos de forma alguma. (Se isso o deixa bravo, chateado ou assustado por ser diferente de tudo o que você já ouviu falar sobre a doença de Lyme, leia o capítulo "Doença de Lyme" em meu primeiro livro, *Médium Médico*, para poder proteger-se usando a verdade.)

Para tudo isso que acabamos de citar, o remédio é o suco de aipo. Para começar, o suco de aipo alimenta todas as células do corpo com seus sais aglomerados de sódio, ajudando a restaurá-las para que retomem seu funcionamento ótimo. Quando os nervos de todo o corpo estão inflamados, prejudicados, danificados ou quebrados em razão das neurotoxinas, precisam de eletrólitos de forma elevada, como os que existem no suco de aipo. Isso permite que os neurônios, o tecido cerebral e as substâncias químicas neurotransmissoras se restaurem e ajuda a diminuir as inflamações causadas por neurotoxinas produzidas por vírus como o de Epstein-Barr. Ao mesmo tempo, os sais aglomerados de sódio do suco de aipo permitem que seus nervos se defendam contra as neurotoxinas e as reações alérgicas causadas por elas. Além disso, o suco de aipo retira as neurotoxinas do cérebro e do resto do sistema nervoso e as neutraliza, fazendo-as perder o poder agressivo e tóxico responsável por esses sintomas. Depois de eliminar a toxicidade das neurotoxinas, os sais aglomerados se ligam a elas e carregam-nas para fora do corpo – tudo isso sem mencionar que os sais aglomerados também ajudam a matar os próprios vírus.

TRANSTORNO OBSESSIVO-COMPULSIVO (TOC)

Uma das causas do TOC são os ferimentos emocionais. As doenças crônicas, por exemplo, para fazerem sentir sua presença, podem causar sintomas confusos e dificuldades prolongadas, e isso pode causar ferimentos emocionais. Muitas outras experiências difíceis na vida também podem afetar os centros emocionais do cérebro.

O TOC pode ainda ser causado por metais pesados tóxicos, como o mercúrio e o alumínio. Depósitos desses metais dentro do cérebro podem bloquear os impulsos elétricos que deveriam passar pelos neurônios e chegar aos tecidos. Quando os impulsos, em vez disso, se deparam com depósitos de metais pesados ou com os resíduos oxidativos que estes emitem, a eletricidade se desencaminha ou até ricocheteia nos metais e volta pelo neurônio na direção oposta. Disso pode resultar uma reação obsessivo-compulsiva. Uma vez que os metais podem estar presentes em diferentes quantidades e em diferentes locais do cérebro, podem produzir centenas de variedades de TOC. Essa doença psiquiátrica é real e a quantidade de informações não abalizadas a seu respeito é muito grande. Por isso, os portadores de TOC se sentem incompreendidos.

O suco de aipo ajuda a curar o lado emocional do TOC, porque fortalece os neurônios dos centros emocionais do cérebro. O suco de aipo também tem antioxidantes especiais (cuja ação é mais forte que a dos antioxidantes de outros alimentos) que detêm a oxidação e a morte das células humanas. Os antioxidantes do suco de aipo impedem que os metais pesados tóxicos se oxidem, enferrujem e se tornem corrosivos. Para tanto, removem os depósitos de gordura que acumulamos por termos sido criados à base de uma dieta de alto teor de gordura – pois a remoção desses depósitos de gordura dos metais os impede de oxidar ainda mais. A menor oxidação dos metais pesados diminui os sintomas de TOC. Para dar continuidade ao processo de cura, leia sobre a Vitamina para Desintoxicação de Metais Pesados. Você encontrará a receita no Capítulo 8.

TRANSTORNOS ALIMENTARES

Há vários tipos de transtornos alimentares, com diferentes causas. Os transtornos alimentares reconhecíveis em geral entram no quadro da anorexia, da bulimia e do comer em excesso. Esses transtornos podem ser causados por sofrimento emocional, aflições ou estresse severo; por exposição a metais pesados tóxicos; por expectativas sociais ligadas à aparência que devemos ter; ou por uma combinação de todas essas coisas. As doenças crônicas também causam problemas digestivos e nos induzem à confusão quanto ao que comer e quando comer, e isso também pode produzir um transtorno alimentar. Mas existem ainda os transtornos alimentares que sequer chegam a ser identificados – porque a verdade é que todos os habitantes do planeta, sem exceção, têm algum tipo de transtorno alimentar. Pode ser que esse transtorno não seja severo, pode ser que não seja óbvio. No entanto, ele ainda existe e decorre quer de dificuldades sofridas na infância, quer da exposição a substâncias tóxicas, o que cria dificuldades ou padrões improdutivos relacionados à comida.

O suco de aipo pode ajudar em todas essas situações. Para começar, ele ajuda a restaurar as substâncias neurotransmissoras: os sais aglomerados de sódio e os oligoelementos a eles ligados proporcionam ao cérebro os melhores neurotransmissores que ele poderia ter. Além disso, o suco de aipo fortalece os neurônios e torna mais dinâmica e livre a eletricidade no cérebro, permitindo que as feridas emocionais se curem com mais rapidez. Quando os impulsos elétricos não são interceptados ou impedidos por depósitos de metais pesados tóxicos, como o mercúrio e o alumínio – que causam tantos transtornos alimentares –, padrões saudáveis de pensamento podem se instalar. Como o suco de aipo é a melhor fonte de eletrólitos para o cérebro, ele pode ocasionar a cura de muitas outras causas de transtornos alimentares.

Isso sem mencionar que os hormônios vegetais do suco de aipo ajudam a restaurar todo o sistema endócrino. Quem sofre de transtornos alimentares tende a ter as glândulas endócrinas – particularmente as adrenais – comprometidas, e os hormônios vegetais fornecem compostos químicos vitais que ajudam a restaurá-las. Além disso, os hormônios vegetais ajudam as células cerebrais a se comunicar umas com as outras, permitindo aos indivíduos superar os aspectos emocionais dos transtornos alimentares.

O suco de aipo também reconstrói o ácido clorídrico do estômago, o que auxilia na recuperação de quem sofre de bulimia. Ele ajuda a reduzir a inflamação do trato intestinal, pois mata os patógenos que ali residem – bactérias improdutivas, por exemplo. Isso recupera a saúde de quem sofria de problemas digestivos que lhe prejudicavam a alimentação. O paciente, assim, não tem mais de viver mergulhado no medo e na confusão no que se refere à comida.

TRANSTORNOS DO SISTEMA REPRODUTIVO

Se você está se perguntando se o suco de aipo é bom para seu sistema reprodutivo, a resposta é um sonoro sim. O sistema reprodutivo está muitíssimo necessitado daquilo que o suco de aipo tem a oferecer. Para começar, o suco de aipo detém os patógenos responsáveis pela maioria dos sintomas e das doenças do sistema reprodutivo;

com seu poder purificador, ele se liga aos hormônios tóxicos (como o estrógeno de alimentos, plásticos, outros derivados de petróleo e medicamentos) que se acumulam no sistema reprodutivo e confundem o corpo, neutraliza-os e escolta-os para fora; além disso, ele nutre e alimenta o sistema reprodutivo em todos os níveis, de restaurar as células a equilibrar os hormônios saudáveis, proporcionando também nutrientes e oligoelementos aos órgãos e glândulas reprodutivos. Um dos aspectos mais importantes da ação do suco de aipo é que ele hidrata o sistema reprodutivo, sendo a desidratação uma das principais causas de problemas. O sistema reprodutivo envelhece mais rápido que muitas outras partes do corpo humano, e um dos motivos disso é a desidratação crônica de suas células. O suco de aipo ajuda a prevenir e reverter esse processo.

Se você não vir seu sintoma ou sua doença na lista apresentada a seguir, não se preocupe. Todos os problemas do sistema reprodutivo podem ser aliviados pelo suco de aipo.

Cistos

Os cistos podem se desenvolver a partir de diversas toxinas (como metais pesados tóxicos, pesticidas, herbicidas e fungicidas) e de vírus, como o de Epstein-Barr. Esses cistos podem ser benignos ou cancerosos. Muitos cistos são cicatrizes do tecido linfático ao redor do sistema reprodutivo, que se inflamam, endurecem e, às vezes, até se calcificam em razão de infecções virais. O suco de aipo ajuda a fragmentar essas calcificações e os cistos crônicos, endurecidos. Também ajuda a soltar, fragmentar e dispersar o tecido de cicatrizes que podem vir a tornar-se cistos queloides, ou cistos com adesão membranosa. O suco de aipo ainda alimenta as células saudáveis ao redor dos cistos e as fortalece, ajudando a deter o crescimento de outros cistos nas proximidades. Os cistos tendem a crescer ao redor de células tóxicas e doentes. Quando estas estão rodeadas de células saudáveis, isso as impede de crescer e se expandir.

Densidade mamária

A mama densa é uma consequência da intoxicação do fígado ao longo de décadas. Um fígado sobrecarregado, preguiçoso, estagnado, repleto de um grande volume das substâncias problemáticas mencionadas em *Fígado Saudável*, torna-se lento a ponto de não ser mais capaz de atuar como o filtro que deveria ser. O sistema linfático se torna um filtro secundário, o que significa, em essência, que as mamas se tornam filtros secundários nos quais se acumulam inúmeras toxinas, em virtude da grande quantidade de vasos linfáticos ali presentes. Anos de alimentação ruim e exposição cotidiana a substâncias tóxicas acabam se refletindo no tecido mamário, criando calcificações e cicatrizes. Não estamos falando da cicatriz decorrente de uma cirurgia mamária, mas de cicatrizes produzidas porque as células não recebem oxigênio vital e nutrientes em quantidade suficiente.

O cálcio dos laticínios é um dos elementos que mais contribuem para a densidade da mama, pois o cálcio se acumula no tecido mamário. Não se trata de um cálcio saudável, mas de um cálcio agressivo, contrário à saúde da mulher, que se torna alimento para patógenos. Metais pesados tóxicos como o mercúrio e o alumínio se estabelecem no tecido mamário. Se a dieta adotada não for suficientemente hidratada, a desidratação desse tecido também poderá ocorrer ao longo do tempo, impedindo que as células se revitalizem pela absorção de água-viva, a qual é essencial. O vírus de Epstein-Barr é responsável por doenças e problemas mamários mais avançados.

O suco de aipo não somente limpa e alivia o fígado no decorrer do tempo, como ajuda a limpar o sistema linfático, abastecendo-o com novas doses de água-viva repleta de sais aglomerados de sódio, oligoelementos e substâncias fitoquímicas que expulsam as substâncias problemáticas. O rejuvenescimento do sistema linfático tem tudo a ver com a limpeza do tecido mamário. A velocidade especial de deslocamento do suco de aipo e seu poder de saturação permitem que ele se introduza no tecido mamário denso, endurecido e fibroso até chegar à pele. O suco de aipo tem propriedades antitumorais e antiaderentes.

Doença inflamatória pélvica

A doença inflamatória pélvica é causada por estreptococos, bactérias presentes no sistema reprodutivo. O aipo, com o tempo e por meio de seus sais aglomerados de sódio, que entram no sistema reprodutivo por meio dos vasos linfáticos e sanguíneos, ajuda a destruir os estreptococos. Os sais aglomerados também fornecem a vitamina C característica do suco de aipo para dar impulso ao sistema imunológico dos órgãos reprodutivos.

Endometriose

O suco de aipo fornece compostos fitoquímicos não descobertos que inibem o crescimento excessivo e anormal dos tecidos. Esses inibidores obstaculizam o tecido endometrial que tenta se desenvolver fora do útero, no cólon e na bexiga. O crescimento anormal dos tecidos se deve à presença de toxinas. Células doentes se desenvolvem e se expandem em lugares em que não deveriam estar, alimentando-se de uma combinação de hormônios tóxicos e patológicos, estranhos ao corpo, e associados a substâncias problemáticas como pesticidas, herbicidas, fungicidas, metais pesados tóxicos (como o mercúrio e o alumínio) e subprodutos e dejetos virais e bacterianos. O suco de aipo decompõe e dispersa todas essas toxinas, para que elas não possam servir de combustível para o desenvolvimento anormal de tecidos. Em combinação com os compostos fitoquímicos inibidores, essa propriedade faz do suco de aipo um tônico potente para quem sofre de endometriose.

HPV (papiloma vírus humano)

O HPV não é imune ao suco de aipo. O vírus tem muita semelhança com os da família do herpes, como o vírus de Epstein-Barr e o do herpes-zóster. O ponto fraco de todos eles são as membranas externas das células virais, às quais os sais aglomerados de sódio se ligam e onde desmontam, aos poucos, os sistemas virais de defesa. O consumo regular de suco de aipo pode minimizar o crescimento do HPV e proteger o colo do útero do desenvolvimento de tecidos cicatrizados e células que (na opinião dos médicos) se tornam comprometidas diante da exposição ao HPV, as quais podem causar câncer. Quando você tem as armas necessárias para combatê-lo (como o suco de aipo) e evita alimentos que alimentam o vírus (veja o Capítulo 8), está preparado para se proteger contra o HPV e até para eliminá-lo no decorrer do tempo.

Infertilidade

A infertilidade é um mistério para a maioria das mulheres que a enfrentam. Na consulta médica, tudo parece ir bem, e ninguém é capaz de explicar por que elas não conseguem conceber ou sofrem aborto espontâneo. Dou a essa situação o nome de *bateria fraca*. Muitos fatores do passado podem enfraquecer a potência da bateria do sistema reprodutivo. O uso de anticoncepcionais é um deles, pois acostuma o sistema reprodutivo a não funcionar. O suco de aipo é capaz de ressuscitar um sistema reprodutivo que passou anos sem produzir, pois revive as células e os órgãos e remove as toxinas deixadas pelos anticoncepcionais, dando uma segunda chance ao sistema. O suco de aipo também proporciona hormônios vegetais que o corpo humano é capaz de adaptar a fim de recarregar as glândulas e os órgãos que produzem hormônios saudáveis, inclusive as adrenais, outras glândulas endócrinas e o fígado, que também produz hormônios. Isso pode levar o sistema reprodutivo a se normalizar e se equilibrar, deixando-o em bom estado de funcionamento, para lembrá-lo de que ele pode dar frutos.

Para a infertilidade masculina, o suco de aipo fornece uma forma altamente assimilável de zinco e outros oligoelementos relevantes que podem ser usados para diminuir de maneira instantânea a inflamação da próstata. A próstata pode sofrer infecções crônicas de baixa intensidade de estreptococos, outras bactérias e vírus de Epstein-Barr, contraídos no ato sexual ou fora dele. O poderoso zinco impede esses patógenos de causarem o caos na próstata e prostatite.

Muitos homens têm os rins fracos, e esse problema costuma passar despercebido no consultório médico. Não estamos falando de doenças dos rins, mas apenas de fraqueza. O enfraquecimento dos rins dos homens os deixa com o sistema reprodutivo enfraquecido. Dependendo do grau de fraqueza do rim, podem surgir dores nas costas que parecem dores musculares. É possível surgir, também, problemas de sono, irritabilidade, mau humor ou mau odor no corpo. Quando os rins sofrem, o sistema reprodutivo deixa de funcionar corretamente e perde sua vitalidade com mais rapidez, chegando, às vezes, a desenvolver doenças. O suco de aipo proporciona os cuidados ternos e amorosos de que os rins fracos necessitam. Quando o suco de aipo fortalece os rins, o sistema reprodutivo do homem fica protegido e pode se recuperar com maior rapidez.

(Para saber mais sobre infertilidade, leia o capítulo "Fertility and Our Future", no livro *Life-Changing Foods*.)

Mioma

Os miomas uterinos podem assumir várias formas, e sua causa é desconhecida pela ciência e pela medicina. A verdade é que os miomas são causados, às vezes, por vírus, como o de Epstein-Barr e, outras vezes, por bactérias, como os estreptococos. Quando o mioma é viral, tem as características de um cisto, com forma arredondada. Quando é bacteriano, parece-se mais com uma cicatriz ou uma adesão membranosa dentro do sistema reprodutivo. Os sais aglomerados de sódio do suco de aipo procuram, encontram e destroem bactérias e vírus, minimizando a carga patogênica responsável pelos miomas. Ao mesmo tempo, ajudam a diminuir os miomas já existentes.

Síndrome do ovário policístico

A síndrome do ovário policístico é causada pelo vírus de Epstein-Barr, que cria cistos cheios de líquido e outros ferimentos no ovário. O suco de aipo ajuda a pôr fim a esse processo. Seus sais aglomerados de sódio decompõem e destroem o vírus de Epstein-Barr e, depois, ajudam a tirar dos ovários as toxinas virais e os dejetos ali deixados.

Sintomas da menopausa

Os sintomas da perimenopausa, da menopausa e da pós-menopausa não são causados pelo envelhecimento do sistema reprodutivo. São causados pelo envelhecimento do fígado. Quando o fígado se torna preguiçoso, estagnado e tóxico – o que, por coincidência, acontece com a maioria das mulheres um pouco antes ou um pouco depois dos 40 anos –, sintomas como acessos de calor, sudorese noturna, irritabilidade, fadiga, depressão, ansiedade e perda da libido podem começar a aparecer. Quando o fígado está cheio de subprodutos virais, neurotoxinas virais e de vírus propriamente ditos, como o de Epstein-Barr, também podem ocorrer palpitações cardíacas à medida que os dejetos virais são liberados no sangue. Para muitas mulheres, os sintomas associados à menopausa podem ser resolvidos pelo puro e simples consumo de suco de aipo. Ele ajuda a recuperar e a revitalizar o fígado, a diminuir a carga viral, a reduzir as toxinas virais e a remover outros venenos que tornaram o fígado preguiçoso e estagnado no decorrer das décadas. Quando o fígado fica mais limpo e mais saudável, aliviam-se os sintomas rotulados como sintomas da menopausa.

Para saber muito mais sobre a menopausa, veja *Médium Médico* e *Tireoide Saudável*.

UNHAS FRÁGEIS, ONDULADAS E COM FUNGOS

O suco de aipo fortalece as unhas danificadas, fracas, frágeis ou onduladas, porque restaura o fígado. Isso mesmo: a eliminação dos venenos e das toxinas do fígado melhora o estado das unhas. O motivo é que o zinco é um mineral precioso para o corpo. O fígado se apossa de todo o zinco que consegue encontrar, retirado de qualquer alimento consumido, e o converte em uma fonte mineral que pode ser utilizada para a cura. Se o fígado está em bom estado de funcionamento, e não preguiçoso ou estagnado, pode liberar na corrente sanguínea esse zinco renovado para ajudar a recuperar as unhas. As unhas problemáticas são um sinal de que o fígado também é problemático e de que a quantidade de zinco não é suficiente. O suco de aipo contém o zinco mineral em forma biodisponível, que é capaz de melhorar muito o estado das unhas.

Quando o problema das unhas é um fungo, o suco de aipo também pode ajudar quando consumido ao longo do tempo. Os sais aglomerados de sódio decompõem e destroem os fungos corpóreos que não têm utilidade. Em casos severos, é preciso tomar medidas adicionais. Se o suco de aipo for aliado a outras ferramentas curativas, o poder de cura aumentará imensamente. Para saber como, consulte o Capítulo 8, "Mais orientações para cura".

ZUMBIDO NOS OUVIDOS

Som de sinos, vibrações ou zumbidos nos ouvidos; perda auditiva inexplicada

O consumo de suco de aipo por um longo período é altamente benéfico para zumbido nos ouvidos e qualquer perda auditiva para a qual não se encontre explicação. Quando esses problemas ocorrem sem nenhuma causa evidente – o paciente não trabalhou a vida inteira ao lado de uma máquina barulhenta, não ouve música em volume alto nem submete seus tímpanos a outros estresses sonoros desse tipo – e intrigam os médicos, isso é sinal da presença de um vírus do qual falo extensamente em *Médium Médico* e em *Tireoide Saudável*: o vírus de Epstein-Barr. Quando o vírus de Epstein-Barr libera neurotoxinas na corrente sanguínea, estas podem chegar ao labirinto, no ouvido interno. Aí elas atacam os nervos, causando inflamações misteriosas. O próprio vírus pode entrar no labirinto, criando inflamações de maneira direta.

Mas também nesse caso podemos contar com o poder antiviral dos sais aglomerados de sódio do suco de aipo. O suco de aipo elimina as neurotoxinas virais do corpo, ligando-se a elas e neutralizando-as, ao passo que seus sais aglomerados danificam o vírus de Epstein-Barr e tornam mais lenta sua reprodução. Esses sais também entram no labirinto e ajudam a restaurar as células nervosas; o tecido nervoso recebe os oligoelementos, que o alimentam e protegem, conduzindo-o no caminho da recuperação. Embora às vezes o suco de aipo consiga eliminar rapidamente o zumbido nos ouvidos e outros sintomas do tipo, para muita gente a destruição do vírus de Epstein-Barr é um processo mais longo, e é por isso que, aqui como em outros casos, o melhor curso de ação é beber suco de aipo por muito tempo. Para dar apoio à cura profunda que precisa acontecer, você pode dar os passos adicionais que encontrará no Capítulo 8 e em outros livros da série O Médium Médico.

MAIS JOIAS DE CURA

Se você não encontrou seu sintoma ou sua doença neste capítulo, lembre-se: não pense que o suco de aipo não possa ser benéfico para você. E, se encontrou aqui seu sintoma ou sua doença, saiba que há mais coisas a serem descobertas. Consulte os outros livros da série O Médium Médico para encontrar respostas relacionadas ao problema de saúde específico que você enfrenta. A série está recheada de informações acerca das causas de problemas de saúde crônicos e de protocolos que incorporam o suco de aipo e podem fazer você avançar no caminho da cura. Sempre é útil procurar, na série, joias adicionais que podem ser extremamente úteis para sua situação de saúde individual, pois não tivemos espaço, aqui, para lhe dar todos os detalhes sobre todos os diagnósticos.

Depois de ler sobre estas dezenas de problemas de saúde e como o suco de aipo pode ajudar a curá-los, você já deve estar mais motivado do que nunca para experimentar o suco de aipo ou, caso já o tenha usado no passado, para retomar seu uso. No entanto, para que o suco de aipo funcione tão bem quanto possível, você terá de tomar algumas medidas básicas – e é disso que passaremos a falar.

CAPÍTULO 4

Como Fazer o Suco de Aipo Dar Certo para Você

Quando falamos sobre os benefícios do suco de aipo, precisamos ter claro que estamos falando do *suco* de aipo puro, sem nenhum acréscimo e nenhuma mudança, e não de alguma variação dele. Não estamos falando de um suco verde que inclua aipo, nem de acrescentar aipo à vitamina. Não estamos falando de comer talos de aipo nem de usar aipo em um caldo de legumes. Não estamos falando de bater o aipo no liquidificador até transformá-lo em um líquido e depois consumi-lo sem coar.

É verdade que o aipo em si é saudável quando preparado dessas outras maneiras – continue usando-o como aperitivo, cozinhando com ele e batendo-o no liquidificador –, mas assim ele não oferece os benefícios de saúde incomparáveis obtidos ao se beber o suco de aipo puro. Nem de longe.

As razões disso são surpreendentes e ficarão evidentes ao longo deste capítulo e dos próximos. Por ora, lembre-se desta sabedoria essencial: nada se iguala ao poder simples do suco de aipo puro e fresco. Você precisa saber isso desde já, para que não se deixe convencer, mais para a frente, por alegações de que algum outro preparado de aipo será melhor para você.

(Não que você deva entrar em pânico se não tiver acesso ao aipo ou por algum outro motivo não possa beber suco de aipo. Há alternativas, e falaremos delas no Capítulo 9.)

Não quero que você se perca no labirinto de afirmações conflitantes sobre a sua saúde. Caso siga teorias equivocadas que tentam tornar complicado o que originalmente é simples, você pode acabar se metendo em um beco sem saída. O conhecimento exposto neste livro lhe dará um fundamento firme e verdadeiro.

RECEITA DE SUCO DE AIPO
VERSÃO CENTRÍFUGA

Serve 1 adulto

Vamos começar aprendendo como preparar corretamente o suco de aipo. A preparação é a mais simples possível. Se você tem uma centrífuga, o que precisa fazer é só isto:

1 maço de aipo

1. Corte cerca de 6 mm da base do maço, se quiser, para separar os talos.
2. Lave o aipo.
3. Passe o aipo pela centrífuga de sua escolha.
4. Coe o suco, se quiser, para remover pedaços sólidos ou restos de polpa.
5. Beba imediatamente, de estômago vazio, para obter os melhores resultados.
6. Espere de 15 a 30 minutos, pelo menos, antes de ingerir qualquer outra coisa.

(A título de referência, verifique as fotos das páginas 130 e 131. A partir da página 132, você encontrará mais dicas de preparo.)

RECEITA DE SUCO DE AIPO VERSÃO LIQUIDIFICADOR

Serve 1 adulto

Se você não tem acesso a uma centrífuga, pode fazer o suco de aipo no liquidificador.

1 maço de aipo

1. Corte cerca de 6 mm da base do maço, se quiser, para separar os talos.
2. Lave o aipo.
3. Coloque o aipo sobre uma base de corte limpa e corte-o em pedaços de mais ou menos 2,5 cm.
4. Bata o aipo em um liquidificador de alta velocidade até que o líquido esteja homogêneo (não acrescente água). Se necessário, use o empurrador.
5. Coe bem o aipo batido. Um instrumento bom para isso é um tecido, como os usados para coar leite de oleaginosas.
6. Beba imediatamente, de estômago vazio, para obter os melhores resultados. Espere de 15 a 30 minutos, pelo menos, antes de ingerir qualquer outra coisa.

VERSÃO CENTRÍFUGA

1. Corte cerca de 6 mm da base do maço, se quiser, para separar os talos.

2. Lave o aipo.

3. Passe o aipo pela centrífuga de sua escolha.

4. Coe o suco, se quiser, para remover pedaços sólidos ou restos de polpa.

5. Beba imediatamente, de estômago vazio, para obter os melhores resultados.

6. Espere de 15 a 30 minutos, pelo menos, antes de ingerir qualquer outra coisa.

VERSÃO LIQUIDIFICADOR

1. Corte cerca de 6 mm da base do maço, se quiser, para separar os talos.

2. Lave o aipo.

3. Coloque o aipo sobre uma base de corte limpa e corte-o em pedaços de mais ou menos 2,5 cm.

4. Bata o aipo em um liquidificador de alta velocidade até que o líquido esteja homogêneo (não acrescente água). Se necessário, use o empurrador.

5. Coe bem o aipo batido. Um instrumento bom para isso é um tecido, como os usados para coar leite de oleaginosas.

6. Beba imediatamente, de estômago vazio, para obter os melhores resultados. Espere de 15 a 30 minutos, pelo menos, antes de ingerir qualquer outra coisa.

DICAS DE PREPARO

Quando você terminar de ler este livro, será um especialista em suco de aipo – e os especialistas têm sempre o conhecimento básico na ponta da língua. Você já absorveu muitas informações importantes. Vamos apresentar, agora, mais alguns conhecimentos fundamentais.

Lavagem

Ao usar o aipo que você comprou na feira, na quitanda ou no supermercado, o melhor é lavá-lo antes de usar. Se o aipo estiver gelado porque estava na geladeira e você não quiser beber o suco gelado, pode até usar a torneira de água quente. A lavagem em água quente aumentará em pelo menos 50% a temperatura da parte central do talo, de modo que você terá um suco de aipo morno. Logo aprenderá qual temperatura de água usar e por qual tempo de lavagem para preparar o suco de aipo de que você mais gosta.

Não se preocupe: a lavagem em água quente não fará com que o aipo fique cozido. Você não danificará as enzimas do aipo nem o prejudicará de nenhuma outra maneira. Para que isso acontecesse, seria preciso uma água superaquecida e mais tempo de lavagem.

Se tiver comprado o aipo de um agricultor que você conhece e em quem confia, ou se você mesmo o tiver plantado, o mais provável é que ele seja rico naquilo que chamo de *biótica elevada*: micro-organismos benéficos não descobertos que vivem na superfície de frutas, hortaliças e ervas cultivadas naturalmente. Nesse caso, o melhor, em geral, é não usar água quente para lavar o aipo, a menos que ele se encontre com marcas de terra. Assim, você não fará mal à biótica elevada. (Nos outros livros da série O Médium Médico, você encontrará mais informações sobre esses micro-organismos incríveis e o modo como eles nos ajudam.) Fique à vontade para lavar seu aipo com água em uma temperatura mais branda.

Convencional ou orgânico?

O melhor é optar pelo aipo orgânico sempre que possível. Se por algum motivo você não conseguir adquirir o aipo orgânico, não se preocupe. É melhor usar o aipo convencional do que desistir de tomar o suco. Se usar o aipo convencional, tome o cuidado de pingar uma gota de detergente neutro e sem aroma em cada talo, lavá-lo e enxaguá-lo.

Sabor

A sensação de cada um ao provar o suco de aipo pela primeira vez é única. Certas pessoas não gostam muito, a princípio, mas passam a gostar com o tempo. Outras o consideram gostoso desde o começo.

Muito depende da quantidade de toxinas presentes no organismo quando se experimenta o suco de aipo pela primeira vez. Se se trata de alguém com muitas toxinas, o suco de aipo pode causar um choque no organismo. À medida que ele se liga às substâncias problemáticas e as retira do fígado, nossos sentidos passam a conseguir detectá-las – o que afeta nossas papilas gustativas e o olfato. As toxinas conseguem transformar o delicioso em azedo ou em outros sabores desagradáveis. Isso, no entanto, passará. Certas pessoas que não gostam do suco de aipo no primeiro dia passam a gostar ao fim da primeira semana. Outras precisam bebê-lo por seis meses para passar a apreciá-lo e desejá-lo. A toxicidade e a sobrecarga dos organismos varia, de modo que tudo depende. Surgiu a tendência de acrescentar sumo de limão-siciliano ao suco de aipo para alterar o gosto. Fazendo isso, você desabilitará os poderes curativos do suco. É melhor beber uma quantidade menor de suco de aipo puro do que uma quantidade maior de suco de aipo com limão-siciliano. Para os que precisam de ajuda para se adaptar ao sabor do suco, um copo menor é melhor do que um copo grande com um pouquinho de limão-siciliano.

A experiência que a mesma pessoa tem do suco de aipo pode mudar de um dia para o outro – mesmo que o aipo tenha vindo da mesma loja, do mesmo agricultor, do mesmo lote, da mesma caixa e tenha sido colocado na mesma prateleira no mesmo dia. Talvez isso se deva ao fato de você estar se desintoxicando do que jantou na noite passada, ou pode ser que tenha bebido café à noite ou escovado os dentes logo antes de tomar o suco.

O sabor e a cor do suco de aipo também podem mudar de lote para lote. Com o tempo, você vai acabar notando que traz do mercado tipos diferentes de aipo, que resultam em tipos diferentes de suco. Em algumas semanas, o aipo é mais verde. Em outras, tem mais folhas. Às vezes, é mais escuro e fibroso; esse tipo de talo tende a fornecer um suco mais amargo e, portanto, um pouquinho mais difícil de engolir. Em certas semanas, você terá talos grandes e crocantes, que dão bastante suco com um sabor salgado e, quem sabe, um toque de doçura. Às vezes você mal é capaz de detectar o sódio pelo paladar, muito embora os sais aglomerados de sódio benéficos ainda estejam lá. Tudo varia, dependendo de quem cultivou o aipo, com qual tipo de semente, em que tipo de solo, com qual irrigação, em que época do ano e em quais condições meteorológicas.

Procure não desanimar quando vier com um aipo menos palatável e menos suculento; na verdade, esse tipo pode até ser mais medicinal. Não se preocupe, tampouco, se comprar um aipo de cor clara, quase transparente na base do talo – aliás, não deixe de comprá-lo. Não há problema se, durante o cultivo, ele foi envolvido em plástico para ficar mais claro. O aipo claro é muitas vezes mais palatável, o que significa que você pode tomar mais, ou seja, há um lado positivo. Mesmo com menos clorofila, esse aipo ainda proporcionará outros compostos fitoquímicos que ajudarão você a se curar. Além disso, a clorofila do suco de aipo é mais poderosa que a clorofila de qualquer outra fonte, pois está ligada aos sais aglomerados de sódio, aos hormônios vegetais e à vitamina C que somente o aipo possui. Isso significa que qualquer quantidade de clorofila de aipo que entrar em seu organismo, mesmo que seja pequena, será mais potente que a clorofila de qualquer outro vegetal.

À medida que for aprendendo a se orientar nos caminhos do aipo, você verá de tudo. Qualquer aipo que você possa encontrar lhe proporcionará os sais aglomerados de sódio sobre os quais você tanto leu, bem como todos os demais componentes nutricionais preciosos do suco de aipo. Seja qual for o aipo – desde que não seja raiz de aipo –, o suco de aipo feito com ele o ajudará a se curar.

Folhas de aipo

Com frequência perguntam sobre as folhas do aipo – se fazem bem e se devem ser incluídas no suco. A resposta é que as folhas de aipo são altamente medicinais. São cheias de minerais e outros nutrientes e até de hormônios vegetais benéficos. No entanto, isso não significa que você deva usá-las. As folhas de aipo podem ter um sabor extremamente amargo. Assim, se o sabor do suco de aipo o desanima, experimente cortar fora as folhas, total ou parcialmente, antes de passar o aipo pela centrífuga. Veja se com isso o suco se torna mais palatável.

O aipo comprado no mercado tende a ter poucas folhas. No entanto, o aipo que você mesmo plantou ou que adquire direto do produtor costuma ter folhas em abundância. Ao usar o aipo local ou plantado em casa, prefiro que você corte algumas folhas e faça o suco principalmente com os talos. O excesso de folhas pode dar ao suco uma adstringência que o torna menos agradável, de modo que você talvez não queira beber tanto. O excesso de folhas também pode induzir um processo de desintoxicação rápido demais, tornando menos agradável a experiência global de tomar o suco e diminuir a probabilidade de você continuar a tomá-lo. Uma vez que o aipo comprado em mercados e quitandas não costuma ter tantas folhas, a escolha de usá-las ou não para fazer o suco depende, na verdade, do seu gosto e da sua preferência.

O fato de você sentir as folhas de aipo como amargas ou não depende, em parte, de você ter ou não se acostumado a comer verduras amargas em sua dieta. Se faz anos que você come verduras amargas, as folhas de aipo talvez não lhe pareçam diferentes de qualquer outra erva. Elas são amargas em razão dos alcaloides que contêm. Esses compostos fitoquímicos têm um sabor muito intenso para nossas papilas gustativas. Isso é normal e natural. Não são, porém, alcaloides tóxicos. Embora alguns alcaloides encontrados em outras plantas possam ser tóxicos, no aipo isso não é uma preocupação. Os alcaloides do aipo são medicinais e altamente desintoxicantes. Ajudam a alcalinizar o corpo e a reduzir os ácidos de natureza tóxica que residem em nossos órgãos e em outras partes internas. Os alcaloides das folhas de aipo, de modo particular, o ajudam a purificar as toxinas do fígado.

Aliás, quando faço suco de aipo, gosto de cortar cerca de 1,2 cm das pontas do maço (o lado das folhas) e 0,6 cm da base (o lado da raiz) antes de triturá-lo. Isso nada tem a ver com as folhas em si. Você verá que, na maioria das vezes, o aipo já chegou do mercado cortado dos dois lados. Corto mais um pouco porque não sei qual instrumento foi usado para cortá-lo – não sei se estava limpo ou sujo, se foi usado perto de animais, se o aipo for cortado à máquina ou à mão, se havia graxa na lâmina. Se você quiser aproveitar o aipo inteirinho, não precisa fazer isso. É só uma decisão pessoal que tomei.

A centrífuga

Qualquer centrífuga que triture aipo pode ser usada. O suco de aipo será benéfico para você. Saiba disso e fique tranquilo. Se você já tem uma centrífuga, ela é a centrífuga correta. Continue usando-a.

Se você pretende comprar uma centrífuga, ou porque ainda não tem uma ou porque quer trocar a sua, o ideal é um extrator de sucos. Ele preserva e extrai o máximo de nutrição do aipo e faz menos barulho. O extrator de suco também extrai a maior quantidade de suco possível do aipo, o que significa que você obterá mais suco do mesmo maço – e menos espuma e polpa.

Seja como for, a centrífuga comum também e boa, se é ela que funciona para a sua vida. Esse tipo de aparelho tende a ser mais rápido. Então, se o que o impede de tomar suco de aipo é o tempo necessário para prepará-lo, a centrífuga pode representar a solução para seus problemas. Procure alguma que mantenha as frutas e hortaliças frias enquanto funciona, pois algumas acabam aquecendo o conteúdo.

Se tudo o que você tem agora é um liquidificador de alta velocidade ou um processador de alimentos, o mais provável é que algum dia queira comprar uma centrífuga ou um extrator. O método do liquidificador tende a produzir menos suco, e o passo extra de coar o aipo passado no liquidificador pode se tornar cansativo depois de algum tempo. No entanto, lembre-se: seja qual for a máquina que você esteja usando agora para fazer suco de aipo, ela é boa. Não se sinta desencorajado se não estiver usando um extrator de sucos de última geração. Ainda estará fazendo um suco excelente que o beneficiará das mais diversas maneiras.

Lojas de suco

Não há problema algum em tomar um suco de aipo fresco em uma loja de suco, uma cafeteria ou no balcão de uma loja de produtos naturais, em vez de fazê-lo você mesmo.

Se o suco de aipo for prensado a frio, ótimo. Não que eu queira que as pessoas fiquem fixadas em sair de casa para comprar suco de aipo prensado a frio, imaginando que esse é o único caminho. O suco de aipo prensado a frio não é o único que preserva os nutrientes do aipo. Não há nada de errado em comprar suco de aipo feito com uma centrífuga, por exemplo. E o suco de aipo feito em casa com um bom e velho extrator de sucos é tão benéfico quanto um sofisticado suco prensado a frio em uma loja. *Qualquer* centrífuga ou extrator que você tenha em casa pode criar um suco de aipo nutritivo.

Se mesmo assim você prefere sair para comprar seu suco de aipo, há algumas coisas que deve levar em consideração.

Em primeiro lugar, pergunte como preparam o aipo. Alguns estabelecimentos pingam uma gota de hipoclorito de sódio na água quando lavam frutas e hortaliças antes de transformá-las em suco. Não se deve fazer isso.

Em segundo lugar, se o suco de aipo que você está comprando for pré-engarrafado, examine cuidadosamente o rótulo para ver se o suco não foi pasteurizado por alta pressão. Às vezes essa informação vem escrita em letras pequenas ou assinalada na forma de um símbolo. Mesmo que não haja nada escrito ou desenhado, pergunte ao atendente se o suco não foi pasteurizado por alta pressão. Se foi, o melhor é escolher outra fonte de suco fresco em sua região. Não se deve pasteurizar o suco de aipo em alta pressão.

Nesse processo, em vez de ser prensado a frio, engarrafado e colocado na prateleira para ser consumido no mesmo dia, o suco foi feito em uma fábrica. O processo de pasteurização por alta pressão não envolve calor, e isso pode dar a ilusão de que o produto continua cru. Mas não. O suco que passou pelo processo de pasteurização por alta pressão foi desnaturado. Suas estruturas celulares mudaram de forma por meio desse processo que é novo e ainda não passou pela prova do tempo. A pasteurização regular, por sua vez, é um processo de aquecimento cuja segurança já foi demonstrada nas centenas de anos que se passaram desde sua criação. Não que você queira um suco de aipo que tenha sido submetido à pasteurização comum – o que você quer é o suco fresco e cru. Mas é errôneo pensar que o suco pasteurizado por alta pressão continua cru. Em tese, ele continua; no entanto, ele foi prejudicado e comprometido para aumentar sua vida de prateleira. Você deve tomar cuidado com o suco pasteurizado por alta pressão porque ele não lhe dará os benefícios de saúde do suco fresco. Já vi muita gente comprando suco de aipo pasteurizado por alta pressão, usando-o por algum tempo e depois abandonando-o, pois seus sintomas e suas doenças não melhoraram nem um pouco. Não faça isso.

Outros sucos de frutas e hortaliças pasteurizados por alta pressão não chegam a perder todos os seus nutrientes. Por isso, se você está acostumado a tomar esse tipo de suco e quer continuar, obterá alguns benefícios. O aipo, contudo, é uma erva. Por causa disso, a pasteurização por alta pressão causa a perda de múltiplos benefícios milagrosos que ele tem a oferecer, entre os quais alguns dos mais importantes. Quando usamos medicinas herbáceas, como o suco de aipo, a perda de um único benefício equivale à perda de uma oportunidade de cura.

Armazenamento do aipo

Se você mesmo está acostumado a fazer seu suco de aipo, talvez queira comprar o aipo em caixas na mercearia local. No mercado, verifique se eles têm uma caixa inteira ou se podem encomendar uma caixa inteira da próxima vez. Além de poder ganhar um desconto, você comprará um aipo mais fresco que durará mais em casa. Além disso, será mais difícil que o aipo acabe e você fique sem.

O aipo geralmente se conserva na geladeira por uma semana. Quando o lote é forte e fresco, já vi acontecer de durar até duas semanas. Para determinar se um maço de aipo está bom, uma das chaves é sua cor. Procure usá-lo antes de perder a cor verde e tornar-se amarelo ou marrom. Se acontecer de você estar muito ocupado e o aipo que você comprou ficar amarelo antes de você ter a chance de utilizá-lo, não desanime por ter de jogá-lo fora. Não deixe que isso o leve a decidir não tomar mais suco de aipo. Compre mais aipo e tente de novo.

Se você está comprando aipo e tem planos de utilizá-lo rapidamente, pode guardá-lo como quiser no refrigerador. Depois de alguns dias, no entanto, o aipo deixado em cima da prateleira da geladeira tende a secar e murchar. Para impedir isso, a gaveta do refrigerador é um lugar melhor. Às vezes o aipo vem dentro de um saco plástico, ou você mesmo o coloca dentro de um saco no supermercado. Nesse caso, ele ficará bom ainda que fora da gaveta. Se você comprou uma caixa de aipo e os maços não vieram dentro de sacos plásticos, pegue alguns sacos no supermercado ou na quitanda – que não reclamará de lhe dar os sacos, pois você acaba de comprar uma caixa inteira do produto.

Armazenar o suco pronto

Se você não conseguir beber de imediato todo o suco que acaba de fazer, a melhor maneira de armazená-lo é colocá-lo em um recipiente de vidro com tampa hermética e guardá-lo na geladeira. O suco de aipo fresco conserva seus benefícios curativos por cerca de 24 horas. Tecnicamente, ele se conserva por três dias no congelador – mas não terá muito a oferecer-lhe depois do primeiro dia. O suco de aipo perde um pouco de potência a cada hora. Por isso, está longe de ser o ideal tomá-lo após mais de 24 horas de tê-lo processado.

O suco de aipo pode ser congelado, embora isso também não seja o ideal. No entanto, se essa é a sua única opção, vá em frente – recomendo que use formas de gelo, pela facilidade. Quando quiser, retire-o do congelador e beba-o assim que derreter. Mas não acrescente água aos cubos de suco de aipo, nem deixe que eles derretam na água. Isso faz com que ele perca seus benefícios.

Eu não congelaria o aipo em si. Congelar os talos, descongelá-los e transformá-los em suco não dará bom resultado. Mesmo que isso pareça a mesma coisa que congelar o suco, não é. Quando o suco é feito com o aipo fresco, extrai-se sua força vital. Caso o aipo seja congelado, o que se usa para fazer o suco é um talo sem vida.

Em definitivo, não ferva nem o aipo nem seu suco – a menos que você esteja intencionalmente fazendo um caldo. Vá em frente e ponha aipo em seus sucos e cozidos; o uso regular do aipo na dieta é benéfico para muitas doenças. No entanto, ao ferver o aipo, você está destruindo suas enzimas e desnaturando alguns de seus nutrientes. Ele não será mais o remédio forte e curativo que você quer. Não o ajudará a avançar no caminho da cura. Quem pode fazer isso por você é o suco de aipo fresco.

POR QUE 480 ML?

A quantidade ideal de suco de aipo que todo adulto deve tomar por dia é de 480 ml, no mínimo. Não que você precise começar com 480 ml já na primeira vez. Vá aumentando a quantidade aos poucos, se quiser. Se tiver o paladar sensível, comece com 120 ou 240 ml e vá aumentando um pouquinho por dia, à medida que for se acostumando.

Mas quando acostumar, o melhor é se comprometer com a quantidade mínima de 480 ml. Por quê? Porque a maioria das pessoas tem vários obstáculos a superar para chegar à boa saúde. O suco de aipo precisa caminhar bastante em sua jornada dentro do corpo. O primeiro obstáculo é, muitas vezes, a boca, com suas bactérias e os restos de pasta de dente ou de enxaguante bucal. (Faça questão de lavar bem a boca somente com água depois de escovar os dentes e antes de tomar o suco de aipo, a fim de se livrar de quaisquer resíduos de pasta de dente ou de enxaguante bucal. Melhor ainda: só escove os dentes depois de tomar o suco de aipo matinal.)

Em seguida há o esôfago, onde o suco de aipo encontra mais bactérias, depósitos de amônia e ácidos improdutivos e prejudiciais.

O suco chega, então, a um obstáculo no fundo do estômago, logo antes do duodeno (a entrada do intestino delgado). Há uma pequena saliência bem antes do duodeno e, dependendo da idade da pessoa, essa saliência por si só pode conter décadas – às vezes de 30 a 40 anos – de resíduos que se acumularam em uma forma pegajosa e empurraram para baixo a pequena saliência. Os detritos podem ser formados por proteínas, gorduras, conservantes, amônia solidificada, ácidos e outras coisas, constituindo um depósito pegajoso e corrosivo. Os sais aglomerados de sódio do suco de aipo começam a corroer esse amontoado de lama tóxica e, aos poucos, vão dissolvendo-o.

Ou seja, antes de qualquer coisa o suco de aipo tem de passar por esses obstáculos. Depois, à medida que avança pelo duodeno, ele costuma se deparar com um bombardeio de *H. pylori*, estreptococo e outras bactérias – pois a maioria das pessoas carrega essas bactérias em si sem que isso seja diagnosticado. O suco de aipo tem de lutar para se sustentar e permanecer ativo nessa batalha, que é duas vezes mais difícil, pois ele já perdeu um pouco do seu poder depois de lidar com os resíduos de pasta de dente e as bactérias da boca, a amônia, os ácidos e mais bactérias do esôfago e os detritos na saída do estômago.

À medida que prossegue no duodeno, o suco de aipo é bombardeado com ácidos, tendo em vista que, na nossa época, o pH da maioria das pessoas está desequilibrado. Não somos automaticamente alcalinos. É claro que, no caso de um indivíduo saudável, seu pH será mais equilibrado e o suco de aipo não terá de trabalhar muito nesse aspecto. No entanto, o organismo da maioria das pessoas é cheio de bactérias, que são grandes produtoras de ácidos. As dietas improdutivas e os níveis elevados de estresse também produzem ácidos. Assim que tomamos o primeiro gole, o suco de aipo começa a alterar o pH interno do corpo, começando na boca e prosseguindo pelo trato digestório. Ocorre quase uma explosão quando o suco de aipo tenta virar a maré de alta acidez, e esse é mais um motivo pelo qual ele perde um pouco de seu poder à medida que percorre o organismo.

Já está achando que o suco de aipo tem de enfrentar muitos inimigos e, ao mesmo tempo, manter sua força? Pois há mais. Alguns centímetros à frente, no intestino delgado, o suco de aipo se depara com uma mancha escorregadia de muco, que existe nos jovens e nos idosos de maneira igual – uma camada de parasitas, como o estreptococo, a *E. coli* e outras bactérias improdutivas, com dois ou três fungos improdutivos, todos ali, esperando a chegada da proteína dos ovos ou dos nossos suplementos de colágeno, bem como da lactose do leite, do queijo, da manteiga e de outros laticínios, para que possam se alimentar. Esse caminho cheio de patógenos é mais uma área de combate para o suco de aipo.

Além disso, há gorduras rançosas que endureceram e formaram placas ao longo do revestimento interno do intestino, no decorrer de anos de consumo de alimentos com alto teor de gordura, quer as fontes dessa gordura sejam saudáveis ou não. Há também proteínas apodrecidas que constituíram bolinhas de detritos e criaram bolsões no trato intestinal, os quais acumulam ainda mais bactérias e fungos. Ter de cuidar dessas coisas é mais uma série de obstáculos para o suco de aipo em suas viagens.

Mas isso não é tudo; até agora só falamos dos principais obstáculos encontrados pelo suco de aipo até aqui. Acrescente o excesso de adrenalina – se você comeu com pressa ou estressado, por exemplo, com tensão no tubo digestório, ou se comeu gordura demais na noite anterior sem perceber, pois tudo isso sinaliza para as adrenais que devem produzir descargas de adrenalina. Quando o excesso de adrenalina penetra no trato intestinal, chega queimando tudo. Satura as células em todo o corpo. Assim, se você esteve sob um estresse intenso ou se deparou com algum outro gatilho de adrenalina no dia anterior, a adrenalina ainda estará no trato intestinal quando você acordar no dia seguinte. O suco de aipo trabalha para neutralizar essa adrenalina: mais uma batalha. E trata-se de um esforço grande, sobretudo quando consideramos tudo o que o suco de aipo já sofreu enquanto viajava pelo tubo digestório.

Um jantar com excesso de gordura não se limita a desencadear a produção de adrenalina. As gorduras que sobram do jantar permanecem no tubo digestório, do estômago ao intestino grosso, passando pelo intestino delgado, e o suco de aipo tem de enfrentá-las também. O excesso de gorduras absorve os compostos curativos do suco de aipo e consome os sais aglomerados de sódio, pois estes precisam dispersar as gorduras e retirá-las do trato digestório. Isso significa que, se você comeu uma refeição especialmente pesada no jantar – talvez uma fritura como prato principal, seguida por um doce de sobremesa –, o suco de aipo terá de trabalhar dobrado na manhã seguinte, e isso diminuirá em parte seu poder de cura à medida que ele prossegue em sua corrida de obstáculos.

O sistema digestório é só o começo. A maioria dos seres humanos está às voltas com um fígado estagnado, preguiçoso, e essa é a parte mais crítica: uma quantidade suficiente de suco de aipo tem de chegar ao cólon com sua potência intacta, para que possa ser absorvido na corrente sanguínea e para que seus componentes possam passar pela veia porta hepática até entrar no fígado e, depois, na vesícula biliar – para que você possa se curar. Quaisquer que sejam seus problemas na vida, um fígado mais saudável lhe dará mais chance de curar qualquer sintoma ou doença que você esteja enfrentando. A quantidade de 480 ml é o número mágico para possibilitar isso para a maioria dos adultos. (Mais à frente falaremos sobre a quantidade adequada de suco de aipo para crianças.)

Quando o suco de aipo chega ao fígado, encontra mais uma sequência de obstáculos. Para começar, o fígado da maioria das pessoas está intoxicado com venenos, pesticidas, herbicidas, plásticos e outros derivados de petróleo, solventes, patógenos como vírus e bactérias e muitas outras substâncias problemáticas. Isso tudo prejudica a produção de bile por parte do fígado. Quando os compostos do suco de aipo entram na área de produção de bile, se ainda têm potência suficiente, podem aumentar a potência da bile que o fígado envia à vesícula. Essa bile, impulsionada pelo suco de aipo, começa então a pulverizar e dispersar o lodo acumulado na vesícula biliar, ao mesmo tempo que quebra e dissolve as pedras da vesícula. Se você já vem bebendo uma quantidade grande o suficiente de suco de aipo, por tempo o bastante para que seu organismo esteja limpo e saudável, os compostos do suco de aipo sairão, então, da vesícula biliar quando a bile for liberada no trato intestinal. Isso faz parte da responsabilidade do suco de aipo: percorrer esse círculo.

Nem todos os componentes curativos do suco de aipo que chegam ao fígado são direcionados para a bile. Alguns saem do fígado pela corrente sanguínea e sobem ao coração e ao cérebro. Quando se tem um fígado preguiçoso ou estagnado, no entanto – como é o caso da maioria das pessoas –, o poder curativo desses componentes já será mínimo a essa altura. Leva tempo para que o fígado fique limpo o suficiente para que os componentes do suco de aipo ainda tragam benefícios ao sair do fígado por essa via.

No entanto, não há problema, pois o suco de aipo possui outro meio de introduzir seus poderosos componentes na corrente sanguínea. Quando o suco ainda estava no trato digestório, somente uma parte dele – mais ou menos metade – foi direcionada para o fígado. Nessa corrida de obstáculos, o suco se dividiu. Enquanto ainda viajava pelo estômago e pelos primeiros 90 cm do intestino delgado, a outra metade dos compostos químicos do suco de aipo foi absorvida pelas paredes do trato digestório e entrou diretamente na corrente sanguínea, sem antes passar pelo fígado. Já a viagem pelo sangue tem seu próprio conjunto de obstáculos. Quanta gordura há no sangue? (As gorduras diminuem a autonomia de viagem do suco de aipo.) Quantas toxinas? Quantos metais pesados tóxicos há dentro dos diversos órgãos, como o cérebro, por exemplo? Falando no cérebro, qual é o estado das substâncias químicas neurotransmissoras dentro dele? Tudo isso neutraliza e enfraquece o poder que ainda resta ao suco de aipo. Se as substâncias químicas neurotransmissoras do cérebro estão reduzidas, os compostos do suco de aipo são consumidos de maneira instantânea no simples ato de substituí-las, de modo que, nesse caso, o cérebro se torna, por assim dizer, o seu destino final. Se há metais pesados tóxicos para serem desalojados, os sais aglomerados de sódio do suco de aipo são consumidos tirando-os do corpo.

Dado o âmbito imenso das tarefas do suco de aipo, é fácil ver por que você deve tomar uma quantidade suficiente: para que ele possa cumpri-las. Da próxima vez que alguém lhe indagar por que beber essa quantidade específica de suco de aipo, você poderá decidir o que dizer. Você pode narrar os detalhes da viagem do suco pelo trato digestório e além (e, nesse caso, não é conveniente falar caso estejam comendo!), mas pode dar também a versão condensada: o suco de aipo tem muitas responsabilidades e toda uma corrida de obstáculos para percorrer em sua viagem curativa pelo corpo. E pode, ainda, dar este livro a quem perguntou. Seja como for, o importante é que agora *você* sabe o porquê. E isso é essencial, pois o conhecimento dos "porquês" do suco de aipo o torna ainda mais poderoso.

Uma quantidade maior

Não há problema em beber mais de 480 ml de suco de aipo. E 960 ml serão muito úteis para quem sofre de uma doença autoimune ou outra doença crônica. Às vezes, essas pessoas bebem 480 ml pela manhã e mais 480 ml à tarde ou à noite. Além disso, os atletas podem se beneficiar e melhorar seu desempenho caso bebam 960 ml por dia ou ainda mais. Pode-se consumir até 1.920 ml de suco de aipo por dia; mas, nesse caso, uma certa adaptação será necessária – algumas pessoas terão de usar o banheiro com maior frequência, pois estarão limpando e desintoxicando o organismo com mais intensidade.

O que você não deve fazer é acordar certa manhã e dizer: "Eu nunca tomei suco de aipo antes. Vou começar com 1.920 ml". O suco de aipo vai limpar e purificar seu organismo à medida que seus sais aglomerados de sódio forem decompondo e matando os patógenos e escoltando os resíduos tóxicos produzidos por esses patógenos para fora do corpo e da corrente sanguínea, através da pele, dos rins (pela urina) e do trato intestinal (pelas fezes). Sobretudo se você for sensível ou tiver muitas toxinas no organismo, ou se abriga um vírus como o de Epstein-Barr (que causa, por exemplo, fibromialgia, esclerose múltipla, lúpus, tireoidite de Hashimoto, síndrome do ovário policístico, síndrome de fadiga crônica, artrite reumatoide e sintomas como formigamento, amortecimento dos membros, dores e fadiga) ou uma bactéria como o estreptococo (que causa supercrescimento bacteriano no intestino delgado, infecções dos sínus, infecções urinárias, terçol, infecções de ouvido e dor de garganta, entre outras coisas), o mais provável é que sinta o impacto da limpeza e da purificação. Recomendo que os iniciantes comecem com 480 ml ou menos e passem a consumir uma quantidade maior com o tempo, se for o caso. Você pode, por exemplo, começar com 120 ml e ir aumentando a quantidade um pouquinho por dia até chegar aos 480 ml.

Se quiser mais, pode ir aumentando até chegar a 960 ml por dia. Se quiser mais ainda, não passe diretamente aos 1.920 ml. Vá primeiro para 1.200 ml e depois vá aumentando até chegar aos 1.920 ml, a fim de acostumar o corpo a consumir uma quantidade maior desse remédio. Se estiver se sentindo aventureiro, pode até ultrapassar os 1.920 ml – pode chegar aos 2.400 ml, mas não vá além disso. Não se deve consumir mais de 2.400 ml de suco de aipo em um período de 24 horas.

Quantidades para crianças

Os bebês e as crianças não têm tantos obstáculos no trato digestório para serem vencidos pelo suco de aipo e, por isso, não precisam de tanto suco. Esta tabela dá a quantidade diária mínima recomendada para crianças de várias idades; mas, caso você julgue adequado, seu filho pode tomar menos do que isso, ou mais. Não se preocupe; se essa quantidade mínima for ultrapassada, isso não fará mal.

Idade	**Quantidade**
6 meses	30 ml ou mais
1 ano	60 ml ou mais
1 ano e meio	90 ml ou mais
2 anos	120 ml ou mais
3 anos	150 ml ou mais
De 4 a 6 anos	De 180 a 210 ml ou mais
De 7 a 10 anos	De 240 a 300 ml ou mais
11 anos ou mais	De 360 a 480 ml

Talos finos com mais folhas

Você talvez more em uma região ou um país em que o único aipo disponível tem talos pequenos, finos e escuros e toneladas de folhas, de modo que um maço produz pouco suco. Nessas circunstâncias, não há problema em beber apenas um copinho de suco. Mesmo que não obtenha todos os benefícios dos 480 ml ou mais de um suco de aipo mais suave, terá acesso à segunda melhor coisa. Como mencionei na seção "Dicas de preparo", a clorofila do aipo é especial, pois se liga aos sais aglomerados de sódio, aos hormônios vegetais e à vitamina C desse vegetal. A riqueza e a intensidade da clorofila desse aipo verde-escuro irá compensar, em parte, a pequena quantidade de suco e ainda ajudará a curar vários aspectos do seu corpo. Recomendo com insistência que você faça suco com qualquer aipo a que possa ter acesso, em vez de simplesmente desistir por só conseguir obter uma dose pequena. Afinal de contas, aipo é aipo – seu suco ainda vai fazer você avançar. Além disso, como compensação, você pode mergulhar nas demais informações de O Médium Médico, a fim de garantir que esteja avançando em todos os níveis do caminho da cura.

POR QUE SUCO DE AIPO PURO DE ESTÔMAGO VAZIO?

Para obter os benefícios do suco de aipo propagandeados neste livro, é importante bebê-lo de estômago vazio. Isso é muito importante. Caso contrário – se você beber o suco de aipo com o café da manhã, por exemplo, ou com um lanche da tarde –, não terá acesso a todo o seu poder de cura. Ele ainda seria benéfico, é verdade, mas nem de longe com todo seu potencial.

A mesma diminuição de poder ocorre quando o aipo é misturado com outros ingredientes em um suco. Se você for ao mercado e vir um suco fresco de espinafre, beterraba, gengibre, limão-siciliano e aipo – com o aipo destacado no rótulo, como se se tratasse de um suco de aipo propriamente dito –, fique esperto. O suco de aipo é uma bebida de um só ingrediente. Mesmo um suco feito com aipo e um único outro ingrediente – digamos, um suco de aipo e maçã, ou de aipo e pepino, ou de aipo e limão-siciliano – anula os benefícios que você quer obter quando se levanta da cama pela manhã. Se gosta de sucos misturados, ótimo; eles fazem bem à saúde. Mas tome-os mais tarde. Os 480 ml de suco de aipo bebidos de estômago vazio pela manhã devem conter aipo e nada mais.

Os motivos disso são muito específicos. Um deles tem a ver com o subgrupo de sódio não descoberto do suco de aipo, ou seja, com os sais aglomerados de sódio sobre os quais você leu no Capítulo 2 e depois em todo o Capítulo 3, em que eles foram mencionados reiteradamente em virtude de sua capacidade única de nos defender e nos ajudar a dizer adeus a nossos sintomas e nossas doenças. Os sais aglomerados de sódio estão entre os componentes mais poderosos do suco de aipo – estão por trás de boa parte das transformações drásticas que ocorrem na saúde dos que o bebem – e precisam ser consumidos de estômago vazio para cumprirem de maneira correta a sua tarefa. Não que você precise entrar em pânico se, em um dia específico, precisar tomar o café da manhã primeiro e o suco de aipo depois. Nesse caso, consulte a seção "Dicas sobre a hora de beber o suco", algumas páginas adiante.

Benefícios para o cérebro

Em geral, é muito difícil introduzir qualquer substância no cérebro em razão da barreira hematoencefálica. Os sais aglomerados de sódio, por outro lado, são capazes de chegar ao cérebro e beneficiá-lo com seu poder eletrolítico supremo, pois sua capacidade de cruzar a barreira hematoencefálica é sem igual. Estamos falando aqui de eletrólitos naturais, não manufaturados; os eletrólitos presentes no suco de aipo são capazes de se deslocar com maior velocidade e maior alcance do que quaisquer outros eletrólitos presentes em alimentos ou em bebidas e suplementos manufaturados. No entanto, para que isso de fato ocorra, o suco de aipo precisa estar sozinho em forma de *suco*. O consumo do aipo *in natura* não dará ao organismo uma quantidade suficiente de sais aglomerados de sódio capaz de chegar até o cérebro. Se o aipo for misturado com outros ingredientes, o mesmo problema ocorrerá: as frutas e hortaliças adicionais ou os demais acréscimos diluirão o suco de aipo, de modo que você não receberá nem o suco nem seus sais aglomerados de sódio em quantidade suficiente.

Se você comer aipo ou fizer suco de aipo misturado com alguma outra coisa, por exemplo um pouco de suplemento de colágeno, os componentes adicionais interromperão a capacidade dos sais aglomerados de sódio de beneficiar seu organismo. As fibras, gorduras e proteínas, em particular, atuam como obstáculos. (Logo mais à frente falaremos mais sobre as fibras.) Elas impedem que os sais aglomerados de sódio se liguem a importantes nutrientes, como outros minerais e aminoácidos, e os impedem de viajar até o cérebro e deixar lá esses nutrientes. Além disso, como você lerá na seção "Dicas sobre a hora de beber o suco", neste capítulo, bem como no Capítulo 5 ("A Limpeza do Suco de Aipo"), recomendo que você tome seu suco de aipo sem acompanhá-lo de quaisquer gorduras, pois as gorduras estimulam o fígado a liberar bile para digeri-las, e o excesso de bile também dilui os sais aglomerados de sódio.

Se você acrescentar aipo à vitamina, os sais aglomerados de sódio não chegarão ao cérebro. Se bater o aipo no liquidificador e o beber com suas fibras, os sais aglomerados de sódio não chegarão ao cérebro. Se comer talos de aipo em vez de fazer suco com eles, se beber o suco de aipo com o estômago cheio de outros alimentos, se juntar o aipo como outros ingredientes para fazer um suco verde ou se fizer o suco de aipo com colágeno, carvão ativado, vinagre de maçã ou, enfim, se adotar qualquer outra ideia nova e equivocada, os sais aglomerados de sódio não chegarão a seu cérebro. Ficarão estagnados.

Proteção contra patógenos

Os sais aglomerados de sódio têm todas essas funções e mais uma: matar patógenos. Só o suco de aipo puro, bebido de estômago vazio, faculta aos sais aglomerados o contato direto com vírus, bactérias e fungos. Esse contato direto é necessário para a ação germicida rápida. No instante em que você misturar o suco de aipo com maçãs, espinafre ou couve, ou com suplemento de proteína, proteína de ervilha, colágeno, leveduras nutricionais ou qualquer outro acréscimo, esse benefício se perderá por completo.

Qualquer coisa acrescentada ao suco de aipo, seja boa ou má, impede que os sais aglomerados de sódio façam contato direito com leveduras, bolores, toxinas presentes nos alimentos, estreptococos, estafilococos, *E. coli*, *H. pylori*, HPV, vírus de Epstein-Barr e outros micróbios tóxicos. Perde-se o benefício do combate violento e direto contra os patógenos.

Se você acredita que os sucos frescos de frutas e hortaliças cruas esfriam demais o corpo ou são demasiado úmidos, e alguém recomendar o acréscimo de gengibre, cúrcuma ou pimenta-de-caiena a seu suco de aipo para deixá-lo mais quente, saiba do seguinte: não há nada de errado em acrescentar essas especiarias ao seu suco de aipo – desde que você não esteja interessado em obter todo o espectro de benefícios que o suco de aipo tem a oferecer. Para obter todos os benefícios do suco de aipo, ele precisa ser puro, sem acréscimos nem alterações de qualquer espécie. Se quiser ingerir gengibre, cúrcuma ou pimenta-de-caiena, misture-os com alguma outra coisa, talvez até um outro suco verde em um outro momento do dia. Acredite se quiser: o suco de aipo puro, sem nenhum acréscimo, é o melhor remédio para aquilo que a medicina oriental identifica como problemas de calor e umidade no corpo, pois restaura e revitaliza o fígado, que é a própria fonte do problema.

Benefícios para o trato digestório

Se o suco de aipo for diluído com qualquer outro ingrediente, você também perderá os benefícios que ele pode oferecer ao trato digestório. Isso é uma pena, pois o suco de aipo tem um imenso poder de restaurar a digestão e porque o bom funcionamento do intestino faz com que o próprio suco de aipo seja mais bem absorvido e assimilado, podendo, assim, auxiliar o resto do corpo. Os sais aglomerados de sódio do suco de aipo e suas enzimas digestivas são capazes, juntos, de desmanchar e diluir o muco e os ácidos tóxicos presentes no trato digestório, bem como as gorduras velhas que formaram placas nas paredes dos intestinos delgado e grosso. Todo mundo tem essas placas de gordura grudadas nas paredes do trato digestório. Não são apenas gorduras provenientes de óleo de frituras, óleos hidrogenados, banha ou gorduras saturadas. Esse acúmulo também pode provir de fontes de gorduras consideradas as mais saudáveis possíveis – sementes oleaginosas, abacate e óleos de alta qualidade –, que estejam sendo consumidas diariamente, da manhã à noite. A maioria das pessoas ficaria chocada ao tomar ciência da quantidade de gordura que realmente consome e do que essa gordura faz com seu corpo. (Aliás, lembra das enzimas digestivas de que falamos no Capítulo 2? Elas só funcionam quando o suco de aipo entra sozinho no intestino delgado.)

Tomado de estômago vazio, o suco de aipo puro também tem um poder de ignição que lhe permite ser absorvido pela parede intestinal e pela corrente sanguínea, o que é superimportante, pois é isso que permite que os componentes do suco de aipo cheguem ao cérebro e ao resto do corpo e exerçam seus poderes curativos. É muita coisa: quando o suco de aipo entra em nosso corpo, tem inúmeras tarefas a cumprir. Se ele vencer essa primeira etapa – se for absorvido pela corrente sanguínea –, possibilitará que os sais aglomerados de sódio cheguem aonde precisam chegar para beneficiar o cérebro, matar os germes, dissolver as gorduras endurecidas no revestimento interno das artérias, ajudar a limpar o fígado e muito mais. Quando a pureza do suco de aipo é comprometida, obstaculizam-se essas ações poderosas.

Eu compreendo. É da natureza humana querer alterar algo tão puro. Todo mundo leva dentro de si um alquimista, um mixologista. Gostamos de fazer experiências e misturar coisas na tentativa de torná-las melhores. Esse é um dos motivos pelos quais o suco de aipo tem sido desprezado como mecanismo de cura. Se há algo que já existe em sua forma mais elevada, sem que precise ser melhorado pela engenhosidade humana, isso nos incomoda. É por esse motivo que as receitas são mais populares que a ideia de comer um alimento de cada vez, puro. Quando comemos, queremos incorporar mais que um ingrediente. Quando bebemos, temos o impulso irresistível de fazer misturas. Nossa mentalidade é a de nos perguntamos sempre: "O que virá em seguida?". É difícil nos acostumarmos com a ideia de que nada mais virá em seguida, que o suco de aipo tem um valor todo especial e um mérito que está acima disso. Concluímos, ao contrário, que o suco de aipo, por si só, não pode ser bom o suficiente para beneficiar alguém. Mesmo depois de ouvir tantos relatos de curas obtidas pelo consumo de suco de aipo puro, um grande número de observadores não é capaz de evitar diluí-lo com água, acrescentar cubos de gelo, manter as fibras ou acrescentar uma pitada disto ou daquilo, estragando-o inadvertidamente. Quando você sentir a comichão de tentar "melhorar" o suco de aipo, saiba: aderir à diretriz de tomar o suco de aipo puro de estômago vazio é o segredo que escapa aos que querem alterá-lo. Você não precisa se preocupar, pensando que o suco de aipo é elementar ou simples demais. Ele já é a melhor coisa que poderia ser. *Ao transformar o aipo em suco de aipo, você já fez a alquimia de que precisava.* Já o transformou em ouro.

A QUESTÃO DAS FIBRAS

As pessoas muitas vezes se perguntam por que é essencial transformar o aipo em suco, em vez de comê-lo ou passá-lo no liquidificador e bebê-lo sem coar antes. O melhor não seria nos beneficiarmos do aipo integral, com fibras e tudo? É uma excelente pergunta. Você já descobriu parte da resposta: as fibras impedem os sais aglomerados de sódio do suco de aipo de cumprir todas as tarefas que têm de cumprir.

Mas há outras coisas que você precisa saber: o aipo é uma erva e o suco de aipo é um remédio derivado dessa erva. Quando você faz chá de ervas, não se preocupa com o fato de não estar consumindo a erva inteira. Não ouve dizer que está perdendo nutrientes porque não mastiga as folhas que estão dentro do saquinho de chá. O que lhe importa é extrair o remédio que há na erva. Pois com o aipo é exatamente a mesma coisa. Nesse caso, em vez de despejar água quente por cima, como quando se faz um chá ou uma infusão, você passa a erva pela centrífuga a fim de extrair e destravar tudo o que ela tem a oferecer.

A ideia de que os alimentos integrais são melhores em todas as circunstâncias – de que é melhor bater no liquidificador do que na centrífuga, pois assim as fibras permanecerão com o suco – é um sistema de crenças apenas, uma teoria. O suco de aipo, porém, nada tem a ver com teorias ou sistemas de crença. É um remédio fitoterápico milagroso. Todos estão tão acostumados a ignorar ou desconsiderar o aipo que não conseguem compreender isso. Não compreendem que, para fazer o aipo trabalhar a nosso favor no nível em que precisamos, não temos escolha: precisamos extrair o seu suco. Quando alguém se pauta por um sistema de crenças proposto por profissionais que afirmam ser melhor deixar a polpa ou as fibras com o suco, isso significa, na realidade, que se está ignorando o papel do suco de aipo, ignorando o que ele é de fato e ignorando a diferença exclusiva que existe entre o suco de aipo puro e o suco de aipo misturado com as fibras. Esse não é um suco verde comum. É um remédio fitoterápico feito com uma erva medicinal. Os sistemas de crenças da moda não têm nada a dizer quando o que queremos é nos curar de doenças crônicas. Se alguém afirma que as fibras devem ser consumidas, isso mostra que essa pessoa está desinformada no que se refere ao poder do suco de aipo. Mostra que ela está perdida e que não conhece a história do que o suco de aipo fez por milhares e milhares de pessoas ao longo de décadas.

As fibras são ótimas e você deve continuar a consumi-las! Se está querendo incorporar mais fibras à sua dieta, vá em frente e coma mais vegetais fibrosos todos os dias. Pode até comer alguns talos de aipo, se quiser – porém mais tarde, após tomar o suco. Se já está comendo muitos vegetais e poucos alimentos processados, o mais provável é que já esteja ingerindo fibras em quantidade suficiente. Por mais excelente que seja a fibra alimentar, e por mais excelentes que sejam as fibras do aipo, nem por isso você deve deixá-las com o suco. Se decidir bater o aipo no liquidificador sem coar a polpa, a fibra bloqueará alguns benefícios do suco. Além disso, irá dar volume ao líquido e impedir você de beber suco de aipo em quantidade suficiente para ter acesso a seu poder de cura.

Depois de fazer suco com o aipo, se ainda restar um pouco de polpa bem fina ou de fragmentos flutuando no líquido e você não quiser ingeri-los, poderá coá-los com uma peneira bem fina ou um pano limpo. Mas não se preocupe com isso, a menos que tenha um trato intestinal hipersensível. Será esse o seu caso? Se você tem medo de comer hortaliças e verduras cruas porque elas irritam seu intestino, isso provavelmente significa que você tem hipersensibilidade intestinal. Nesse caso, vá em frente e coe o suco de aipo. Fazendo isso, você garante que será capaz de bebê-lo em maior quantidade.

Para outros, isso é uma questão de preferência pessoal. Se você usou uma centrífuga ou um extrator e não é hipersensível, pode deixar esses minúsculos pedaços de fibra no suco – não há problema em consumi-los, pois eles não prejudicarão a potência do suco de aipo, uma vez que a maior parte das fibras foi removida. Ou, se quiser, coe o suco. Já para quem bate o aipo em um liquidificador ou um processador de alimentos, a etapa de coagem é fundamental. Beber um ou dois fiapos de fibra do aipo que você passou pela centrífuga ou pelo extrator é bem diferente de tomar uma bebida de aipo batido no liquidificador sem coar. Não pense que você receberá os mesmos benefícios.

Quanto ao que fazer com a polpa que sobra, minha única recomendação é usá-la como adubo para sua horta ou seu jardim.

DICAS SOBRE A HORA DE BEBER O SUCO

A abordagem ideal consiste em tomar o suco de aipo pela manhã, antes de consumir qualquer outra coisa, exceto água. (Se você trabalha no turno da noite, tome o suco de aipo quando se levantar, à tarde ou no começo da noite.) Após terminar de tomar o suco de aipo, espere pelo menos de 15 a 20 minutos, de preferência 30 minutos, antes de comer ou beber qualquer outra coisa.

Será ótimo se você beber água, pura ou com suco de limão comum ou limão-siciliano, antes de beber o suco de aipo, mas somente se você puder esperar um tempo entre beber a água e beber o suco. O ato de tomar água ao acordar lava suavemente o fígado e proporciona hidratação a todas as nossas células antes de abrirmos essa verdadeira caixa de remédios que é o suco de aipo. (Beber água com sumo de limão-siciliano de manhã cedo para limpar o fígado foi uma dica que surgiu das palestras que dei há décadas, quando viajava de cidade em cidade falando sobre o suco de aipo e outras coisas. Esse conselho foi mais aceito que o do suco de aipo, pois acredita-se mais no limão e na água – e, além disso, a mistura nos dava a sensação de alquimia que desejamos.) Depois de beber a água, espere – ao menos de 15 a 20 minutos se estiver com pressa e, idealmente, 30 minutos – para beber o suco de aipo. Se quiser beber a água *depois* do suco de aipo, o mesmo esquema de tempo se aplica: após tomar o suco, espere pelo menos de 15 a 20 minutos e, idealmente, 30 minutos, para beber a água.

E se você não conseguir beber o suco de aipo de estômago vazio pela manhã, quando ele é mais benéfico? Não deixe que isso o detenha. Para começar, se o problema é não ter tempo ao se levantar pela manhã, pense na possibilidade de passar o aipo pela centrífuga ou pelo extrator na noite anterior e guardá-lo em um recipiente hermético, na geladeira, a fim de bebê-lo ao acordar.

Se essa opção for inviável e você só conseguir beber o suco de aipo após tomar café da manhã, ou se quiser tomar uma segunda porção à tarde, o suco de aipo ainda poderá ser útil, e será útil, caso seja tomado nesses outros momentos do dia. Você só precisa tomar cuidado para que os alimentos já consumidos não impeçam o suco de aipo de realizar suas tarefas e de fazer o que ele precisa fazer. A determinação do momento para tomar o suco depende do que você comeu antes. Se a refeição anterior tiver sido rica em gordura e proteínas, ou seja, se continha ingredientes como frango, carne de boi, ovos, queijo, abacate, sementes oleaginosas, pasta de amendoim, outras manteigas de oleaginosas ou óleos, o melhor é esperar no mínimo duas horas (e idealmente três horas) antes de tomar o suco de aipo. Se a refeição anterior tiver sido mais leve – frutas frescas, mingau de aveia ou salada (desde que não tenha sido uma salada cheia de ingredientes gordurosos, como azeitona, anchovas, *bacon*, atum, manteiga de sementes oleaginosas ou molho à base de óleo) –, você pode beber o suco de aipo de 30 a 60 minutos após comer. De um jeito ou de outro, depois de tomar o suco de aipo, espere no mínimo de 15 a 30 minutos para beber ou comer alguma outra coisa.

A propósito, caso tenha comido uma refeição gordurosa e sinta a necessidade de comer algo durante as duas ou três horas em que estiver esperando para tomar o suco de aipo, não há problema em comer um lanche leve ou beber água. Mas dê ao seu intestino tempo para processá-los antes de tomar o suco de aipo. E repito: espere, então, de 15 a 30 minutos, pelo menos, antes de consumir qualquer outra coisa.

Suplementos e medicamentos

Se você está tomando um medicamento prescrito por seu médico, não há problema em tomá-lo antes ou depois do suco de aipo, o que depende de ele ter de ser ingerido de estômago vazio ou com a refeição. (Mas observe que, se o medicamento deve ser tomado com a refeição, o suco de aipo não deve ser considerado uma refeição.) Se você tomar o medicamento primeiro, procure esperar no mínimo de 15 a 20 minutos (e idealmente 30 minutos) para depois tomar o suco de aipo. E, se tomar o suco de aipo primeiro, procure esperar no mínimo de 15 a 20 minutos (e idealmente 30 minutos) para depois tomar o medicamento. Se tiver mais dúvidas ou preocupações, fale com seu médico.

Caso você tome suplementos, não os tome com o suco de aipo. Embora a eficácia dos suplementos não diminua se tomados com o suco de aipo, a eficácia do suco é melhor quando ele é ingerido sem os suplementos. O melhor é esperar no mínimo de 15 a 20 minutos (e idealmente 30 minutos) após tomar o suco de aipo, para só então tomar os suplementos.

Café

Não sou contra o consumo de café. Só não o considero um alimento capaz de promover a saúde. O café tende a desgastar as adrenais e a acidificar o corpo, desgastando também as glândulas estomacais, diminuindo a produção de ácido clorídrico e causando, por fim, com o passar dos anos, a putrefação dos alimentos no trato digestório. Dessa maneira, gás de amônia é produzido no trato digestório, o qual sobe à boca e causa a deterioração dos dentes e da gengiva. O café tem efeito adstringente sobre o organismo e ação agressiva sobre as paredes intestinais e o esmalte dos dentes, além disso é extremamente desidratante. Já ouvi inúmeras vezes relatos sobre o medo de frutas cítricas, como a laranja e o limão-siciliano, porque profissionais desinformados lhes dizem que as frutas cítricas enfraquecem, quebram e dissolvem o esmalte dos dentes. Muitos dos que têm tanto medo de frutas cítricas tomam café diariamente, e isso faz muito mais mal aos dentes do que qualquer laranja ou limão-siciliano poderia fazer. As frutas cítricas – como a laranja, o limão-siciliano, o limão comum e a toranja – são saudáveis para os dentes e a gengiva, pois são antibacterianas – e as bactérias são as causadoras das cáries e das doenças da gengiva. Além disso, também contêm bastante cálcio, que fortalece os dentes e a mandíbula.

Se você gosta de café e quer bebê-lo porque é viciado, saiba que há muitas coisas piores do que o café. O melhor é consumi-lo, no mínimo, de 15 a 20 minutos (e idealmente 30 minutos) *depois* do suco de aipo. Se você tomar café antes do suco de aipo, este terá de se esforçar muito mais para corrigir e curar as coisas que estarão acontecendo em seu corpo, e ele já tem trabalho suficiente sem isso. Por outro lado, se você precisa mesmo tomar café assim que acorda pela manhã, antes ainda do suco de aipo, eu entendo. Apenas dê ao café 15 minutos, no mínimo, para percorrer seu organismo (idealmente 30 minutos), mais ou menos, para só depois tomar o suco de aipo. O suco ainda o ajudará de muitas maneiras, só não fará tudo o que tem de fazer com a velocidade em que poderia fazê-lo. Porém, se você apresenta algum sintoma ou alguma doença, pense na possibilidade de deixar seu corpo descansar do café e em substituí-lo por água de coco. Essas férias do café já o ajudarão a se sentir melhor, e depois o suco de aipo virá completar essa cura.

Será que o suco de aipo pode ajudar a acabar com o vício em café? Muitas vezes, quando nossa vida está cheia de substâncias problemáticas que o corpo considera tóxicas, nós usamos a cafeína para provocar descargas de adrenalina que mascarem os efeitos das toxinas sobre nós. E não percebemos que nada disso está acontecendo. Em geral, não temos ideia de a quantas toxinas fomos expostos, de quantos venenos e patógenos se instalaram em nosso fígado, na corrente sanguínea e em outras partes do corpo; sabemos apenas que não estamos nos sentindo cem por cento e que o café nos põe em movimento naquele momento. Como o suco de aipo ajuda a limpar essas substâncias problemáticas, a necessidade das descargas de adrenalina para mascará-las diminui com o tempo – e isso significa que, depois de um período de uso contínuo e comprometido do suco de aipo, o forte impulso por consumir cafeína pode, sim, se dissipar para muita gente.

Exercícios

Muitos se perguntam como encaixar o suco de aipo em sua rotina matinal de exercícios físicos. A hipótese absolutamente ideal consiste em acordar, beber um pouco de água com sumo de limão-siciliano, esperar de 15 a 30 minutos, beber o suco de aipo, esperar de 15 a 30 minutos, comer o que você gosta de comer antes de fazer exercícios (de preferência algo sem gordura, como uma vitamina de frutas), dar um tempo para a digestão desse alimento e depois sair para correr, caminhar, andar de bicicleta, jogar tênis, nadar, jogar vôlei, malhar na academia ou fazer qualquer outro exercício de que você goste.

É perfeitamente compreensível que você não tenha tempo para isso. Nesse caso, a segunda melhor opção é deixar a água com limão para lá e, em vez disso, beber o suco de aipo assim que acordar, esperar de 15 a 30 minutos, tomar café da manhã (repito: uma vitamina de frutas é o ideal), esperar um pouco para digeri-la e depois ir fazer exercícios.

Ambas as opções acima lhe dão os benefícios de tomar o suco de aipo de estômago vazio e, ao mesmo tempo, lhe dão combustível para os exercícios – ou seja, o café da manhã. Lembre-se de que o suco de aipo não é uma fonte de calorias, mas um remédio. Os atletas precisam de calorias e carboidratos para não se desgastarem nem "baterem no muro". (Se você ainda acredita que os atletas funcionam à base de proteína, leia as orientações nutricionais dos outros livros da série O Médium Médico.) Tomar somente o suco de aipo e depois sair para fazer exercícios é aceitável se os exercícios forem leves. Antes de fazer exercícios vigorosos, entretanto, convém ingerir algum combustível, e o suco de aipo não é combustível. O melhor alimento para exercícios, antes ou depois da sessão, é uma fruta fresca ou uma vitamina de frutas.

E se você quiser que a sessão de exercícios seja a primeira coisa a ser feita pela manhã? Então, beba seu suco de aipo antes da sessão ou depois dela, ou faça as duas coisas, você é quem sabe. Ainda o conselho a comer algo antes de sair para fazer exercícios, a fim de que seu corpo tenha combustível para queimar. Se você beber o suco de aipo na volta, não o aconselho a consumi-lo sozinho. Por melhor que ele seja para repor os eletrólitos, as substâncias químicas neurotransmissoras, as reservas críticas de sódio e os oligoelementos que você perdeu pelo esforço e pela transpiração – e ele é capaz de repor essas coisas melhor que qualquer outra alternativa –, você vai se esgotar caso não consuma também calorias após uma sessão de exercícios intensos. Depois de tomar o suco de aipo ao final da sessão, não espere muito para comer frutas frescas ou outro carboidrato limpo essencial (CLC), dos quais falo no Capítulo 8 deste livro e no livro *Fígado Saudável*, a fim de ingerir a glicose necessária. De 5 a 10 minutos é um tempo de espera suficiente para você comer um lanche depois de tomar suco de aipo ao final da sessão de exercícios. É verdade que, nesse caso, não colherá todos os benefícios do suco de aipo – ele não matará patógenos com tanta eficácia quanto faz quando você o toma sozinho. Mas lhe fornecerá uma excelente reposição de eletrólitos, e você ainda poderá aproveitá-lo um pouco.

Se você não gosta da ideia de perder alguns dos benefícios do suco de aipo por ter de bebê-lo muito perto da hora de comer, volte ao início desta seção e veja se consegue mudar sua rotina matinal, a fim de ter tempo para consumir suco de aipo e alimento antes de malhar. Essa é a combinação que tem a maior chance de sustentá-lo a longo prazo.

TERAPIA ORAL DE SUCO DE AIPO

Com seu suco de aipo fresco já em mãos, não há regra nenhuma sobre como bebê-lo. Tome-o em pequenos goles, bocheche com ele durante alguns segundos antes de engolir ou beba tudo de uma vez. Você é quem sabe.

Caso tenha problemas específicos na boca ou ao redor dela, há terapias orais que você pode usar ao beber seu suco de aipo. Se é um entusiasta da terapia de bochechar com óleo, saiba que não há nada igual ao suco de aipo para resolver problemas bucais ou dentários. Procure substituir o bochecho com óleo pelo bochecho com suco de aipo antes de engolir o suco. Quanto você irá usar essas técnicas depende da severidade do seu problema. Para um problema brando, tente fazer isso pelo menos uma vez a cada copo de suco. Para problemas mais severos, faça uma das terapias a seguir três vezes ou mais a cada copo. As terapias são as seguintes:

- Se você está com dor de garganta, mantenha um gole de suco de aipo dentro da boca por 30 segundos, deixando-o próximo do topo da garganta a fim de que ele possa matar as bactérias ou os vírus que causam a dor. Procure também gargarejar, se quiser.

- Se os gânglios da garganta ou do pescoço estiverem inchados, mantenha o suco no fundo da boca, perto da garganta, por um minuto antes de engoli-lo. Isso o ajudará, com o tempo, a entrar no sistema linfático.

- Se você estiver com cáseo amigdaliano, faça um leve gargarejo com o suco de aipo antes de engoli-lo.

- Se tiver uma afta ou úlcera na boca, procure primeiro secar a afta ou a úlcera com uma toalha ou um lenço de papel. Depois, tome um gole de suco de aipo e mantenha-o na boca por 30 segundos ou mais antes de engolir, cuidando para que o suco cubra a área sensível.

- Se você está com dor de dentes ou um abcesso dentário, ou se tem uma lesão na boca (por ter mordido o lábio ou a parte de dentro da bochecha, por exemplo), deixe um gole de suco de aipo na boca de 30 a 60 segundos para que os sais aglomerados de sódio entrem na ferida e exerçam sua ação curativa.

- Se você extraiu um dente, pode deixar um gole de suco de aipo na boca de 15 a 30 segundos – sem bochechar, no entanto – e depois o engolir.

- Se você tem uma cárie, beba lentamente o copo inteiro de suco de aipo, bochechando um pouco com cada gole. (Essa é uma exceção à orientação acima sobre o número de vezes em que cada terapia deve ser aplicada a cada copo de suco. Neste caso, bocheche a cada gole.)

- Se você sofre de recessão das gengivas ou alguma outra doença da gengiva, bocheche suavemente com um gole de suco de aipo, durante 1 minuto, e depois engula o suco.

- Se você está com sapinho ou com algum tipo de infecção bacteriana no lábio, deixe que o suco de aipo encoste no local, aplicando-o com o dedo se necessário, e depois mantenha um gole dentro da boca de 30 a 60 segundos antes de engolir.

- Se você estiver com rachaduras nos cantos da boca, tome o suco de aipo bem devagar e deixe-o entrar nas fendas doloridas – isso as ajudará a se curar muito mais rapidamente. Se seus lábios estão rachados, ressecados ou com descamações, você também pode beber o suco de aipo de tal modo que ele banhe os lábios. Ou, se for mais fácil, use o dedo para aplicar o suco de aipo nos lábios ou nos cantos da boca.

GRAVIDEZ E LACTAÇÃO

O suco de aipo é de consumo muito seguro tanto durante a gravidez quanto na lactação. Durante a gravidez, ele ajuda a fortalecer as glândulas adrenais da mãe, e isso é fundamental para ajudar o bebê, pois é preciso muita reserva de adrenalina para dar à luz. O vigor das adrenais prepara a mãe para dar seu filho à luz com segurança – é a adrenalina que permite a ela "fazer força" na hora do parto – e pode fazer com que o trabalho de parto seja mais curto. O suco de aipo também é rico em nutrientes como vitamina K, folato e vitamina A, todos importantes para o desenvolvimento do feto. Suas abundantes antitoxinas ajudam a proteger as células do feto enquanto ele se desenvolve no útero, armando-o com a capacidade de combater as toxinas, a fim de prevenir doenças precoces. Os sais aglomerados de sódio do suco de aipo também proporcionam ao cérebro do feto as substâncias químicas neurotransmissoras de que ele precisa nessa fase crucial de seu desenvolvimento.

Durante a amamentação, o consumo de aipo pela mãe é ótimo para a nutrição do bebê. Você não precisa se preocupar: a desintoxicação promovida pelo suco de aipo não fará com que toxinas saiam pelo leite materno. Aliás, pelo contrário. O leite materno da mulher já costuma ser cheio de toxinas desde o começo, pois o fígado da maioria das pessoas é preguiçoso, estagnado e sobrecarregado, em virtude de toda uma vida de exposição a metais pesados tóxicos como o mercúrio e o alumínio, a pesticidas, herbicidas, fungicidas, derivados de petróleo, cosméticos, solventes, tinturas de cabelo, colônias, perfumes e outras coisas. Quando essas substâncias problemáticas se acumulam no fígado, tendem a ir depois para o leite materno. Quando o suco de aipo entra em cena, porém, seus poderosos componentes também entram no leite materno, onde desarmam e desmontam as toxinas – neutralizando-as para que se tornem menos destrutivas e até eliminando algumas delas por completo. Ao mesmo tempo que o suco de aipo ajuda a mulher a produzir um leite materno limpo, ele proporciona sais aglomerados de sódio para o desenvolvimento cerebral do bebê, além de vitaminas viáveis, oligoelementos e outros nutrientes para manter o bebê saudável.

Ou seja, o suco de aipo dá muito apoio à gravidez e à lactação. (E, como você leu no Capítulo 3, "Alívio para seus Sintomas e suas Doenças", ele é útil *antes* mesmo da concepção, pois ajuda a resolver as causas ocultas da infertilidade.) O que não é tão seguro é a imensa lista de substâncias químicas alimentares, como o ácido cítrico e os aromatizantes naturais dos alimentos processados, o aspartame dos refrigerantes *diet*, a cafeína do café e do chá preto, os antibióticos de alguns produtos de origem animal e os sais tóxicos e agressivos que são acrescentados a tantos alimentos. No entanto, essas coisas são comumente ingeridas pelas gestantes e lactantes. A última coisa com que você precisa se preocupar é o suco de aipo.

SUCO DE AIPO PARA ANIMAIS DE ESTIMAÇÃO

As pessoas costumam se sentir tão bem quando tomam suco de aipo que algumas começam a se perguntar se podem dá-lo a seus animais de estimação. O suco de aipo é seguro para cães e gatos, e posso dizer que eu mesmo o uso para meus cães. Converse com um veterinário para saber qual a quantidade adequada para seu cão ou gato. Se estiver interessado em dar suco de aipo a outras espécies de animais, pergunte a um veterinário se pode fazer isso ou não.

ALERGIA AO AIPO

Há uma grande diferença entre um resultado positivo em um exame, que diz que alguém é sensível ao aipo, e o fato de uma pessoa ter realmente uma reação alérgica imediata ao aipo. Os exames de sensibilidade alimentar nem sempre são precisos. Quando certos alimentos o ajudam a se livrar de toxinas e venenos e a matar vírus e bactérias, eles tendem a figurar nos exames como um falso positivo.

É fato que o suco de aipo mata vírus e bactérias no seu organismo. Nesse processo, o que acontece é que as células virais e bacterianas como que explodem, liberando as fontes de combustível que estavam dentro desses patógenos a fim de mantê-los vivos. O combustível dos patógenos vem de diversos alimentos, entre os quais os ovos, os laticínios e o glúten, bem como dos metais pesados tóxicos que entraram em seu organismo. Em parte, o que confunde os resultados dos exames de alergia alimentar são essas partículas de alimentos dos vírus e bactérias que estão flutuando pela corrente sanguínea a caminho de serem eliminadas do corpo. A morte de patógenos promovida pelo suco de aipo também libera dejetos como neurotoxinas na corrente sanguínea para serem eliminados, e isso pode confundir os resultados de exames para detectar alergias. Os exames de alergia alimentar ainda estão na infância e, por enquanto, não são conclusivos. Os efeitos da morte dos patógenos podem levar você a pensar que está tendo uma reação alérgica a um alimento ou remédio, como o suco de aipo, quando na verdade esse alimento ou remédio está apenas limpando os germes improdutivos.

Se o único motivo pelo qual você evita o suco de aipo é um exame de alergia alimentar que certa vez deu a entender que você tem sensibilidade a ele – e não o fato de ter tido uma reação alérgica real ao aipo –, o mais provável é que o consumo de suco de aipo por um longo período venha a mudar o resultado do exame. Mas repito: quando o fígado de alguém está cheio de substâncias químicas tóxicas e patógenos, seu sangue também se torna tóxico, o que acaba com a precisão dos exames de sensibilidade a alimentos. Ao beber suco de aipo, você estará limpando seu fígado e eliminando os próprios patógenos – como o vírus de Epstein-Barr, o vírus do herpes-zóster, o citomegalovírus, o vírus do herpes simples, o VHH-6, a *E. coli*, o estreptococo e o estafilococo –, bem como as toxinas, que desencadeiam resultados positivos em exames de sensibilidade alimentar e mutação genética. Esse processo permitirá que exames mais precisos sejam feitos no futuro, e esses exames provavelmente já não indicarão sensibilidade ao aipo. Já vi isso acontecer várias vezes no decorrer dos anos: após o paciente consumir suco de aipo por algum tempo, os resultados dos exames já não indicaram alergia.

E se alguém tiver uma reação alérgica imediata ao aipo ou ao suco de aipo? Duas coisas podem estar acontecendo. Primeiro, o suco de aipo pode introduzir um choque brando no organismo, matando rapidamente germes ou até certos tipos de fungos improdutivos no alto do tubo digestório, na boca ou no estômago. Quando isso ocorre, como dissemos há pouco, o que está acontecendo, na realidade, é uma reação à morte dos patógenos, e não uma alergia à erva em si. Você vai ler mais sobre essas reações de desintoxicação no Capítulo 6, "Respostas a Perguntas sobre Cura e Desintoxicação". Em casos como esse, você pode trocar o suco de aipo por um suco puro de pepino (veja o Capítulo 9, "Alternativas ao Suco de Aipo"). Embora o suco de pepino não substitua tudo o que o suco de aipo pode oferecer, ele é, sim, capaz de efetuar uma limpeza suave no fígado e no intestino. Com isso, pode pelo menos dar início ao processo e levar você até um ponto em que possa fazer uso do incrível poder do suco de aipo. Se quiser experimentar o suco de aipo, consuma-o em quantidade muito pequena e só aumente a quantidade se for capaz de tolerá-lo. Não há problema em parar periodicamente, fazer uma pausa e retomar o consumo.

A segunda possibilidade é uma verdadeira alergia ao aipo. Há um pequeno número de pessoas no planeta que sofre dessa alergia. Se sua reação ao aipo for severa, continue evitando o aipo e seu suco. Limite-se às alternativas apresentadas no Capítulo 9.

Por fim, você talvez já tenha ouvido dizer que o aipo não faz bem a ninguém, porque é um alimento híbrido e isso, de algum modo, o torna menos natural ou torna o seu consumo menos saudável. Se isso o preocupa, consulte o Capítulo 7, "Rumores, Preocupações e Mitos", a fim de saber quanto o processo de hibridização (que não deve ser confundido com o de modificação genética) pode ser natural e benéfico.

JEJUM INTERMITENTE

Haverá problema em beber suco de aipo durante o jejum? Não sou contra. Tudo depende do que você quer. Muitas vezes, o jejum intermitente sequer é um jejum propriamente dito. A pessoa só limita o número de calorias consumidas no dia ou durante parte do dia. Nosso corpo só entra no modo "jejum" depois de um ciclo solar inteiro, ou seja, após 24 horas sem consumir alimento algum, consumindo apenas água. O que se chama de "jejum intermitente" poderia ser chamado com mais precisão de "alimentação intermitente" ou "abstinência intermitente de alimentos". Durante esse processo, o corpo não entra no modo jejum propriamente dito. Assim, o suco de aipo pode ser consumido a qualquer momento do seu programa de jejum intermitente. (Mesmo que você estivesse jejuando mesmo, não lhe faria mal algum beber suco de aipo.)

Mas tenha ciência de que, ao consumir suco de aipo, você não está consumindo um alimento. Ele não lhe dá calorias. É verdade que o aipo tem algumas calorias, mas não são suficientes para que seu corpo reconheça o suco de aipo como fonte calórica. Baseie-se nessa informação para fazer seus planos – não conte com o suco de aipo para servir-lhe de combustível.

RUMO AO NÍVEL SEGUINTE

Este capítulo tratou de como fazer o suco de aipo dar certo para você. Antes disso, você descobriu por que o suco de aipo é importante, explorando suas origens, o que faz dele o remédio fitoterápico da nossa época e como ele pode ajudar quem sofre de uma grande gama de problemas a recuperar sua saúde. Agora vamos passar ao nível seguinte e ver como fazer o suco de aipo dar *ainda mais certo* para você.

CAPÍTULO 5

A Limpeza do Suco de Aipo

Para que o suco de aipo funcione ainda melhor, há algumas medidas suplementares simples que você pode tomar para empregá-lo em um verdadeiro processo de limpeza. Vamos falar delas.

30 DIAS OU MAIS

Primeiro, você precisa se comprometer a beber suco de aipo todos os dias, ao acordar, por pelo menos um mês – ao mesmo tempo que segue as outras sugestões dadas neste capítulo pelos mesmos 30 dias ou mais. Isso é importante. Em geral, temos muitos problemas que precisam ser resolvidos em nosso corpo. Temos gorduras velhas e rançosas que formam placas e as proteínas endurecidas nas paredes do nosso intestino; temos um fígado preguiçoso, estagnado, cheio de pesticidas, medicamentos, plásticos, outros derivados de petróleo, gorduras tóxicas armazenadas, patógenos como vírus e bactérias e muito mais; ácidos tóxicos do intestino à boca; alta toxicidade e alta taxa de gordura no sangue; e o estado de desidratação crônica em que a maioria das pessoas vive. Há também todos os patógenos que vivem em nosso intestino, sem falar do sangue, da tireoide e de tudo o mais. Lembre-se de que o suco de aipo tem muito trabalho a fazer. (Se você quer se lembrar de tudo, volte à seção "Por que 480 ml?" no capítulo anterior.) Precisamos lhe dar uma oportunidade de cumprir suas muitas tarefas.

ÁGUA COM LIMÃO-SICILIANO OU LIMÃO COMUM: OPCIONAL

Antes de beber o suco de aipo toda manhã durante essa limpeza, você tem a opção de beber água com sumo de limão-siciliano ou limão comum, ou mesmo água pura, logo que acordar. Uma boa quantidade seria 960 ml. Isso dá uma boa lavada no fígado logo de manhã.

Caso você siga esse caminho, deve esperar no mínimo de 15 a 20 minutos (e idealmente 30 minutos) para beber o suco de aipo após tomar a água; isso para que o suco não fique diluído em seu organismo. Lembre-se de que acrescentar água ao suco de aipo ou misturar as duas coisas no estômago é algo que destrói o poder curativo do suco. As informações que circulam por aí, segundo as quais o suco de aipo é o mesmo que água, são incorretas. Há incompatibilidade entre o suco de aipo e a água. Esses dois líquidos são ainda mais diferentes do que duas galáxias que se chocam. Se você beber sua água com limão e beber o suco de aipo logo em seguida, e vice-versa, cancelará os benefícios do suco. Mesmo que se trate de apenas um copo de água pura, ela ainda entrará em choque com o suco em seu organismo, caso não haja um espaço de tempo entre os dois. Toda vez que você beber água antes do suco de aipo, dê-lhe de 15 a 30 minutos para percorrer seu organismo antes de tomar o suco.

480 ML DE SUCO DE AIPO DE ESTÔMAGO VAZIO

Se esta é a primeira vez que você toma suco de aipo, não precisa começar com 480 ml. Comece com 120 ou 240 ml e vá aumentando um pouquinho a cada dia até chegar ao volume pleno.

E lembre-se: você *não* obterá os resultados que deseja caso se limite a comer talos de aipo todo dia, a colocar aipo na vitamina em vez de tomar o suco ou a tomar um suco verde que contenha o aipo entre seus múltiplos ingredientes. Como sempre, estamos falando de 480 ml de suco de aipo puro, fresco, sem nenhum acréscimo e nenhuma modificação. Este é um caso em que o mais simples é o melhor.

Tenha cuidado para não ser desencaminhado por informações errôneas, as quais surgem praticamente todos os dias, sobre como usar o suco de aipo. Você verá pessoas tentando misturar outros ingredientes no suco de aipo – polpa de aipo, proteína em pó, colágeno, especiarias como cúrcuma ou pimenta-de-caiena, cubos de gelo ou suco de frutas e hortaliças. Essas misturas, por mais que sejam inventivas ou pareçam lógicas, só acabam machucando quem mais precisa de cura. É imperativo que, ao introduzir o suco de aipo em sua vida, quer nesta limpeza, quer eu qualquer outra situação, o suco seja puro, sem acréscimo algum, e seja tomado de estômago vazio. Não pode ser suco de aipo e maçã, aipo e couve, aipo e espinafre ou qualquer outra combinação. Mantenha a máxima simplicidade.

LEMBRE-SE DO CAFÉ DA MANHÃ

Pelo menos de 15 a 20 minutos – e idealmente 30 minutos – depois de tomar o suco de aipo, é hora de tomar o café da manhã. O suco de aipo é uma bebida medicinal, e não uma fonte de calorias. Então, você vai precisar de combustível para queimar durante o que resta da manhã. As melhores opções são frutas frescas ou uma vitamina de frutas. A Vitamina para Desintoxicação de Metais Pesados (veja a receita na p. 209) é um excelente café da manhã. Um mingau de aveia com água (em vez de leite), servido com ou sem frutas, é outra boa opção.

Se você se preocupa com o consumo de frutas porque foi influenciado pela frutofobia, que impede certas pessoas de comer uma das formas de alimento mais saudáveis do planeta, procure, por favor, entender que as frutas não são responsáveis por quaisquer problemas de saúde. Pelo contrário. Tente não ter medo de maçãs, framboesas, morangos, mamões, mangas, melões, bananas, laranjas e tantas outras frutas. Para encontrar ajuda, consulte o capítulo "O medo das frutas" em *Médium Médico* e toda a seção sobre frutas em *Life-Changing Foods*.

NADA DE GORDURA PELA MANHÃ

Seja o que for que você coma durante a manhã, não deve conter gorduras radicais. Os alimentos cujas calorias provêm da gordura (como sementes oleaginosas, pasta de amendoim, óleos, coco, ovos, leite de oleaginosas, leite de soja, leite de vaca ou qualquer outro animal, manteiga, creme de leite, queijo, iogurte, qualquer outro laticínio, frango, carne de boi, peixe, cápsulas de óleo de peixe, *bacon*, linguiça e presunto) atrasarão sua cura se você os consumir nesse momento do dia.

(Se você trabalha no turno da noite, entenda como "manhã" as primeiras horas depois de acordar, à tarde ou à noite. Mantenha sua alimentação livre de gorduras radicais entre o período em que você começa o seu dia com o suco de aipo até o momento em que você come a sua refeição do meio-dia, seja lá quando for o meio do seu dia.)

Assim que você come ou bebe gorduras radicais, o fígado precisa passar a produzir uma grande quantidade de bile e enviá-la ao trato intestinal para ajudá-lo a digerir e dispersar essas gorduras. Além disso, o fígado terá de processar as gorduras que entram nele pela corrente sanguínea e armazenar parte dessa gordura para que o coração não seja bombardeado por uma elevação súbita da taxa de gordura no sangue. Tudo isso interrompe o estado natural de limpeza de seu corpo pela manhã.

Mesmo quando o fígado é fraco, quando gorduras entram no estômago, o fígado se desdobra para produzir bile. Toda e qualquer bile que o fígado produza, ainda que em quantidade reduzida, atrapalha o trabalho que o suco de aipo realiza para você. Além disso, quando o fígado se encontra enfraquecido, o fato de ser forçado a produzir bile gera calor, e esse calor hepático pode reduzir ainda mais o poder do suco de aipo, pois enfraquece as enzimas presentes no suco. O calor do fígado também obriga o corpo a enviar sangue dos membros para o trato digestório, e esse sangue, quando entra em cena, dilui os sais aglomerados de sódio do suco de aipo que estão tentando matar os patógenos instalados nos vasos sanguíneos do revestimento interno do trato intestinal.

Mais: se o fígado for obrigado a produzir uma grande quantidade de bile pela manhã, a bile diluirá os sais aglomerados de sódio, as enzimas digestivas e os hormônios vegetais do suco de aipo, os quais ainda estarão trabalhando no intestino e no resto do corpo. Se você beber o suco de aipo de estômago vazio, sem gorduras, e permanecer sem gorduras durante mais algumas horas, os sais aglomerados de sódio terão a oportunidade de corroer e dissolver patógenos, ácidos tóxicos e muco no intestino, além de gorduras e proteínas velhas, rançosas e endurecidas grudadas no revestimento interno do intestino – problemas que estão por trás de sintomas e doenças como supercrescimento bacteriano no intestino delgado, diverticulite, doença celíaca, colite, inchaço abdominal e constipação. Quando gorduras são introduzidas na alimentação matinal, o suco de aipo pode perder a oportunidade de matar esses germes, aumentar a produção de ácido clorídrico para auxiliar a digestão e restaurar o fígado. Quando a descarga de bile entrar em cena, o intestino terá de se concentrar em usar essa bile para decompor as gorduras consumidas naquele momento. Se não houver gorduras radicais presentes, o suco de aipo poderá trabalhar.

Quando misturam o suco de aipo com abacate, proteína em pó (mesmo que seja proteína vegetal), colágeno ou qualquer coisa semelhante, isso mais uma vez obriga o fígado a produzir mais bile de manhã, e essa bile interfere com o que os sais aglomerados de sódio deveriam estar fazendo para consertar os danos que o canal alimentar sofreu no passado. Isso também vale para o consumo dessas fontes de gordura e proteína logo após o consumo do suco de aipo. Para que o suco de aipo tenha a oportunidade de cumprir suas tarefas, afaste-se das gorduras radicais pelo menos até a hora do almoço e alimente-se de frutas nutritivas e fortificantes, acompanhadas, se você quiser, de verduras. Mingau de aveia é outra opção prática. No meio da manhã, pode comer batatas, batata-doce ou abóbora cozidas no vapor. Lembre-se: nada de sementes oleaginosas, manteigas de oleaginosas, óleos, abacate ou proteína animal.

EVITE ALIMENTOS PROBLEMÁTICOS

Ao longo de todo o dia, por pelo menos 30 dias, procure evitar os alimentos listados a seguir. Nos outros livros da série O Médium Médico, você encontrará muito mais informações sobre por que eles não colaboram para a cura:

- Leite, queijo, manteiga, proteína de soro de leite, iogurte e todos os demais laticínios
- Ovos
- Glúten
- Milho
- Soja
- Carne de porco e derivados
- Levedura nutricional
- Óleo de canola
- Aromatizantes naturais
- Vinagre
- Alimentos fermentados

RECAPITULAÇÃO

É isso. A limpeza é isso e nada mais. Durante pelo menos 30 dias:

- Opcional: beba 960 ml de água com sumo de limão-siciliano ou limão comum e espere de 15 a 30 minutos.
- Beba seu suco de aipo (aumentando aos poucos até chegar a 480 ml) de estômago vazio, toda manhã, e espere de 15 a 30 minutos antes de...
- Desfrutar de um café da manhã sem gorduras (idealmente composto de frutas, uma vitamina de fruta como a Vitamina para Desintoxicação de Metais Pesados [veja a p. 209] ou mingau de aveia com água).
- Evite gorduras radicais (como as do leite, do queijo, da manteiga, dos ovos, dos óleos, da pasta de amendoim e de outros alimentos) pelo menos até a hora do almoço.
- Permaneça hidratado durante todo o dia.
- Evite os alimentos problemáticos durante o dia inteiro, por 30 dias.

O mais provável é que você se sinta tão bem que vai querer continuar assim por mais de 30 dias. Quem sofre de problemas crônicos de saúde muitas vezes se beneficia quando mantém esse programa por mais de um mês, pois tem mais coisas para curar e consertar. Vamos falar mais sobre o tempo de cura no próximo capítulo, "Respostas a Perguntas sobre Cura e Desintoxicação".

Se você quiser visar a uma cura ainda mais avançada e significativa, consulte o

Capítulo 8, "Mais Orientações para a Cura", no qual encontrará um apanhado das principais recomendações da série O Médium Médico. Nos livros *Tireoide Saudável* e *Fígado Saudável*, você encontrará limpezas mais amplas que também incorporam o suco de aipo. Por mais poderoso que seja o suco de aipo, e por mais poderosa que seja esta "limpeza do suco de aipo", nada se compara com a associação entre a força do suco de aipo e outros protocolos de cura provindos da mesma fonte.

E se você começar essa limpeza e, um belo dia, não conseguir encontrar aipo ou suco de aipo? Isso acontece – se uma tempestade a centenas de quilômetros de distância interrompeu temporariamente o abastecimento de aipo para o mercado local ou se o suco acabou nas lojas, o que você pode fazer? Em casos como esses, consulte o Capítulo 9, "Alternativas ao Suco de Aipo", para saber o que fazer durante a interrupção.

Esse capítulo também o ajudará se você é um dos poucos que não podem de maneira alguma ingerir aipo. Para sua limpeza, escolha uma das alternativas ali listadas e aplique-a à sua vida como se fosse suco de aipo. Ao mesmo tempo, siga as demais orientações dadas neste capítulo.

No entanto, se você conseguir usar o suco de aipo, use-o. Previna-se, encomendando uma caixa de aipo por semana do mercado local. Descubra quais são as lojas da região que vendem essa hortaliça, para saber onde procurar caso o aipo acabe no mercado que você costuma frequentar. Se for viajar, pesquise de antemão as lojas de suco na área, ou considere a possibilidade de levar consigo sua centrífuga ou seu extrator. Seu esforço valerá a pena.

Por fim, ao realizar a limpeza, você talvez constate o surgimento temporário de certos sintomas, à medida que seu corpo se desintoxica. Não desanime. Isso é natural, e no próximo capítulo falaremos sobre o que deve esperar que aconteça e o que isso significa.

Embora "A limpeza do suco de aipo" pareça básica e fácil, não se deixe enganar por sua simplicidade. Não se trata de um salpicão de frango com aipo, mas de um remédio fitoterápico, e você estará consumindo uma grande quantidade do suco todos os dias. Além de permanecer aberto para o poder contido no suco de aipo, preste atenção no que tem nas mãos quando pega um copo desse tônico herbáceo. Respeite-o e honre-o pelo que ele é, e não se deixe levar por suas ideias antigas a respeito dele. Não se deixe induzir a erro pela desconsideração pelo aipo, que foi instilada em nós ao longo de muitos anos.

Lembre-se do que ele já fez por tanta gente. Lembre-se dos sintomas e das doenças, das histórias de dores, enfermidades e dificuldades e do espanto dessas pessoas ao verem-se recuperadas. Mantenha essas pessoas em seu coração. É muito possível que você logo esteja procurando validar sua história de cura – tudo o que você passou e o que sofreu para chegar aonde está. É possível que você também esteja em busca de pessoas que acolham e respeitem seu testemunho, de modo que essa informação seja transmitida com o intuito de ajudar ainda outras pessoas a se curar.

"Preste atenção no que tem nas mãos quando
pega um copo desse tônico herbáceo.
Respeite-o e honre-o pelo que ele é."

— ANTHONY WILLIAM, o Médium Médico

CAPÍTULO 6

Respostas a Perguntas sobre Cura e Desintoxicação

Quanto tempo levará para que você se sinta melhor tomando suco de aipo? Isso depende. Quantos ml você está tomando? Está bebendo o suco de estômago vazio? Tem bebido o suco todos os dias? O que mais está fazendo além de tomar suco de aipo – está incorporando outros conselhos de cura de O Médium Médico? Todos esses detalhes importam quando se procura saber quanto tempo levará para a cura chegar.

Certas pessoas começam a perceber benefícios depois de três dias. Outras, depois de uma ou duas semanas. Já vi muita gente se beneficiar depois de um só dia. Os primeiros benefícios podem ser um sentimento de calma ou paz, uma diminuição da ansiedade, um aumento da energia. Isso ocorre porque os eletrólitos do suco de aipo têm o efeito de iluminar o humor. Muita gente logo sente que sua digestão e sua eliminação melhoraram, em razão das enzimas digestivas do suco de aipo. Se depois de duas semanas você ainda estiver com dificuldades, isso também será normal. Cada um tem uma situação de saúde diferente a ser curada pelo suco de aipo e, assim, o tempo que ele leva para surtir efeito varia.

Às vezes me perguntam por quanto tempo devem continuar usando o suco de aipo. A resposta é que nunca devemos fixar um limite para bebermos esse suco. Quanto tempo você ainda pretende continuar usando meias? Pense na casa dos seus sonhos, a que você espera comprar: quanto tempo planeja morar nela? Quanto tempo quer passar ao lado da sua alma gêmea? Até quando pretende continuar se dedicando a seus passatempos favoritos? Indo à praia, velejando, jogando tênis, cantando em karaokê – você tem a intenção de algum dia parar de fazer essas coisas? Há certos elementos de nossa vida – os que nos ajudam nos planos emocional, físico, espiritual e mental – dos quais nunca queremos nos separar. O suco de aipo deve ser um deles. Não se trata de uma vitamina que você toma por um mês e depois não vê nunca mais. Ele é uma paixão permanente que você deve acalentar durante toda a sua vida.

Isso não significa que você estará amarrado a uma centrífuga pelo resto da vida. Sempre haverá interrupções nas coisas corretas que fazemos para nos cuidar. A centrífuga pode quebrar. A loja de sucos da esquina pode fechar. Seu local de trabalho pode mudar para um endereço mais longe da quitanda que vende o melhor aipo. Pode ser que você se ocupe intensamente de um projeto, que faça uma viagem para um local onde não há aipo nem suco de aipo. É exatamente isso que acontece com nossos demais compromissos e relacionamentos, dos quais às vezes nos separamos por um tempo. E não há problema, desde que nos lembremos que um dia retomaremos àquilo, como fazemos com as outras coisas que amamos na vida.

Se, por outro lado, você é uma pessoa para quem esse tipo de pensamento não funciona, pois gosta de orientações e limites objetivos, ou se só está pensando em fazer uma experiência com o suco de aipo – se esse é o seu caso, tome o suco de aipo de estômago vazio todos os dias por um mês inteiro. Se isso não for suficiente para aliviar todos os seus sintomas, procure nos demais livros da série O Médium Médico os recursos que precisa usar junto com o suco de aipo. Continue até se sentir melhor.

O consumo do suco de aipo por um longo período é seguro? Vamos pensar no que significa a palavra "seguro": livre de qualquer dano. E vamos pensar no que tem mais probabilidade de causar dano: beber um tônico medicinal que proporciona uma defesa diária contra os patógenos e venenos que infestam nosso mundo ou não poder contar com essa proteção? A tarefa do suco de aipo é manter você seguro – mais que seguro – a longo prazo. Quanto mais você o usar, mais ele poderá ajudá-lo.

FATORES ESSENCIAIS DE CURA

Se sente que não obteve nenhum benefício com o suco de aipo, precisamos dissecar sua situação um pouquinho. Qual era o grau de sua doença quando começou? Você vem tomando medicamentos para uma doença crônica há muito tempo? Ainda está consumindo os alimentos problemáticos mencionados no Capítulo 8 – "Mais orientações para a cura" – os quais alimentam a sua doença em vez de curá-la? Certas pessoas que têm problemas graves de saúde precisam chegar a tomar 480 ml de suco de aipo duas vezes por dia, ou 960 ml pela manhã.

Se você vai tentar tomar 960 ml ou mais pela manhã, não precisa engolir tudo em 5 minutos nem mesmo em 10. Cada pessoa bebe em um ritmo particular. Alguns gostam de bebericar o suco devagar, prestando atenção. Alguns bebem enquanto trabalham e acabam se distraindo. Alguns o bebem a caminho do trabalho. Dentro de limites razoáveis, leve o tempo que for necessário para beber sua porção maior de suco de aipo. O ideal é engoli-lo todo em no máximo uma hora. Se passar disso, tomando goles esporádicos ao longo da manhã e comendo algo nesse meio-tempo, os benefícios de cura do suco serão prejudicados. Se beber o suco de aipo esporadicamente ao longo da manhã e não comer nada, poderá acabar se sentindo fraco ou mal-humorado por não ter consumido calorias significativas ao longo dessas horas.

Os efeitos do suco de aipo podem produzir sensações diferentes a cada dia. Às vezes as pessoas apresentam sintomas de desintoxicação – ou seja, reações de cura – quando começam a beber suco de aipo. Às vezes testemunham incríveis benefícios de cura. Pode haver épocas em que você se sinta ótimo e outras em que continue sofrendo ou se sentindo mal. Não pense que os momentos difíceis sejam sinais de que o suco de aipo o desapontou. Em meio a tudo isso, você ainda estará avançando no caminho da cura.

Se um dia você não sentir nenhuma diferença nem para melhor nem para pior, isso não significa que o suco esteja inerte. No dia em que ele parecer não estar "funcionando", pode ser que o suco de aipo esteja ocupado em retirar o entulho do fígado, reabastecer as células de todo o seu corpo, reconstruir o sistema imunológico, ajudar os rins, corrigir o sistema endócrino e reparar o trato digestório – e pode ser que você venha a sentir os efeitos dessa desintoxicação mais tarde, na mesma semana ou no mesmo mês ou, quem sabe, até em um momento posterior do ano. Com o compromisso e a perseverança, o número de dias bons aumentará cada vez mais, pois o suco de aipo terá cada vez menos coisas para consertar.

O estado de saúde do fígado quando você começa a tomar suco de aipo tem uma influência grande sobre o tempo que leva para você começar a notar melhoras. A dieta também influi. É comum algumas pessoas seguirem uma dieta de alto teor de gordura sem perceber – pensam tratar-se de uma dieta de alto teor apenas de proteínas e não sabem que a grande quantidade de gordura que consomem está fazendo mal à saúde delas. Como falei em *Fígado Saudável*, as dietas de alto teor proteico também são dietas de alto teor de gordura, mesmo que se trate de gorduras saudáveis, como as do abacate, das sementes oleaginosas, das manteigas de oleaginosas, da azeitona, do azeite de oliva e das carnes magras de animais alimentados naturalmente e criados fora do estábulo ou da granja. O excesso de qualquer tipo de gordura, seja ela boa ou má, enche de gordura a corrente sanguínea, e isso significa que se torna mais difícil limpar o corpo de toxinas e alimentá-lo com nutrientes. Isso vai contra o que o suco de aipo pode fazer por você e torna mais lenta a ajuda que ele pode dar. *Ainda assim* ele estará ajudando, mas boa parte dessa ajuda será voltada a se contrapor a tudo o que o corpo está enfrentando naquele momento. O ideal é que você mantenha seu corpo livre, por um tempo, do bombardeio de alimentos de alto teor lipídico e de outras substâncias problemáticas, de modo que o suco de aipo possa se concentrar em reparar as questões mais antigas que impedem você de avançar.

Cada pessoa tem um nível diferente de toxinas, venenos e patógenos no corpo. Certas pessoas têm múltiplos vírus dentro do fígado, como o vírus de Epstein-Barr, o VHH-6 e o vírus do herpes simples. Outras têm colônias de bactérias, como o estreptococo e a *E. coli*, dentro do fígado e do trato intestinal. Outras ainda lutam há anos contra a clamídia. Algumas têm quantidades mais altas de estafilococos e outras têm de lidar com a presença não diagnosticada de *H. pylori* no duodeno. Certas pessoas têm índices altos de metais pesados tóxicos, como mercúrio, cobre, alumínio, níquel, cádmio, chumbo ou bário. Outras foram excessivamente expostas à radiação por terem viajado muito de avião, ido muito ao dentista e ter feito muitos raios X e tomografias. O fígado de certos indivíduos são verdadeiros armazéns de DDT herdado de gerações anteriores. O sistema digestório de outros é carregado de inseticidas e outros pesticidas aplicados em sua casa ou no parque ao lado. Há pessoas que acumulam vários desses fatores, ou todos, ao mesmo tempo.

(Se você não sabe o que está causando seu sintoma ou sua doença, estude toda a série O Médium Médico para aprender o que de fato está lhe fazendo mal. No caso dos milhões de pessoas que sofrem de doenças autoimunes, por exemplo, a responsável é uma carga viral. Por isso, é superimportante saber como atacar diretamente a causa subjacente. Sem esse conhecimento, é muito provável que você, por engano, acabe alimentando os vírus e as bactérias presentes em seu corpo.)

O suco de aipo é como um serviço de limpeza. Perguntar quanto tempo ele vai levar é pedir uma estimativa antes mesmo que os profissionais de limpeza tenham visto o tamanho da bagunça que está por trás de uma porta fechada. Será que o serviço de limpeza está entrando em um escritório organizado, onde terá apenas de esvaziar algumas latas de lixo, passar um aspirador e limpar o balcão da copa? Ou será que precisará limpar o ambiente onde foi realizada a festa de aniversário de uma criança, com montes de papéis de embrulho amassados, manchas grudentas pelo carpete e bolo pelas paredes? A mistura particular de toxinas e patógenos presente em seu organismo e o nível exato de sofrimento que essa mistura criou afetam o tempo que leva para você se sentir melhor. O suco de aipo também trata um componente emocional – quando são acrescentadas as emoções negativas que se acumularam em razão da doença, das dificuldades e dos desafios que você vem enfrentando, pode ser que o suco tenha bastante trabalho pela frente. Temos de lhe dar uma chance de trabalhar.

Já vi indivíduos que, depois de um ano inteiro tomando suco de aipo, começaram, então, a curar-se milagrosamente em vários níveis. Vi também pessoas que só perceberam quanto o suco de aipo estava lhes fazendo bem quando pararam de tomá-lo. Muita gente vive ocupada demais para prestar atenção e ter consciência e, às vezes, é preciso parar de tomar o suco de aipo para ver o quanto ele nos ajuda. Certas pessoas sequer percebem que o suco de aipo é um remédio. Param de bebê-lo por qualquer motivo, começam a apresentar sintomas e visitam seus médicos em busca de conselhos – não se dão conta de que o simples ato de voltar a tomar o suco de aipo as colocaria de novo no caminho da cura.

Em muitos casos – de refluxo gastroesofágico, por exemplo –, um curto período de consumo de suco de aipo pode cuidar do problema e deixar você seguir em frente. Mas há um motivo pelo qual você deve considerar a hipótese de continuar tomando o suco de aipo mesmo depois de ele resolver seu problema atual de saúde: você não quer ter outro problema logo mais. É verdade: em nossa vida, estamos constantemente expostos. Há poluentes na água e metais pesados tóxicos no papel alumínio e nas latas de alumínio; comemos em restaurantes nos quais, ao longo de todo o dia, utensílios raspam o fundo de panelas de cobre e aço; vírus e bactérias nos assediam de todas as direções; e quantidades maiores ou menores de patógenos e poluentes entram em nossa vida regularmente sem que nos demos conta ou lhes demos permissão. Se você acha que nunca mais vai contrair uma infecção bacteriana ou viral ou que não vai respirar ar de má qualidade pelo resto da sua vida, sinto muito, mas afirmo que está enganado. (Para ter uma ideia das coisas ruins com que nos deparamos todos os dias, confira o capítulo "Causadores de Problemas no Fígado" no livro *Fígado Saudável*.) Todas essas exposições, sobretudo quando combinadas, podem produzir problemas de saúde em pouco tempo. Se você continuar bebendo suco de aipo mesmo após a cura do seu refluxo gastroesofágico ou de outro sintoma, poderá se poupar de sofrer coisas piores mais tarde.

NÃO CULPE O BODE EXPIATÓRIO

É muito fácil transformar o suco de aipo em um bode expiatório. Não deixe isso acontecer com você, ou seja, se um médico ou outro profissional de cura tentar dizer que todos os seus problemas se devem ao fato de você estar bebendo suco de aipo, tome cuidado.

A cura pode demorar um pouco. Embora alguns sintomas possam melhorar rapidamente, assim que você começa a beber suco de aipo, outros sintomas levam mais tempo para ir embora, pois são causados por toxinas como os metais pesados tóxicos mercúrio e alumínio, ou por patógenos como o vírus de Epstein-Barr e o vírus do herpes-zóster alojados em níveis mais profundos do fígado, da tireoide e de outras áreas do corpo – o que exige, portanto, um trabalho de limpeza mais pesado. Isso sem mencionar que, às vezes, enquanto as pessoas bebem suco de aipo, elas não param de comer alimentos improdutivos ou de se dedicar a outras práticas que minam a eficácia do suco. Ou seja, se faz pouco tempo que você começou "A limpeza do suco de aipo", ou se tem o costume de beber o suco e depois comer ovos com *bacon*, e vai ao médico por estar sofrendo de sintomas crônicos, é possível que você ouça: "Você não está se sentindo bem porque está bebendo suco de aipo".

Sei que a intenção do médico é boa. Os sintomas e doenças crônicos são um mistério para a medicina e a ciência. Por isso, a comunidade médica está sempre à procura do que pode estar por trás dessas coisas, a fim de ajudar seus pacientes. Muitos profissionais de saúde têm a mente aberta para remédios não convencionais que estão evidentemente fazendo bem aos pacientes. Muitos outros, porém, podem ver o suco de aipo como uma coisa ridícula ou um motivo de confusão. É natural que o encarem com ceticismo. Afinal de contas, só em anos recentes ele chamou a atenção do público; por isso, parece novo, desconcertante e talvez até um pouco assustador. Mesmo assim, não é ele que está por trás dos problemas crônicos de saúde. Antes, é ele que pode *curar* esses problemas. Não deixe que o suco de aipo se torne um bode expiatório para as fontes improdutivas que mantêm as pessoas doentes. Não deixe que a falta de conhecimento sobre o suco de aipo o sabote e o impeça de acessar o remédio que realmente pode ajudá-lo a se recuperar ou mesmo salvar sua vida.

REAÇÕES DE CURA

Vamos dar uma olhada em algumas das reações de cura mais comuns que decorrem do consumo de suco de aipo. Assim, você poderá entender o que está acontecendo por baixo da superfície. Não apresentará necessariamente todos estes sinais de desintoxicação, e não há problema nenhum nisso. Isso significa que a limpeza interna, no seu caso, não é tão pesada. Mesmo que não sinta nada, ainda estará se desintoxicando.

Às vezes é difícil distinguir as reações de cura dos sintomas causados por outras fontes. Se tudo vai indo bem ao longo de meses de consumo de suco de aipo e um belo dia, do nada, você sente uma náusea intensa, será essa uma reação de cura ou um germe qualquer que entrou em seu estômago? Resposta: um germe no estômago. Você pode tomar como sinal o momento em que os sintomas surgiram. As reações de cura ao suco de aipo tendem a acontecer quando você começa a tomá-lo, e sua intensidade vai de branda a indetectável.

As reações de cura também são temporárias. Se você passou um mês tomando 480 ml de suco de aipo de estômago vazio, todos os dias, e seu problema não melhorou em absoluto, isso é sinal de que ele é um sintoma de outra coisa e não uma reação de cura ao suco de aipo. Estude o Capítulo 3 e consulte o restante da série O Médium Médico para saber mais sobre a causa do seu problema crônico, para que possa lançar mão de mais recursos de cura. Você pode encontrar alguns desses recursos no Capítulo 8, "Mais Orientações para a Cura". O suco de aipo não é capaz de resolver todos os problemas sozinho. Às vezes, precisa de ajuda.

Se o suco de aipo efetuar uma limpeza tão rápida que você não seja capaz de começar bebendo 480 ml, não há problema. Você pode beber 120, 180 ou 240 ml e ir aumentando a partir daí. Também não há problema em parar e começar de novo. O que importa é o quadro a longo prazo.

Lembre-se: ao longo de tudo isso, quer você esteja animado ou desanimado, exausto ou cheio de energia, cheio de dúvidas ou cheio de esperança, o suco de aipo está funcionando para você. Se você perseverar, ele perseverará também – e o puxará pela mão para seguir em frente.

Vamos falar, agora, das reações de cura que podem ocorrer quando você começa a tomar suco de aipo. A compreensão de como seu corpo está se beneficiando o ajudará a aguentar as reações.

Constipação

O suco de aipo não causa constipação. Se você está com o intestino preso, esse é um daqueles momentos em que precisa procurar outra resposta para a pergunta sobre o que está causando esse sintoma. Já estava constipado antes de começar a tomar o suco de aipo? Está comendo os alimentos improdutivos listados no Capítulo 8? Está passando por alguma provação emocional que tenha tensionado seu intestino? Com o tempo, o suco de aipo pode ajudar a aliviar a constipação, reduzindo a inflamação crônica ou aguda que pode estar ocorrendo dentro do seu trato intestinal. As inflamações intestinais tendem a tornar mais lenta a ação peristáltica, resultando em acesso de constipação. O suco de aipo ajuda a corrigir esse problema.

Dor de cabeça e enxaqueca

Esse é outro caso em que o primeiro passo é se perguntar se você já apresentou esse sintoma antes. Caso se trate de uma ocorrência regular – você volta e meia tem dor de cabeça? Nesse caso, é possível que o suco de aipo tenha *desencadeado* a dor, embora não a tenha causado. Suas enxaquecas frequentes se devem, provavelmente, a metais pesados tóxicos, a uma infecção viral ou bacteriana branda ou ao fígado sobrecarregado de toxinas. Quando você se depara com uma força de cura como a do suco de aipo, ela pode facilmente desencadear sintomas que o assediam com regularidade, pois mexe com as substâncias problemáticas ao conduzi-las para fora do corpo. À medida que o suco de aipo vai matando os germes que estão em seu corpo, por exemplo, isso pode lhe dar enxaqueca, caso você já seja sensível a esse tipo de sintoma. No entanto, você estará caminhando na direção correta: rumo a libertar-se dos sintomas mediante a cura do fígado estagnado e a remoção dos metais pesados tóxicos ou das infecções virais ou bacterianas que estão por trás da dor que o incomoda.

Se você nunca teve uma dor de cabeça ou uma enxaqueca na vida e a tem pela primeira vez depois de começar a tomar suco de aipo, nem assim a causa dela é o suco de aipo – por acaso você o tomou naquele dia e, por ser uma coisa nova em sua vida, ele leva a culpa. Pense nos produtos alimentares que podem ter causado sua dor de cabeça. Um dos culpados possíveis é o glutamato monossódico disfarçado de "aromatizante natural" em um chá de ervas, por exemplo, ou uma xícara de café que veio com uma dose extra de cafeína. A desidratação é outro fator importante. Há muitos elementos que podem contribuir para o desenvolvimento de dores de cabeça ou enxaquecas, mas o suco de aipo não é um deles. Tente tomar o suco de aipo outra vez, num dia em que você não estiver desidratado ou em que não coma aditivos alimentares ou alimentos com que não está acostumado.

Erupções de pele e coceira

Caso se trate mesmo de uma reação isolada – caso você não esteja com problemas de pele por causa do novo café que experimentou, de um alimento fermentado que comeu pela primeira vez, dos pesticidas do quintal do vizinho que passaram para o seu, de roupas novas que usou sem lavar ou de fatores semelhantes – e o único culpado possível seja o suco de aipo, procure antes de qualquer coisa saber se não está comprando seu suco em uma loja onde o aipo é lavado com uma gota de hipoclorito de sódio. Trata-se de uma prática que certas lojas de suco e lojas de produtos naturais adotam e que não faz nada bem para a sua saúde. Por isso, pergunte como seu suco de aipo é preparado e, caso usem essa técnica, encontre outro lugar para comprá-lo. Além disso, se a loja de sucos que você frequenta usa aipo convencional em vez de orgânico, talvez seja melhor você mesmo comprar o aipo convencional, se é ele o único a que tem acesso ou o único que pode comprar, e fazer você o suco. Assim, terá certeza de o estar lavando suficientemente bem para evitar a exposição a pesticidas.

Se você excluiu todas as possibilidades acima e não esteve exposto a nada de novo ou irritante que seja capaz de causar sua erupção de pele ou coceira, isso significa que você tem uma grande variedade de substâncias problemáticas acumuladas no fígado e que o suco de aipo agora as está limpando, pois é isso que ele faz. Entre essas substâncias problemáticas podem estar dejetos virais – subprodutos, neurotoxinas e dermatotoxinas, sendo que estas últimas, em específico, afetam a pele na medida em que sobem na direção dela. Os sais aglomerados de sódio do suco de aipo também sobem até a derme, onde ajudam a neutralizar e desintoxicar esses venenos cutâneos.

Frio e calafrios

O suco de aipo tem um efeito positivo de resfriar o corpo. Quando o bebemos, recebemos uma infusão quase instantânea de nutrientes e compostos fitoquímicos que entram nas células e nos órgãos. O fato de receber o que precisa dá ao corpo um instante de alívio. Esse efeito tranquilizante é também refrescante – pois seu corpo não está tendo de trabalhar dobrado nem de se esforçar demais. Quando isso ocorre, pode acontecer de você sentir um calafrio, e isso é sinal de cura, pois o suco de aipo está alimentando todas as células do seu corpo. Nesse momento, se tiver a oportunidade, você deve se enrolar em um cobertor e deitar no sofá um minutinho, para se esquentar enquanto o suco de aipo opera sua cura. Outra razão pela qual você talvez sinta um pouco de frio ao tomar o suco de aipo é que ele, às vezes, causa uma reação instantânea de desintoxicação ao limpar os venenos e toxinas do trato intestinal. À medida que as substâncias problemáticas são neutralizadas e entram na corrente sanguínea para serem eliminadas, você pode sentir um leve calafrio.

Por fim, o fígado da maioria das pessoas encontra-se extremamente quente, em razão do desequilíbrio e da lentidão de seu funcionamento. O suco de aipo esfria o fígado de modo instantâneo, e isso pode causar uma flutuação na temperatura do corpo.

Inchaço abdominal

Na maioria das vezes, o suco de aipo não causa o inchaço, mas o alivia. No entanto, se o seu fígado estiver demasiado tóxico, estagnado e preguiçoso, e houver uma quantidade suficiente de bactérias improdutivas no trato intestinal, você pode sentir um pouco de inchaço enquanto o suco de aipo vai matando bactérias e revitalizando o fígado.

O inchaço tem mais chance de acontecer quando você bebe uma quantidade maior de suco de aipo, o qual tende a fazer uma limpeza mais profunda. Mas em pouco tempo quem se sente inchado começa, em geral, a constatar que o suco de aipo, na verdade, ajuda a reduzir o inchaço.

Mudanças de humor

Irritabilidade, frustração, agitação: você talvez se sinta um pouco desconcertado ao experimentar todas essas emoções enquanto o suco de aipo faz sua pele brilhar, lhe dá mais energia e o liberta de suas dores e seus desconfortos. Não se preocupe. Se você está se sentindo um pouco desanimado, mal-humorado ou deprimido depois de tomar o suco de aipo, mesmo que esteja experimentando todos os seus maravilhosos benefícios, trata-se de uma reação de cura normal e temporária. Pode ser que você esteja sofrendo os efeitos de desintoxicação da morte dos vírus e das bactérias e da limpeza dos venenos. Talvez esteja também desintoxicando as emoções – isso muitas vezes caminha de mãos dadas com a desintoxicação das substâncias problemáticas. À medida que você continuar se curando, seu humor melhorará.

Usar o suco de aipo como substituto de uma refeição também pode causar mau humor. Para começar, quando você fica horas sem comer, a quantidade de glicose no seu sangue diminui. Além disso, quando o suco de aipo é a única coisa consumida pela manhã, a desintoxicação será mais rápida e menos previsível – o que não é recomendado. Essa limpeza mais acelerada pode causar mais mau humor. Lembre-se: depois de tomar o suco de aipo matinal, espere no mínimo de 15 a 20 minutos (e idealmente 30 minutos) e, então, consuma uma fonte curativa de calorias, como uma fruta. (E não tenha medo das frutas!)

Náusea e vômitos

Uma leve náusea após beber suco de aipo pode ser indício de uma leve desintoxicação e da morte curativa de patógenos.

Se você vomitar depois de beber o suco, deve ser o indício de que você esteve exposto a outra coisa que nada tem a ver com ele. Milhões de pessoas bebem suco de aipo pelo mundo afora. É possível que uma pequena porcentagem dessas pessoas tenha intoxicação alimentar ou sofra exposição a uma substância tóxica – o que significa que uma pequena porcentagem de pessoas, por mera coincidência, vomitará em um dia no qual tomou suco de aipo. Pelo fato de o suco de aipo ter essa fama de coisa estranha, o mais provável é que seja ele a levar a culpa.

Se você é uma das poucas pessoas para quem tudo estava funcionando em perfeito estado – nada de estômago sensível, nenhum germe, nenhuma exposição a produtos químicos – até beber o suco de aipo, mas vomitou imediatamente ao tomá-lo, o mais provável é que isso seja fruto de uma reação reflexa ao sabor forte e amargo daquele aipo em particular. Isso é verdadeiro, sobretudo, quando o aipo usado é especialmente folhoso e foi plantado em casa ou adquirido de um agricultor local, com suas folhas abertas como a cauda de um pavão. Se você estiver fazendo suco com mais folhas do que talos (coisa que, como disse no Capítulo 4, eu não recomendo), talvez obtenha um suco muito adstringente, cujos alcaloides provocam o reflexo de vômito em pessoas sensíveis.

Mais rara ainda é a hipótese de você ter no duodeno uma quantidade muito grande de ácidos e bactérias ou micro-organismos que não deveriam estar ali (como uma colônia não diagnosticada de *H. pylori*), os quais são instantaneamente mortos pelo suco de aipo. Chamo a esse caso de *germicídio radical*: uma grande quantidade de bactérias ou outros germes explodem todos ao mesmo tempo, e isso pode estimular o nervo vago, produzindo o vômito. No entanto, é muito raro que uma pessoa tenha tantas bactérias e seja ao mesmo tempo tão sensível a ponto de sofrer essa reação.

Odor corporal

Uma das reações de cura mais comuns à ação do suco de aipo é o aumento do odor corporal. Esse odor pode ser produzido em qualquer ponto da pele, não somente nas axilas. Ele acontece, em parte, por causa do fígado preguiçoso, estagnado, com que todos nós temos de lidar em algum grau; à medida que os componentes do suco de aipo entram no fígado, esse órgão pode liberar uma quantidade maior de toxinas, as quais vão à superfície da pele. O suco de aipo também dispersa a amônia das proteínas apodrecidas e gorduras não digeridas dentro dos intestinos delgado e grosso. E, à medida que passa pelo trato digestório e pelo sistema linfático, o suco de aipo pode purgar e expelir uma imensa quantidade de venenos e toxinas. Ao mesmo tempo, o suco de aipo dispersa os bolsões de adrenalina produzida em situações estressantes e armazenada em nossos órgãos, e essa adrenalina velha começa a subir à pele. Qualquer um desses fatores, ou todos eles juntos, pode resultar em alguma variedade de aumento do odor corporal. À medida que se vai consumindo suco de aipo e ficando mais saudável, o odor corporal tende a diminuir. O suco de aipo pode até conduzir o paciente ao outro lado do espectro, de modo que seu odor corporal se torne menos pronunciado do que era antes ou mesmo desapareça por completo.

Pele seca

Se você está tomando suco de aipo e percebe que sua pele está seca, pergunte-se o seguinte: ela já esteve seca antes? Como está o tempo – por acaso está frio e você usou aquecedor dentro de casa? Tem tomado banho com água clorada? Ocorreu alguma mudança em sua dieta que possa estar deixando sua pele seca? Lembre-se de que pode demorar um pouco até os efeitos da dieta se tornarem visíveis na pele. Assim, não pense somente no que você comeu nos últimos dois dias. Algo mudou em sua dieta nos últimos dois meses? Se não houver outra explicação para a pele seca – se essa é a primeira vez que isso acontece, se o ambiente dentro ou fora de sua casa não a explica, se você não esteve topicamente exposto a nenhuma substância que poderia deixá-la seca e se sua dieta é a mesma há meses –, nesse caso, pode ser um sinal de que o suco de aipo está limpando seu fígado. O fígado cheio de derivados de petróleo, solventes, gasolina, perfumes, colônias, pesticidas, herbicidas, fungicidas, metais pesados tóxicos, medicamentos que você tomou no passado e vírus e outros patógenos não diagnosticados começa a se desintoxicar quando você bebe suco de aipo. Muitas toxinas sobem à pele para sair do corpo e, por isso, a pele pode ficar temporariamente seca até que o fígado melhore. Com o consumo do suco de aipo por um longo período, sua pele poderá ficar melhor do que jamais esteve.

Perda de peso

Nem todo mundo quer perder peso. Se o seu peso está do jeito que você quer ou se você está abaixo do peso, não precisa se preocupar com a possibilidade de o suco de aipo o levar a perder massa corporal. O motivo pelo qual o suco de aipo ajuda quem está acima do peso a reduzir o número marcado na balança é que ele torna o fígado mais saudável. Um fígado saudável gera equilíbrio; ajuda a levá-lo para onde você tem de ir, qualquer que seja a direção do seu destino. Se você está abaixo do peso com um fígado doente, o suco de aipo não o fará perder mais peso.

O único modo pelo qual o suco de aipo pode fazer você perder peso de maneira não saudável é se você o usar como fonte de calorias, para substituir refeições. Caso esteja fazendo isso, você está substituindo centenas de calorias que ganharia em uma refeição pelo punhado de calorias do suco de aipo. Essa redução prolongada do consumo de calorias pode fazer com que quem já tem tendência a perder peso perca ainda mais. Lembre-se de que o suco de aipo é um remédio, não um alimento. Não se prive acidentalmente das calorias de que precisa, usando o suco de aipo como substituto de um lanche ou uma refeição.

Refluxo gastroesofágico

Quando se fica, temporariamente, com refluxo gastroesofágico, isso é porque o suco de aipo está matando bactérias e eliminando toxinas. O trato intestinal, às vezes, está cheio de fungos e patógenos perigosos e de gorduras rançosas que formaram placas em seu revestimento interno; há também proteínas apodrecendo lá dentro. Além disso, há aquela pequena saliência logo antes do duodeno, que pode ficar coberta de lodo. Quando se é jovem, esse lodo praticamente não existe. Mas, à medida que se envelhece, o peso dos resíduos e detritos acumulados começa a forçar a saliência para baixo, criando uma leve reentrância no estômago de certas pessoas que comem uma quantidade maior de proteínas animais, incluindo-se aí opções mais "leves" como ovos, peixes e laticínios. Quando o peso dos detritos é muito grande, cria-se um bolsão no fundo do estômago, que acaba cheio de material velho e apodrecido.

À medida que você toma suco de aipo, ele desce pelo canal alimentar, e suas enzimas começam a bater no muco que está sempre presente ao lado de todas essas substâncias problemáticas. Seus sais aglomerados de sódio começam a bater nas gorduras velhas e rançosas, nas toxinas, nas bactérias, nos vírus e nos fungos – decompondo-os e matando-os. O suco de aipo também começa a limpar a pequena saliência na entrada do duodeno e o pequeno bolsão de lodo. Ocorre, assim, uma miniexplosão. O refluxo pode resultar desse morticínio provocado pela fortíssima ação da "limpeza do suco de aipo". (Para outras pessoas, o resultado pode ser um acesso de diarreia.) Quando esse sintoma se resolver, o mais provável é que você comece a ver tremendos benefícios de cura.

Sede

Se você sente muita sede após beber o suco de aipo, isso é porque ele está limpando e desintoxicando venenos e os retirando da sua corrente sanguínea. Escolha com sabedoria os líquidos que usa para matar essa sede. Considere as opções dadas no último capítulo, como água com limão e água com gengibre. Elas devem ser tomadas depois, quando você já tiver dado ao corpo a oportunidade de processar o suco de aipo.

Sensações na boca e na língua

Ao beber suco de aipo, pode-se experimentar sensações diversas na língua ou em outros pontos da boca. Entre elas incluem-se cócegas, formigamentos, um leve entorpecimento ou uma sensação de queimação, quer na boca inteira, quer em um local específico, como as gengivas ou a ponta da língua. Isso indica a presença de um número maior de bactérias ou toxinas na boca e/ou uma quantidade elevada de amônia na boca. Essa amônia sai dos alimentos em putrefação no trato intestinal e sobe pelo esôfago. Quando você bebe suco de aipo, seus sais aglomerados de sódio colidem com esses hóspedes indesejados, e é essa reação que produz a sensação de formigamento ou a irritação na boca ou mesmo na garganta, caso haja bactérias ali.

Se você sentir um gosto metálico ou outro sabor estranho no suco de aipo, e caso não esteja acostumado a sentir esse tipo de sabor, será sinal da ocorrência de uma reação de desintoxicação. Isso significa que o suco de aipo entrou no seu fígado e está começando a desalojar de lá as mais diversas substâncias problemáticas – herbicidas, pesticidas, fungicidas, derivados de petróleo, solventes e até metais pesados tóxicos. O suco de aipo também tem a capacidade de retirar dos órgãos e tecidos do corpo os resíduos da oxidação dos metais pesados tóxicos. Certas pessoas têm metais pesados no intestino e, nesse caso, o suco de aipo se ligará a eles e os expelirá do organismo. Qualquer um desses fatores, ou todos eles, afetará o paladar. O fato de o sabor ser metálico ou de outra natureza depende da mistura particular de toxinas presente no organismo.

SUA HISTÓRIA DE CURA

Um dos argumentos apresentados para manchar a reputação do suco de aipo é que o grande número de histórias de cura relatadas por pessoas que o consumiram são meros relatos empíricos, provas informais de sua eficácia. Mas e quem está tomando o suco de aipo agora mesmo e melhorando? O que as fontes que relegam o suco de aipo ao domínio da informalidade não percebem é que, ao fazer isso, estão invalidando histórias pessoais. Estão desprezando milhares e milhares de testemunhos de recuperação. Isso é um desrespeito a todos os que sofriam e sofrem de doenças crônicas. Significa que a percepção deles – de ter estado doente, tentado de tudo para melhorar e depois finalmente encontrado no suco de aipo um remédio que funciona –, de algum modo, não é digna de confiança.

Não deixe que esse desrespeito abale sua confiança em seu próprio processo de cura. Certas pessoas começam a beber suco de aipo, não mudam mais nada em sua vida e passam a se sentir melhor. Para outras, o suco de aipo só as conduz até um certo ponto; a partir daí, para se sentirem melhor, precisam de mais informações de cura vindas da mesma fonte. Seja qual for o seu caso, saiba que seus sintomas são reais, que seus sintomas não eram somente coisa da sua cabeça, não ocorreram por culpa sua, que não foi você que os atraiu por ter maus pensamentos e não os mereceu como forma de castigo. Como aprendeu no Capítulo 3, "Alívio para seus Sintomas e suas Doenças", seus problemas de saúde tinham causas fisiológicas legadas a este mundo difícil que habitamos.

Saiba ainda que, quando você começar a sentir alguma melhora por causa do suco de aipo, ela também é real. Não deixe que a pecha de "informalidade" o leve a duvidar de sua recuperação. O maior especialista na sua saúde é você mesmo, e sua história de cura tem valor. Ela vale mais do que você imagina. Por isso, força. Há alguém, em algum lugar, agora mesmo, esperando ouvir sua história de cura para descobrir esse remédio capaz de mudar vidas.

CAPÍTULO 7

Rumores, Preocupações e Mitos

Aquele que passa por muitos problemas de saúde tende a ter o coração puro, cheio de boas intenções, pois sabe o que é sofrer e sente, às vezes, que a medicina ou a indústria farmacêutica o decepcionou em sua busca infindável por soluções. O suco de aipo é a resposta perfeita para sua honestidade e sua pureza de coração. Não tem nada a ver com a moda do suco verde – está muito acima dela. O suco de aipo é um presente dos céus, de Deus. Ou, se você preferir concebê-lo de outro modo, é um presente do Universo. É um presente da Mãe Terra.

Os que desconhecem o sofrimento de não conseguir levar uma vida normal têm facilidade para zombar do suco de aipo. Para quem só teve de lidar com sintomas menores e passageiros, é muito simples dizer que essa é só mais uma tendência da moda. Não deixe que essas piadas o entristeçam. Zombar do suco de aipo é, em certo sentido, zombar daqueles que vêm enfrentando enormes dificuldades de saúde. É tirar esse remédio das mãos de quem mais precisa dele. Como deixamos claro no final do capítulo anterior, é um desrespeito ao número cada vez maior de pessoas que já se recuperaram tomando suco de aipo. É dizer que elas não estavam tão doentes quanto pensavam estar e que não encontraram uma solução simples e natural que lhes devolveu o poder sobre a própria vida. É dizer que elas estão enganadas.

Também é questionar o coração delas, a inteligência delas, seu discernimento da verdade e suas intenções. Isso é muito doloroso. É como amedrontá-las para que neguem sua própria realidade, como se seu esforço e suas conquistas de cura nada significassem para o mundo. É como se nada disso tivesse jamais existido.

Ao longo das décadas, as pessoas que sofrem de doenças crônicas têm lutado para ser levadas a sério. Com a chegada da era da internet, elas ganharam um pouco mais de respeito, pois tiveram a oportunidade de fazer contato umas com as outras e encontraram força em sua união. Mas ainda não são respeitadas o suficiente. Hoje em dia, o número de pessoas que fica doente e apresenta sintomas intermitentes ou crônicos, os quais diminuem sua qualidade de vida, é de longe o maior da história. Aqueles que não reconhecem esse fato ou não se comovem com ele não são capazes de imaginar o que é sofrer de fadiga neurológica, de dor crônica ou de múltiplas doenças ao mesmo tempo. Não sabem o que é ter de esperar anos por uma resposta, finalmente encontrar um pouco de alívio e, depois, ter de enfrentar as dúvidas de gente cujo ceticismo se deve ao fato de essa resposta ser dada por um homem que, desde os 4 anos de idade, vem ouvindo informações médicas avançadas fornecidas por uma voz do alto.

Além das piadas, a tática de gerar medo é outro efeito colateral previsível do movimento do suco de aipo. Em geral, as modas e tendências são respaldadas por muito dinheiro. Além disso, ganha-se muito dinheiro com elas. As tendências não precisam dar certo, não precisam funcionar; basta que pensemos que elas funcionem. Pelo fato de o suco de aipo não ser uma tendência – de ser, ao contrário, algo permanente –, ele está separado de tudo isso. Não foi inventado por uma indústria ou uma pessoa ávida por dinheiro. O ato de passar um maço de aipo pela centrífuga não enche de dinheiro as lojas de suco; é difícil administrar um estabelecimento desses, e não é possível produzir suco de aipo fresco de maneira industrial. Não foi pela ganância que o suco de aipo ganhou vida própria, mas sim porque oferece algo que outras tendências de saúde não oferecem: resultados. O suco de aipo tornou-se conhecido porque a comunidade de O Médium Médico espalhou a mensagem quando viu que ele realmente funciona.

Graças à sua eficácia fenomenal, ele será atacado aqui e ali. Haverá quem tente, por maldade ou de maneira inocente, provocar medo em quem o toma; o objetivo de tudo isso é impedir pessoas de obterem do suco de aipo aquilo de que elas precisam. Isso se deve, em parte, à desilusão. Muitos já ouviram falar de tantas soluções mágicas em matéria de saúde, ou já foram vítimas de charlatanismo tantas vezes, que já não sabem em que confiar. O ceticismo é abundante. Em parte, a desconfiança que rodeia o suco de aipo é causada por sua pureza. O suco de aipo é simples, é real e funciona de verdade, tendo somente boas intenções por trás de si. Com isso, ele tende a evidenciar que outros "remédios" populares não são tão puros, eficazes e éticos. Não vemos ataques ao caldo de mocotó, ao colágeno ou ao kombuchá, pois há interesses fortes que protegem essas coisas. Há muito dinheiro a ser ganho. O suco de aipo, por outro lado, é uma modalidade de cura exclusiva, de espírito livre, que ameaça grandes impérios. No fim, ninguém pode controlá-lo, engarrafá-lo e impedir que você o tome.

Haverá *tentativas* de controlar o suco de aipo. Haverá esforços no sentido de ganhar dinheiro com o movimento. Muitos vão querer acrescentar uma nota própria ao suco de aipo, misturando-o com aditivos ou transformando-o em uma pílula, para que possam lucrar. Você vai ler agora sobre por que essas abordagens não funcionam. No fim, essas táticas só servem para guiar as pessoas de volta à verdade profunda de que o suco de aipo puro é o que funciona. É imperativo preservarmos as informações de cura relacionadas ao suco de aipo que estão neste livro. Um dia, as mesmas pessoas que as desconsideram ou as distorcem poderão usá-la como resposta a suas preces.

Agora vamos desmascarar os mitos, medos, preocupações e rumores que podem estar impedindo você de receber as bênçãos do suco de aipo.

ÁCIDO SALICÍLICO

O ácido salicílico, também chamado salicilato, é outro mito usado como tática de medo que impede as pessoas de desfrutar os benefícios de cura do suco de aipo. A teoria de que os indivíduos são sensíveis ao salicilato presente em frutas e hortaliças não foi provada pela medicina nem pela ciência. Tendo em vista que o aipo não é uma hortaliça, ele não deve ser incluído nessa teoria. O suco de aipo é um remédio fitoterápico que ajuda a reverter as sensibilidades a componentes químicos alimentares que muita gente desenvolve a partir do glúten, dos laticínios, do milho, dos ovos e da soja. Os compostos químicos do suco de aipo livram o corpo de toxinas, vírus e bactérias, que são os maiores responsáveis pelas sensibilidades alimentares.

ACRÉSCIMOS

Sempre há a tentação de complicar o suco de aipo, misturando-o com aditivos aparentemente saudáveis. Qualquer coisa que diminua a simplicidade do suco de aipo está errada. Quaisquer esforços para torná-lo mais "avançado" ou mais "mais" só perturbam o que ele tem a oferecer. Não obstante, mesmo que se difunda a ideia de que o suco de aipo é melhor puro – de que a extração dos complexos componentes nutricionais do aipo na forma de suco já o transformou em ouro para a saúde –, será impossível impedir as pessoas de colocarem em ação seu alquimista interior e de tentarem "melhorar" o suco de aipo acrescentando-lhe ingredientes. "O que e como podemos acrescentar?", elas perguntarão a si mesmas, pois não se convencem de que esse tônico alcança seu maior poder de cura em sua forma mais simples. É inevitável que esse problema continue existindo durante anos, e as campanhas de acréscimo continuarão. Vamos dar agora dois exemplos de propostas que já existem, para que você saiba exatamente o que evitar.

Colágeno

O colágeno é uma das substâncias mais desastrosas que você poderia misturar com o suco de aipo. Há uma imensa confusão sobre o colágeno em geral. Ele é uma substância essencial dentro do corpo humano: é parcialmente responsável por manter a nossa pele intacta. É uma proteína importante para o tecido conjuntivo em todo o corpo. Sem um colágeno saudável, podemos apresentar sinais precoces de envelhecimento e nos enfraquecer internamente. No entanto, isso nada tem a ver com o *consumo* de colágeno. Antes, o que precisamos é *construir* dentro de nós um colágeno saudável.

Um dos maiores erros da medicina atual é a tendência de encorajar o consumo de suplementos de colágeno, com a suposição de que ele entrará em nosso trato digestório e encontrará, por milagre, um caminho para chegar à pele e ao tecido conjuntivo a fim de substituir nosso colágeno humano. Essa é mais uma teoria que se enquadra em um sistema de crenças muito antigo, de séculos atrás, segundo o qual quem tem um problema nos rins deve comer o rim de um animal; quem tem um problema no fígado deve comer fígado; quem tem um problema no globo ocular deve comer o globo ocular de uma ovelha. Onde tudo isso nos levou? Para lugar algum! Se achamos que o consumo de suplementos de colágeno servirá para suprir nosso próprio colágeno, ainda estamos vivendo na Idade das Trevas.

O motivo pelo qual os criadores de tendências cometem esse erro é que a indústria da medicina não tem ideia de por que nosso colágeno diminui ou enfraquece. A verdade é que o colágeno que existe em nossa pele e em nosso tecido conjuntivo é formado de alimentos de origem vegetal: verduras, frutas e até tubérculos, rizomas e outras raízes. Se nossa carga tóxica é muito alta, ela tem efeito destrutivo sobre esse processo. O enfraquecimento do colágeno em todo o corpo é determinado pela quantidade de material patogênico que flutua pela corrente sanguínea e pela toxicidade do fígado, causada por substâncias problemáticas como pesticidas, herbicidas e fungicidas.

Os pesticidas, herbicidas e fungicidas têm uma relação direta com o colágeno, pois o ferem e o fazem encolher. Os vírus da família do herpes (como os vírus do herpes simples 1 e 2, o vírus de Epstein-Barr, o vírus do herpes-zóster, o citomegalovírus, o VHH-6, o VHH-7 e os VHH de 10 a 16, que ainda não foram descobertos) tendem a liberar uma quantidade imensa de neurotoxinas no fígado e em outros órgãos e glândulas. Alguns também produzem dermatotoxinas. Esses resíduos saturam o tecido conjuntivo, que satura o colágeno. Os resíduos virais tornam mais lento o desenvolvimento de novas células de colágeno, ao mesmo tempo que enfraquecem e decompõem o colágeno saudável já existente. Esse processo pode se desenvolver a ponto de causar doenças do tecido conjuntivo. Se além disso o indivíduo tem uma alta carga de metais pesados tóxicos, esses efeitos podem ser amplificados de modo a lesionar ainda mais o colágeno.

A medicina, a ciência e os fabricantes de suplementos de colágeno não sabem nada disso. Não percebem que o consumo de suplementos de colágeno não resolve o problema e, aliás, o torna pior. Não percebem que todo o colágeno suplementar que consumimos se transforma em dejetos no trato intestinal, pois não deveria estar ali – e não são dejetos inofensivos. Quando alguém consome suplementos de colágeno, ele se torna combustível – mas não para nosso corpo e nossas células, e sim para as células de vírus e bactérias. O suplemento de colágeno reduz a quantidade de bactérias boas e alimenta as improdutivas. Vírus como o de Epstein-Barr se alimentam de suplementos de colágeno animal. Isso também vale para outros micróbios como fungos, leveduras e bolores. Ele os ajuda a proliferar e expandir suas colônias. Tome muito cuidado para não misturar colágeno com o suco de aipo.

Embora os vírus que se alimentam dos suplementos de colágeno não liberem neurotoxinas como os que se alimentam de metais pesados tóxicos, isso não é, de forma alguma, uma vantagem do colágeno tomado na forma de suplemento. Os vírus começarão a crescer e a se multiplicar com o consumo do colágeno. O número de células virais aumentará, e com isso a quantidade de neurotoxinas aumentará de qualquer maneira. Quem sofre de doenças autoimunes, em especial as que envolvem uma fraqueza do tecido conjuntivo, não devem de modo algum consumir suplementos de colágeno. Como afirmo em toda a série de O Médium Médico, são os vírus que criam os transtornos autoimunes. Eles também criam tumores, cistos, nódulos e múltiplas espécies de câncer, entre elas o câncer dos seios e alguns cânceres do cérebro.

A esta altura você já deve estar ciente de que, quando o suco de aipo é consumido sozinho e em sua forma pura, ele quebra as membranas dos vírus e das bactérias, enfraquecendo os corpos de bactérias como *H. pylori*, *C. difficile* e estreptococo, para que possa matá-las. Destrói também certas espécies perigosas de fungos. Então, os sais aglomerados de sódio do suco de aipo limpam a bagunça, neutralizando os detritos patogênicos que flutuam pelo corpo e prejudicam nosso próprio colágeno. Os sais aglomerados ajudam, ainda, a neutralizar pesticidas e herbicidas no corpo e a desalojar metais pesados tóxicos, arrancando-os dos tecidos orgânicos, como os do cérebro, e levando-os para mais perto da superfície dos órgãos, de modo que os vasos sanguíneos possa transportá-los para fora do corpo. Além disso, esses sais aglomerados de sódio são responsáveis por entrar na derme e extrair os venenos instalados na pele, ou seja, extrair os venenos que ameaçam destruir o colágeno que existe naturalmente nas células de colágeno do corpo humano. Os sais aglomerados aderem às toxinas e aos venenos, neutralizando-os e eliminando-os do corpo. Com a técnica de tomar suco de aipo puro de estômago vazio, o colágeno pode, então, prosperar dentro do seu corpo. Novas células podem se desenvolver – pois os sais aglomerados de sódio aumentam o poder do corpo de criar novas proteínas e células de colágeno por todo o corpo.

Assim que mistura suplementos de colágeno com o suco de aipo dentro do seu corpo, você cancela os benefícios do suco. Cada partícula de sais aglomerados de sódio e cada enzima do suco reage negativamente ao colágeno, como se fosse uma toxina. Assim que a mistura de suco de aipo e colágeno entra na sua boca e no seu estômago, os sais aglomerados de sódio do suco de aipo se ligam ao colágeno e procuram retirá-lo do corpo pelo trato intestinal. O problema é que a presença pegajosa do colágeno envolve os sais aglomerados de sódio, absorvendo-os na mesma hora em que eles tentam neutralizar o suplemento.

Independentemente de qualquer coisa, não há benefício algum no consumo de suplementos de colágeno, ou seja, não há nenhum benéfico que estaria sendo cancelado por você não misturar o colágeno com o suco. Já o suco de aipo traz consigo, *sim*, benefícios inacreditáveis, os quais são perdidos quando ele é misturado com colágeno. O suco passa a ter a única função de transportar o colágeno estranho para fora do corpo pelo trato intestinal. O colágeno do suplemento não chega sequer a entrar na corrente sanguínea; o corpo o elimina na forma de dejetos. Se um pouco de colágeno escapa pelas paredes do trato intestinal, ele é direcionado para o fígado, onde se torna mais uma substância problemática que aquele órgão precisa organizar e armazenar. Da mesma maneira, quando tomamos suplementos de bile de boi, tudo o que fígado ganha é a oportunidade de ter de limpar uma grande bagunça.

O melhor que podemos fazer é apoiar nosso corpo na produção de seu próprio colágeno (e de bile). O consumo de suplementos de colágeno não ajuda a pele, as articulações, o cabelo e as unhas. Para isso é preciso consumir antioxidantes, a vitamina B_{12} adequada e o enxofre que ocorre naturalmente em vegetais, bem como o zinco, o magnésio, o cálcio e a sílica encontrados em alimentos e suplementos. Ao lado do consumo regular de suco de aipo puro e da desintoxicação do fígado, esses são os elementos que de fato podem ajudá-lo. Por mais que você já tenha ouvido que a suplementação de colágeno pode colaborar com tudo isso, saiba agora a verdade: essa teoria é equivocada e só serve para tirar vantagem dos consumidores.

Vinagre de maçã

Por causa da popularidade do vinagre de maçã – popularidade essa que *não* se deve a ele ter um registro de curas milagrosas que ajudam pessoas a reverter doenças crônicas –, ele começou a ser acrescentado ao suco de aipo. Isso aconteceu sem que ninguém parasse para refletir sobre uma verdade muito simples: o número de pessoas que *não* se sente melhor após consumir vinagre de maçã é maior do que o das que se sentem melhor. Se você acha que é bom usar vinagre, é fato que o vinagre de maçã é o melhor – mas em outros momentos. Mantenha-o afastado do seu suco de aipo. Esse é um dos meios mais rápidos para tornar o suco de aipo completamente inútil; você não obterá um único benefício do suco de aipo se misturá-lo com vinagre de maçã. Os sais aglomerados de sódio, as enzimas digestivas e os hormônios vegetais do suco de aipo serão destruídos instantaneamente. Sua vitamina C se tornará inutilizável na mesma hora. A estrutura global do suco de aipo será estragada de imediato. No entanto, em razão de interesses monetários, o acréscimo de vinagre de maçã ao suco de aipo continuará sendo propagandeado como uma grande fonte de saúde. Não se deixe convencer por esses argumentos. Ao contrário, lembre-se de que, quando o vinagre de maçã se encontra com o suco de aipo, ele o oxida de modo instantâneo e o estraga. Você sabe o que é abrir uma caixa ou uma garrafa de leite e dizer: "Poxa, estragou"? Aqui é a mesma coisa. Preserve a integridade do seu suco de aipo e não o misture com vinagre de maçã.

ÁGUA

Se alguém lhe disser que beber suco de aipo é o mesmo que beber água, saiba que as duas coisas estão longe de serem iguais. A água tem, sim, eletrólitos que ocorrem naturalmente, sobretudo se for uma água de boa qualidade. No entanto, os benefícios que esses eletrólitos fornecem são completamente diferentes dos benefícios proporcionados pelos eletrólitos do suco de aipo. Isso não é nem comparar maçãs com laranjas; é comparar maçãs com carne de vaca. A água e o suco de aipo são duas substâncias totalmente diferentes. Apenas o aipo contém os sais aglomerados de sódio, as enzimas especiais e os oligoelementos específicos que fazem do suco de aipo o que ele é.

Colocar uma pitada de sal em um copo de água e pensar que se trata da mesma coisa ou de algo melhor é um erro ainda maior. Se você fizer muitos exercícios, suar bastante, e um treinador, guru ou profissional de saúde lhe mandar pôr sal na água para se reidratar, saiba que você estará apenas se desidratando ainda mais. Acrescentar sal à água é desidratar-se em um nível profundo. O suco de aipo, por sua vez, nos *hidrata* em um nível profundo. O que você de fato precisa após fazer exercícios é tomar suco de aipo (e de mais uma fonte de calorias – reveja as "Dicas sobre a hora de beber o suco" no Capítulo 4). Isso sem mencionar que nem mesmo o melhor sal de rocha do Himalaia ou o melhor sal marinho chegam aos pés do sódio benéfico presente no suco de aipo. O suco de aipo e a água com sal são dois mundos diferentes. Em que mundo você vive?

Aliás, repito: misturar suco de aipo e água é uma péssima ideia – por serem duas coisas tão diferentes, elas se chocam. Quando se acrescenta água ao suco de aipo, os sais aglomerados de sódio se diluem e se desativam. Além disso, os oligoelementos e as enzimas, que são dois dos aspectos mais poderosos do suco de aipo no que se refere à cura, também são prejudicados. Acrescentar cubos de gelo ao suco de aipo é a mesma coisa. Embora a combinação de água e suco de aipo não faça mal algum, ela não é produtiva: não melhora o suco de aipo em nenhum nível e, na verdade, destrói a capacidade do suco de aipo de curar o corpo. Isso mesmo: interfere em todos os nutrientes do suco de aipo, desde os mais básicos, como a vitamina K, até sua variedade única de vitamina C. A distribuição desses nutrientes pelo corpo fica prejudicada, de modo que o suco de aipo não tenha nada mais a oferecer.

Outro ponto que se deve ter em mente no que se refere à água e ao suco de aipo: certas fontes dizem que só nos sentimos melhor ao beber suco de aipo porque seu conteúdo de água nos hidrata. Dizem que o bem-estar que sentimos tem pouco ou nada a ver com o suco de aipo em si. Trata-se, inadvertidamente, de um grave insulto a quem sofre de doenças crônicas. É como dizer às pessoas que estão doentes há meses ou anos, e que buscaram tantas e tantas modalidades de cura, que elas nunca pensaram em beber mais água. Manter-se hidratado é o primeiríssimo conselho que muitos recebem em tudo o que diz respeito à saúde e ao bem-estar. Esse conselho é dado por revistas, *coaches* de saúde e médicos, e todos que estão sofrendo já o ouviram. Levam sua garrafinha de água consigo para onde quer que vão e se comprometem a beber água de manhã, à tarde e à noite.

Quando essas fontes dizem que a única razão pela qual doentes crônicos voltam a viver bem com o suco de aipo é que ele lhes oferece água, isso é quase inconcebível. Denota confusão, além de falta de experiência e de compreensão em relação ao que quem sofre de doenças crônicas têm de fazer todos os dias para sobreviver. É verdade que o conteúdo de água do suco de aipo é maior que o de muitas outras fontes e que sua água hidrobioativa é, sim, benéfica. Mas não é um simples teor de água que está fazendo bem às pessoas. Se fosse, todos os que tivessem tentado aumentar a ingestão de água teriam melhorado. Poderiam ter melhorado também se tivessem prestado atenção aos FODMAPs (oligossacarídeos, dissacarídeos, monossacarídeos e polióis fermentáveis) e corrido para experimentar todas as outras dietas sob o sol. (Por falar nisso, o suco de aipo auxilia a reverter a intolerância aos FODMAPs, pois ajuda a restaurar o fígado e o trato intestinal.) Teriam melhorado depois de visitar dúzias de médicos – convencionais, funcionais e alternativos – e de gastar dezenas ou centenas de milhares de dólares na busca de respostas.

Quando essas pessoas recorrem ao suco de aipo e constatam bons resultados, não é a primeira vez que prestam atenção ao que ingerem. Não é simplesmente um sinal de que começaram a se cuidar melhor. Estamos falando de pessoas que estavam nas últimas, que já haviam tentado de tudo. Quando finalmente passam a consumir suco de aipo, constatam ser a primeira coisa que de fato começa a mudar sua vida. Essas pessoas merecem mais respeito; não merecem ouvir que sua cura foi graças somente à água.

CUMARINAS

Caso você tenha alguma preocupação com a cumarina, esqueça-a. Cada maço de aipo tem quantidades diferentes de nutrientes e compostos fitoquímicos. Um aipo cultivado em um dos lados do continente terá uma quantidade bem maior ou bem menor de certos compostos quando comparado ao aipo cultivado no outro lado. O aipo pode variar até de sítio para sítio, de campo para campo, de estação para estação, de dia para dia. Se estava chovendo ou não, se foi usada água de poço para irrigação, se havia sol suficiente, se o tempo estava mais frio ou mais quente, se o aipo foi plantado no começo ou no fim da estação – tudo isso afeta o conteúdo de cada maço de aipo, mesmo que dois maços tenham sido plantados bem próximos um do outro. Tudo isso é perfeitamente natural.

No que se refere às cumarinas, não é possível determinar com exatidão quantas delas há em um copo de 480 ml de suco de aipo. As cumarinas não são tóxicas para o corpo. A medicina e a ciência acreditam que as cumarinas em outros alimentos podem inclusive estimular os glóbulos brancos e defender-nos contra o câncer. (As cumarinas no suco de aipo não foram estudadas.) A verdade é que esses benefícios são dados quando os vários componentes de um alimento trabalham juntos, em simbiose, e não só pelas cumarinas. Também é assim que as coisas funcionam com o suco de aipo: o que nos dá apoio é toda a composição do suco. Cada componente de um copo de suco de aipo trabalha em simbiose e em sinergia com os outros para ajudar a reparar e restaurar, em todos os níveis, um sistema imunológico que está em frangalhos. Isso inclui reconstruir, reabastecer e rejuvenescer todos os tipos de glóbulos brancos – neutrófilos, basófilos, monócitos, células T e outros linfócitos. Embora os componentes do suco de aipo trabalhem juntos para fazer isso, uma das maiores contribuições é a dos sais aglomerados de sódio, os quais destroem vírus, pois desse modo a carga viral diminui e o sistema imunológico pode se restabelecer e se recuperar com rapidez. Os sais aglomerados também matam os vírus que causam o câncer.

As cumarinas, de modo específico, reparam e restauram as células epiteliais danificadas na derme e têm a capacidade de proteger a pele contra as toxinas. Ajudam a prevenir as doenças de pele, a formação de cicatrizes e até o câncer de pele. Quase todas as cumarinas que consumimos vão para a pele – uma verdade que a medicina e a ciência ainda não descobriram. Uma vez que viajar para outros órgãos não é a atividade principal das cumarinas, a ideia de que as cumarinas do suco de aipo possam lesionar o fígado ou até fazer baixar o índice de glicose no sangue é totalmente infundada. Quando você bebe seus 480 ml de suco de aipo, as cumarinas contidas nele são direcionadas, em sua maioria, para a sua pele.

EFEITO DIURÉTICO

Será que o suco de aipo tem efeito diurético? Ele tem um efeito extremamente brando, seguro e saudável, de modo que não deve ser evitado por esse motivo. Não é como o efeito forte e agressivo do café, do chá preto, do chá verde ou do álcool. Já vi inúmeras pessoas, cujos médicos lhes mandaram evitar diuréticos, continuarem a consumir chá verde, por acreditarem que ele faz bem à saúde. O suco de aipo não é mais diurético que a salsinha, o espinafre, a maçã e muitas outras frutas e hortaliças de que precisamos para nosso bem-estar. O suave efeito desintoxicante que ele tem se deve aos oligoelementos – pois qualquer coisa com tanto conteúdo mineral vai encorajar seu organismo a eliminar água, ainda mais porque os oligoelementos tendem a se ligar a toxinas.

No suco de aipo, os oligoelementos estão ligados aos sais aglomerados de sódio, e são os sais aglomerados que se apegam às toxinas. Quando isso acontece, o corpo usa suas reservas de água para enviar essas toxinas para fora: os sais aglomerados de sódio levam as toxinas para o rim e a bexiga a fim de eliminá-las. Tudo isso beneficia você e é muito diferente do modo de funcionar dos diuréticos, modo que não é saudável. Se ainda acha que o suco de aipo é diurético demais para você, procure bebê-lo em quantidade bem pequena ou mastigue um talo de aipo e cuspa fora a polpa para engolir um pouquinho de suco. Embora isso não lhe dê os benefícios que o suco de aipo consumido em grande quantidade oferece, você irá aproveitar seus poderes de cura em uma escala menor, um pouco mais difícil de reconhecer.

ELIMINAÇÃO

Se você já ouviu dizer que o suco de aipo pode fazer suas fezes saírem vermelhas, não acredite. Também não pode lhes dar a cor azul, roxa ou amarela. Se você consumir muito suco de aipo, o máximo que ele pode fazer é dar, às vezes, um leve tom verde. O suco de aipo também pode fazer o corpo eliminar detritos alimentares velhos que estavam presos no trato intestinal. Esses detritos podem ter tonalidades diversas, mas nada que se destaque por ser demasiado vibrante ou chocante.

FIBRAS

Há a preocupação de que, por separarmos e descartarmos as fibras do aipo, estaríamos perdendo parte dos benefícios da planta. Como dissemos no Capítulo 4, "Como Fazer o Suco de Aipo dar Certo para Você", o fato de passarmos o aipo pela centrífuga não o faz perder nutrientes vitais; na verdade, permite que esses nutrientes atuem. Não é possível comer todos os talos de aipo de que você precisaria para obter deles aquilo de que necessita. Isso seria, inclusive, cansativo. E esse fato não pode ser contornado pegando-se pedaços de aipo e batendo-se no liquidificador até homogeneizá-los por completo. As fibras – que, de acordo com certas fontes, são perdidas quando o aipo é passado pela centrífuga, mas mantidas quando bebemos aipo batido no liquidificador sem coá-lo – na verdade impedem que o aipo nos ajude tanto quanto poderia.

Quem não gosta da ideia de passar o aipo pela centrífuga ou pelo extrator está se baseando na teoria de que um alimento integral é sempre melhor. No entanto, as teorias sobre alimentos integrais já não valem quando falamos de um remédio fitoterápico. As fibras do próprio aipo impedem a operação de seis sais aglomerados de sódio e outros componentes. Basta pensar nos laboratórios farmacêuticos e nos herboristas: há um motivo para que eles extraiam componentes das ervas. Para fazer um remédio, nem sempre é indicado usar toda a planta. A maioria dos herboristas não pensa que, para curar certas doenças, o ideal é mastigar e engolir as ervas. Assim como fazemos com tantas outras ervas, precisamos extrair os medicamentos presentes no aipo – afinal, ele também é uma erva –, e isso significa fazermos *suco* com ele. Se os sais aglomerados de sódio, os oligoelementos e as enzimas do aipo não forem separados de suas fibras, estas os absorverão e, na prática, os consumirão.

Sugestões irrefletidas e regras inflexíveis acerca de alimentos integrais, ensinadas nas aulas e faculdades de nutrição, não têm nada a ver com a cura de sintomas e doenças crônicos por meio do suco de aipo. Não há estudos clínicos que deem apoio à tese de que o aipo é melhor quando consumido com as fibras. A verdade é que, no caso do suco de aipo, quanto mais, melhor. Além de a centrifugação do aipo dar acesso a nutrientes mais potentes, a remoção das fibras permite que você tome mais suco, e isso é essencial para seu bem-estar.

Nada disso significa que as fibras do aipo ou que seus talos não sejam benéficos. O aipo em sua forma natural é excelente. Se você comer aipo, ainda poderá obter algo de seus antioxidantes, flavonoides, folatos e vitamina C (mas não tudo), e a fibra desse vegetal tem seus benefícios. O aipo e suas fibras devem fazer parte da sua vida cotidiana. Mas *acrescente* o suco de aipo à sua rotina e desfrute-o separadamente do aipo integral que você come.

HIBRIDIZAÇÃO

Uma das teorias errôneas sobre o aipo diz que, por ser o resultado de um processo de hibridização agrícola, devemos tomar cuidado com ele. Não deixe que isso o preocupe. Os alimentos híbridos não são Organismos Geneticamente Modificados (OGM). Há muitos séculos enxertamos plantas e hibridizamos alimentos. Além disso, nem todas as variedades de aipo são híbridas; algumas são tradicionais. Nós temos o direito natural, dado por Deus, de usar os recursos que cultivamos aqui e adaptá-los para atender às necessidades de nossa sobrevivência na Terra. A hibridização é um processo natural; só o aceleramos um pouco para aproveitá-lo tendo em vista o nosso bem-estar. Quase todos os alimentos que consumimos são híbridos e, mesmo assim, contêm a nutrição e o valor que tinham há muito tempo, quando se encontravam em seu estado original de séculos ou milênios atrás.

As frutas e hortaliças híbridas, como o aipo, não são nem ácidas nem venenosas para o corpo. Aliás, pelo contrário. O suco de aipo remove os ácidos, elimina a acidose, restaura a alcalinidade do corpo, mata os germes patogênicos venenosos e remove do fígado pesticidas, herbicidas e tantas outras substâncias tóxicas.

Se uma instituição, uma fundação, um grupo ou um painel de formadores de opinião no campo da medicina alternativa chegar à conclusão de o aipo é venenoso para o corpo humano, estará cometendo um grave erro que poderá obstar a cura para bilhões de pessoas. As versões de aipo híbrido encontradas hoje em dia nos mercados orgânicos são suaves para o corpo, alcalinas, purificadoras e curativas. As variedades tradicionais são, muitas vezes, demasiado adstringentes, potentes e abrasivas. Embora não façam mal – pelo contrário, ajudam na cura –, são menos palatáveis, pois são muito mais amargas, e por isso você consome uma quantidade menor. No fim das contas, quanto mais palatável for o seu aipo, melhor, pois você beberá mais suco e receberá mais benefícios.

NITRATOS E NITRITOS

O aipo e o suco de aipo não podem conter quaisquer nitratos ativados ou nocivos, a menos que o aipo tenha se oxidado ou tenha sido desidratado. Os nitratos que ocorrem naturalmente no aipo não existem enquanto o aipo ou o suco de aipo fresco ainda não se oxidaram. Quando o aipo ou seu suco fresco se oxidam – assim como qualquer outra erva, hortaliça ou fruta –, pode se desenvolver ali um nitrato que ocorre na natureza. Lembre-se: esse nitrato natural não é nocivo jamais, de maneira alguma, e pode até ser útil. O pó de aipo e o suco de aipo em pó já oxidaram e, por isso, podem conter nitratos que se desenvolveram com o processo de oxidação. Não são danosos, porém.

Esses nitratos não são do mesmo tipo dos considerados irritantes por certas pessoas. É importante saber que nem todos os nitratos são iguais, assim como nem todas as pessoas são iguais, nem todas as águas são iguais, nem todo açúcar é igual e nem todas as proteínas são iguais. O glúten, por exemplo, é uma proteína completamente diferente da proteína da carne ou das sementes oleaginosas. Além disso, os nitratos que podem se desenvolver naturalmente em uma forma oxidada do aipo, como o aipo e o suco de aipo em pó, não são iguais aos nitratos nocivos acrescentados à carne e a mil outros produtos.

Os nitratos são diferentes dos nitritos; não são a mesma coisa. Até o aipo em pó, que contém nitratos naturais, não pode ser usado como método para curar alimentos como picles ou carne, pois não contém nitritos. O suco de aipo fresco também não os contém. Nada que ocorra naturalmente no aipo e no suco de aipo faz mal. Isso também vale para o aipo ou o suco de aipo puros em pó. A origem da confusão é a seguinte: nitritos nocivos podem ser acrescentados ao aipo ou ao suco de aipo em pó, ou ao sal de aipo, por uma empresa que o fabrica ou o usa para fazer outro produto. O aipo leva erroneamente a culpa pelos nitritos nocivos acrescentados à carne e a outros produtos – quando na verdade o que temos aí é um caso clássico de contaminação do aipo com aditivos. O suco de aipo fresco não pode conter nitrito algum, a menos que você o acrescente.

Se você não bebe suco de aipo fresco porque acredita que ele contém nitritos ou nitratos nocivos, está perdendo a oportunidade única de cura que o suco de aipo fresco – que não contém nem nitratos nem nitritos – pode lhe dar.

OXALATOS

Não se preocupe com a presença de oxalato (ácido oxálico) no suco de aipo. O mito de que certas hortaliças folhosas e ervas como o aipo têm alto teor de oxalato, sendo, portanto perigosas, é completamente errôneo. Esse mito impede um sem-número de pessoas de desfrutar dos nutrientes e propriedades curativas poderosos e necessários que podem ser fornecidos por alimentos considerados com alto teor de oxalato.

Os oxalatos não são tão preocupantes quanto se crê. Há oxalatos em absolutamente todas as frutas e hortaliças existentes no planeta. Os oxalatos diferem muito de alimento para alimento – os de uma ameixa, por exemplo, são muito diferentes dos que se encontram em um pedaço de queijo. Não há muitos financiamentos destinados a essa área de pesquisa, de modo que os médicos não sabem, na realidade, como as diferentes formas de oxalato reagem ao corpo, relacionam-se com ele e se acumulam nele. A tese de que a presença de oxalato é um motivo para termos medo do suco de aipo não se apoia em nenhuma prova, não sendo, portanto, substancial. De fato, nenhum desses alimentos nos faz mal. Antes, nos proporcionam compostos fitoquímicos, vitaminas, minerais e outras substâncias essenciais para a cura.

Os numerosos nutrientes presentes nas verduras consideradas com alto teor de oxalato, bem como no aipo, estão entre os mais benéficos a que temos acesso. A medicina e a ciência não descobriram ainda que as frutas, hortaliças, verduras e ervas contêm antioxalatos que impedem os oxalatos de fazer todo o mal que as tendências atuais afirmam que eles fazem. Os oxalatos estão em toda parte, quer o queiramos, quer não. E os antídotos a eles também. Se há um alimento que se contrapõe ao que acreditamos que os oxalatos causam, é o suco de aipo. Segundo a crença comum, os alimentos com alto teor de oxalato produzem pedras nos rins e na vesícula. Se o suco de aipo fosse mesmo preocupante nesse sentido, como ele poderia ajudar a *dissolver* pedras no rim e na vesícula? Não é o oxalato que causa problemas com o ácido úrico nos rins. São as proteínas que criam pedras nos rins e gota, pois entopem o fígado.

Também é comum haver medo em relação ao espinafre por causa dos boatos sobre oxalatos. Durante décadas vi o espinafre devolver vitalidade às pessoas, rejuvenescendo-as e ajudando-as a se recuperar de sintomas e de doenças crônicas. O espinafre cru é ainda mais seguro que o cozido e extremamente saudável. Não desconsidere poderosos instrumentos de cura, como o espinafre e o suco de aipo, por causa de teorias enganosas.

PÍLULAS DE AIPO E AIPO EM PÓ

Nunca pense que você obterá com pílulas de aipo ou aipo em pó os mesmos benefícios que obtém do suco de aipo. Embora algumas ervas e frutas possam apresentar benefícios na forma desidratada ou em pó, essas formas alternativas do aipo são puro desperdício de dinheiro e não oferecem nada do que é oferecido pelo suco de aipo. Misturar aipo em pó com água não substitui o suco em nenhum nível. Não se pode reconstituir o suco de aipo desidratado e esperar que ele funcione. Para começar, suas enzimas não estarão intactas. Além disso, os sais aglomerados de sódio do suco de aipo funcionam em simbiose com a água-viva do aipo, na qual estão suspensos. Os sais aglomerados, na verdade, também estão vivos. Essa é uma das características que distinguem os sais aglomerados de sódio do sal comum. Depois de secos, não podem nos beneficiar da mesma maneira.

Tome cuidado. Não caia na besteira de gastar dinheiro para comprar aipo em pó ou suco de aipo desidratado na esperança de misturá-los com água e obter os mesmos efeitos. Você não pode esperar que o aipo seco ou o suco de aipo desidratado cumpra as mesmas tarefas de cura que o suco fresco. É jogar dinheiro fora.

Lembre-se também de que as misturas de aipo em pó são usadas às vezes como conservante de carne. Isso produz muitas confusões sobre a presença de nitratos e nitritos no suco de aipo. Se esses sais o preocupam, leia a seção que fala deles, a partir da p. 197.

PSORALENOS

Os psoralenos são mais uma das substâncias citadas nas táticas que procuram criar medo para que o aipo não seja consumido. Esses compostos fitoquímicos, que residem em quase todas as frutas, hortaliças e ervas, são úteis para o sistema imunológico e para a cura do nosso corpo. Os psoralenos presentes no aipo são inofensivos. Não criam sensibilidade ao sol nem dermatite. Diferentemente, os psoralenos do suco de aipo nos ajudam a nos livrar dessas e de outras doenças de pele, como você viu no Capítulo 3.

SÓDIO

Como já vimos, o sódio do aipo não é o mesmo sódio presente em outros produtos alimentares nem mesmo o presente em sais de alta qualidade, como o sal do Mar Celta e o sal de rocha do Himalaia. Nossa sociedade não se notabiliza pelo baixo consumo de sal; pelo contrário, vivemos mergulhados em sal em nossa vida cotidiana. Embora haja quem tome cuidado com isso, trata-se de uma minoria. A maioria dos restaurantes no mundo inteiro usa sal. Se você nunca tivesse provado comida com sal na vida e, de repente, experimentasse um lanche processado, ficaria chocado com a quantidade de sal que colocamos no alimento. Neste momento, somos uma cultura "salgada".

Para onde vai todo o sal que você come? Será que ele sai do corpo com a mesma facilidade com que entrou? De maneira alguma. Até o sal *premium* de um pote de molho orgânico ou dos mais saudáveis biscoitos desidratados ou de um *mix* de castanhas acaba se armazenando no fundo das células e dos órgãos e ali se cristaliza. O sal se aloja particularmente no fígado, pois o fígado o absorve da corrente sanguínea a fim de evitar que fiquemos doentes com o alto consumo de sal, que faz parte da vida cotidiana da imensa maioria das pessoas. O sal permanece no fígado por anos e anos e, se não limpamos o fígado, acaba se tornando tóxico. Quem se preocupa com o sódio no aipo deveria, antes, se preocupar com a quantidade imensa de sal presente nos alimentos processados, nos pratos dos restaurantes e até na culinária doméstica.

O sódio do suco de aipo é um alívio em relação a tudo isso. Proporciona um sódio que não apenas não nos faz mal, como nos faz bem. Quando algumas pessoas se preocupam com o sódio do suco de aipo, estão confessando que ignoram tudo a respeito do aipo. Trata-se de uma suposição cega, não corroborada por nenhuma pesquisa científica. Na verdade, o sódio do suco de aipo ajuda a soltar e desintegrar os depósitos tóxicos de cristais de sódio presentes no fígado e em outras partes do corpo – pois o sódio do aipo é diferente. Os sais aglomerados de sódio do suco de aipo expulsam os depósitos tóxicos de sódio do corpo, pois se ligam ao sódio tóxico e o levam embora. Além disso, o sódio do suco de aipo é o que nosso sangue mais precisa e mais é capaz de usar. Os neurotransmissores abundam nesse tipo de sódio, que é ligado aos minerais e oligoelementos de que mais precisamos.

Lembre-se do que leu no Capítulo 2: em vez de conter elementos dos neurotransmissores na forma de eletrólitos parciais, como ocorre com outros alimentos – minerais que chegam até os neurônios por mero acaso, dependendo do que se come e bebe –, o suco de aipo é o único alimento do planeta que fornece eletrólitos completos, ativados e vivos. Até a água de coco, uma grande fonte natural de eletrólitos, só os oferece aos pedaços. Isso também vale para bebidas eletrolíticas artificiais: os fabricantes acrescentam minerais a essas bebidas com base em meras teorias da ciência da nutrição, que considera que tais minerais poderão ajudar a formar eletrólitos viáveis. Esses produtos sequer são vendidos para ajudar os neurônios. Em vez disso, o que ouvimos são afirmações genéricas: "é bom para o corpo" e "precisamos de eletrólitos". O suco de aipo não somente ajuda a construir as substâncias químicas neurotransmissoras pedaço por pedaço, para apoiar os neurônios, como oferece substâncias químicas neurotransmissoras completas, que já vêm montadas para dar nova ignição aos neurotransmissores enfraquecidos e oferecer o máximo alívio aos neurônios. Quando a eletricidade flui, ela pode fluir com liberdade. O sódio do suco de aipo, que ocorre naturalmente, é um dos principais fatores desse processo.

Como eu disse, nem todas as águas são iguais e nem todos os açúcares são iguais. Vamos acrescentar mais um alimento a essa lista: nem todos os sais são iguais.

SUBSTÂNCIAS GOITROGÊNICAS

Os compostos goitrogênicos são encontrados em algumas hortaliças, ervas e frutas. O aipo não é uma delas. (E, de qualquer modo, não devemos temer as substâncias goitrogênicas. Esse conceito foi apresentado de maneira muitíssimo exagerada – veja mais a respeito em *Tireoide Saudável*.) Qualquer menção a substâncias goitrogênicas, quer em relação ao suco de aipo, quer em outros contextos, é mera tática para criar medo, que impede as pessoas de obterem a cura de que precisam.

TÁTICAS PARA GERAR MEDO NO FUTURO

Os rumores que vimos até aqui são relativamente insignificantes. Prepare-se. Diante da imensa revolução de cura que o suco de aipo está operando em todo o mundo, prevejo, para o futuro, um ataque maior sobre o suco de aipo, que supera em muito as centenas de formas menores de dúvida e negação que dizem que ele não faz nada de bom para ninguém. Quando uma força cura as pessoas nesse grau, em nível global – reduzindo as hospitalizações e ajudando os indivíduos a se recuperar mais rápido de gripe, intoxicação alimentar, doenças mentais e sintomas e doenças crônicos normalmente tratados com remédios –, e quando a medicina e a ciência não são donas dessa força e as indústrias não têm meios para ganhar dinheiro com ela, está aberto o caminho para tentativas de sabotagem.

Quando virá esse ataque maior? Quem o iniciará? Não sei. Isso depende do livre-arbítrio. Sei que essa emboscada está a caminho. Essa tentativa de minar o poder do suco de aipo poderá tomar muitas formas. A primeira armadilha já foi instalada, na forma de um rumor discreto de que o excesso de suco de aipo faz mal. Quando este livro for publicado, uma autoridade ou uma indústria poderá já ter se apresentado para perpetuar a ideia de que devemos nos limitar a consumir um talo de aipo por dia, com pasta de amendoim ou em um suco com muitas outras hortaliças. (A recomendação da pasta de amendoim, aliás, só serve para dar apoio à tendência de alto consumo de gorduras. Se você quiser saber por que isso não faz bem a ninguém, leia *Fígado Saudável*.) É provável até que um documento seja divulgado afirmando que um estudo a respeito foi realizado. Esse documento alertará a todos para não consumirem suco de aipo, e ninguém perceberá que esse projeto terá sido financiado somente para produzir grande preocupação.

Outra tática em que muitas pessoas cairão é a confusão sobre relatos empíricos e provas informais, sobre a qual falamos no final do Capítulo 6, "Respostas a Perguntas sobre Cura e Desintoxicação". Essa voz aparentemente racional, que diz que a cura de pessoas deve ser examinada cientificamente para ganhar validade e credibilidade, tenderá a se tornar cada vez mais alta, assumindo ares de mensagem protetiva e lógica, e será modulada de modo a dar a impressão de que o movimento do suco de aipo é tolo e está em descompasso com os rigores da investigação científica. Na prática, estabelecerá parâmetros fechados para dizer o que é "cura" e o que não é, dirá que as melhoras verificadas com o consumo do suco de aipo não se encaixam nesses parâmetros e, portanto, não são reais. Com isso virá a confusão do placebo – a ideia de que todos e quaisquer benefícios obtidos pelo consumo do suco de aipo se devem unicamente ao efeito placebo. Se isso fosse verdade, o efeito placebo teria curado as pessoas há muito tempo, quando elas tivessem experimentado quaisquer outras técnicas ou dietas em sua busca infindável por saúde. Em vez de aceitar humildemente os relatos de um número cada vez maior de indivíduos que recuperam a saúde tomando suco de aipo, as fontes que falam de "informalidade" e "efeito placebo" – por mais que sejam bem-intencionadas em sua devoção à medicina estabelecida – lançarão dúvidas sobre a recuperação autêntica de um número incontável de pessoas. Essa regressão nos reconduzirá à mentalidade que predominou entre as décadas de 1950 e 1990, quando os que sofriam de doenças crônicas tinham de se esforçar para convencer seus médicos e, às vezes, até seus familiares de que estavam doentes; suas experiências eram postas em dúvida somente porque o setor médico era lento para diagnosticar ou encontrar as causas dos problemas crônicos de saúde. Essa regressão no modo de tratar quem sofre de doenças crônicas não fará bem a ninguém.

Mais tarde, pode ser que um grupo de interesse com muito dinheiro procure criar medo ao redor de um problema inventado relacionado ao suco de aipo. Talvez se trate de questões regulatórias relativas ao cultivo do aipo, por exemplo – como impostos elevados para os cultivadores de aipo, obrigando os agricultores a plantar outras espécies para conseguirem sobreviver. Pode ser um relato inventado sobre contaminação. Mesmo que o aipo em si não tenha jamais feito mal a alguém, um rumor circulado de propósito, com o intuito de criar medo, poderá correr como fogo em mato seco. Pode ser, ainda, que um ataque seja desferido contra as sementes de aipo, quer na forma de limitações oficiais ao fornecimento de sementes, quer na forma da criação de sementes geneticamente modificadas com o objetivo de prejudicar o aipo não contaminado. Sejam quais forem a forma e o momento de sua ocorrência, lembre-se de minhas palavras: o ataque injusto vem aí.

Digo tudo isso para prepará-lo, não para amedrontá-lo. Se estiver preparado, você poderá ser forte. Quando essas mensagens forem divulgadas de propósito com o intuito de causar medo e levá-lo a abandonar o consumo do suco de aipo, fique firme. Pense nas décadas de história durante as quais o suco de aipo tem trabalhado para fazer pessoas avançarem no caminho da cura. Olhe para a história que está sendo construída hoje em dia. Há pessoas vivas hoje que têm certeza de que estariam mortas se não fosse pelo movimento do suco de aipo. Pondere tudo isso diante das mensagens alarmistas.

Como o suco de aipo não é uma simples moda, não poderá extinguir-se. Também não cairá no abismo do "Alguém realmente sabe se isto funciona?", em que tantas tendências de saúde acabam desaparecendo. (A maioria das tendências que não desaparecem é mantida viva pelo financiamento contínuo de investidores.) Quaisquer que forem as táticas usadas para minar sua confiança no suco de aipo, lembre-se: o suco de aipo funciona. Isso está evidente para todos. Não deixe que nada abale sua confiança na cura que você experimentou consumindo suco de aipo. À medida que os anos forem passando e os rumores forem circulando, aprenda a pô-los de lado com um sorriso e a sentir pena daqueles que os perpetuam. O que eles não percebem é que seu próprio medo, o ceticismo ou o temor da competição os impede de viver um milagre de cura da nossa época.

Os que zombam do suco de aipo, considerando-o uma tolice, não sabem quão datado é o próprio pensamento. Do mesmo modo, as fontes que perpetuam desinformações sobre o suco de aipo não percebem que não estão adotando uma posição tão sábia quanto imaginam. Não percebem que, manchando publicamente a imagem do suco de aipo – ignorando o fato de que o aipo é uma erva, por exemplo, e afirmando que nenhuma hortaliça pode ser tão benéfica –, estão se fechando dentro de um ponto de vista já datado. Estão documentando para a história seu ceticismo quanto a um movimento de cura que vem se mostrando maior do que qualquer pessoa poderia imaginar. As dúvidas deveriam ter sido declaradas em 2015, quando meu primeiro livro, *Médium Médico*, foi publicado com uma seção sobre o suco de aipo. Anos se passaram e, agora que o suco de aipo se tornou uma febre em todo o mundo, já é tarde para dizer que ele não funciona. As tentativas de desacreditar o suco de aipo, mesmo que deem certo por algum tempo, só tendem a se tornar cada vez mais datadas.

Se você começar a acreditar nas dúvidas sobre o suco de aipo, lembre-se do seguinte: quando alguém se opõe ao suco de aipo, o que se deve entender é que essa pessoa está completamente perdida. Se ela parasse um pouco para pensar e consultar seu coração, é impossível que quisesse desacreditar pessoas que, depois de meses ou anos de sofrimento, conseguem agora sair da cama, cuidar dos filhos ou voltar a ganhar a vida, tudo graças ao suco de aipo. Os negadores não são pessoas sem compaixão. Apenas estão no meio de uma busca, e acabaram se perdendo nessa busca pela verdade da vida. Já você se encontrou – encontrou a verdade do suco de aipo, e a verdade do suco de aipo o encontrou. Com essa verdade, você pode mostrar o caminho a outros buscadores.

CAPÍTULO 8

Mais Orientações para a Cura

O suco de aipo pode ajudar a curar inúmeras doenças rapidamente. Além disso, ele existe fora de todos os sistemas de crença relacionados à alimentação e é imune a eles. Está acima deles. Uma das principais razões disso é que o aipo é uma erva e o suco de aipo é um remédio fitoterápico. Qualquer que seja a dieta que você adote, pode usar o suco de aipo.

Por outro lado, serei o primeiro a lhe dizer que o suco de aipo sozinho não é o melhor nem a resolução de todos os problemas para muita gente. Ele pode solucionar sintomas como um refluxo gastroesofágico brando. Com o suco de aipo, a azia de alguém pode desaparecer para sempre. Mas, em outros casos, o melhor será o suco de aipo como *parte de um conjunto* de protocolos de cura. Por mais poderoso que seja o suco de aipo, ele é um de muitos instrumentos que eu recomendo.

As coisas, às vezes, são bem confusas por aí. Quando a comunidade de O Médium Médico começou a divulgar o suco de aipo, sua popularidade foi observada por formadores de opinião que nunca tinham sequer ouvido falar desses livros. O suco de aipo foi usado para construir plataformas que não identificam a sua origem – uma origem que fornece outras informações essenciais para restaurar a saúde de quem sofre de doenças crônicas. O suco de aipo foi usado para conseguir curtidas nas redes sociais. Às vezes, esse tipo de atitude desanimadora denota falta de compaixão pelos doentes. Às vezes, é uma atitude tomada por formadores de opinião que estão animados com o suco de aipo – o que considero uma coisa boa – mas sequer percebem que estão deixando de lado algumas peças fundamentais do quebra-cabeças. De um jeito ou de outro, essa popularidade desenfreada fez com que a *hashtag* "suco de aipo", acompanhada por fotos de um verde vibrante, tenha ganhado o mundo sem fazer referência às demais informações de cura que deveriam acompanhá-la.

É aí que reside a confusão. Alguém que esteja sofrendo de supercrescimento bacteriano no intestino delgado, por exemplo, e começa a beber suco de aipo após ver uma postagem popular na internet pode acabar percebendo que seus problemas intestinais não estão se curando com a rapidez que gostaria. Isso é porque a fonte que recomendou o suco de aipo não lhe transmitiu as diretrizes dietéticas adequadas – ou chegou mesmo a dar sugestões errôneas, como a de comer muitos ovos, os quais, na verdade, alimentam o supercrescimento bacteriano e acabam impedindo a cura. Essas contradições diluem a mensagem do suco de aipo. Podem dar a quem experimenta o suco de aipo a impressão de que ele é somente mais uma promessa vazia – porque, ao mesmo tempo que introduz o suco de aipo em sua vida, segue orientações que mandam consumir generosas quantidades de alimentos como caldo de mocotó, manteiga orgânica e café, e isso atrasa a cura. É verdade que, mesmo comendo coisas que podem alimentar as bactérias que causam o supercrescimento bacteriano no intestino delgado ou os vírus que causam outra doença qualquer, o consumo contínuo do suco de aipo pode, no mínimo, impedir que a doença piore ou pode promover melhoras em outras áreas da saúde de quem o consome. Não é tudo ou nada. Se o suco de aipo não está fazendo por você tudo o que você queria, não desista dele. Consulte as informações a seguir para que ele funcione ainda melhor. Uma mãe que está lutando para pagar as contas, manter-se viva na carreira ou cuidar dos filhos ao mesmo tempo em que convive com um novo diagnóstico de esclerose múltipla, síndrome de fadiga crônica ou doença de Lyme pode perder cinco anos de sua vida por abandonar o suco de aipo. O ideal seria que alguém tivesse lhe dito quais alimentos evitar, em quais receitas se apoiar, os suplementos corretos a tomar e as tendências que ela deveria evitar para que o suco de aipo pudesse lhe provar o seu valor.

Se você quer obter resultados melhores do que os que vêm obtendo com o suco de aipo, pode consumi-lo e, ao mesmo tempo, aplicar à sua vida as orientações de cura adicionais da série de O Médium Médico. Foi isso que tantos leitores antes de você fizeram para melhorar de situação. Em regra, os que sofrem de doenças mais sérias e crônicas precisam de ambas as coisas. Pelo fato de essas informações virem da mesma fonte de onde provém o suco de aipo, tudo trabalha junto para proporcionar uma recuperação mais avançada. Aplaudo qualquer pessoa que tenha a coragem de reconhecer a fonte do suco de aipo. Aplaudo a quem tenha a coragem de defender os que sofrem de doenças crônicas e reconhecer as demais informações de cura que provêm da mesma fonte.

Conhecer as causas dos problemas de saúde é um elemento que contribui para fazer você avançar no caminho da cura. Foi por isso que falei dos sintomas e de suas causas no Capítulo 3 (e em toda a série O Médium Médico). Quando as pessoas não sabem que um vírus ou outra causa oculta é a razão de seu sofrimento, e não sabem o que pode alimentar ou eliminar essa causa oculta, muitas vezes acabam abandonando o suco de aipo cedo demais. Com isso, perdem uma oportunidade de ouro.

DICAS DE DIETA

Quando alguém diz "tenho de pôr minha dieta em ordem", o que isso significa na prática? Há tantas definições de alimentação saudável hoje em dia que, às vezes, parece impossível determinar quais alimentos devemos pôr no prato e quais devemos descartar. Há algumas respostas óbvias: procure evitar alimentos fritos e sobremesas gordurosas e coma mais hortaliças e verduras. E as frutas? Esse é um tópico controverso, mas a verdade é: não tenha medo delas. Os nutrientes que as frutas fornecem são essenciais para a cura. (Se isso não é suficiente para que você se sinta autorizado a consumi-las, leia o capítulo "O Medo das Frutas" em *Médium Médico*.)

Seja qual for o seu sistema de crenças em relação à alimentação, eis uma dica para apoiar o trabalho que o suco de aipo realiza em seu corpo: diminua em 50 por cento a quantidade de gordura que consome em sua dieta e aumente a quantidade do que chamo de carboidratos limpos essenciais para encher o estômago. Os carboidratos limpos essenciais são, entre outros, frutas frescas, batata, batata-doce, abóbora e até mingau de aveia.

Se sua dieta é à base de vegetais, para diminuir o consumo de gordura é preciso diminuir a quantidade de sementes oleaginosas, pasta de amendoim, outras manteigas de oleaginosas, óleos, abacate, coco e azeitona. Se a sua dieta é mais focada em produtos de origem animal, procure comer menos carne de vaca (mesmo que as vacas sejam criadas fora do estábulo e alimentadas no pasto), frango, peru e peixe, reduzindo também as gorduras de origem vegetal. Procure evitar totalmente leite e laticínios, carne de porco e ovos (falaremos mais sobre isso logo mais à frente). Seja qual for a sua preferência alimentar, procure cortar pela metade o consumo de gordura. Ingira gordura somente uma vez por dia, por exemplo, em vez de duas ou três vezes, ou espere até a hora do almoço ou depois para ingerir gordura. Na ausência de gordura, coma mais carboidratos limpos essenciais para se nutrir e encher o estômago. Também coma mais verduras, como espinafre, alface-de-cordeiro, alface -lisa e outras alfaces, misturas de alfaces, rúcula, dente-de-leão, mostarda e couve.

Essas atitudes são essenciais para quem quer que as propriedades fitoterápicas do suco de aipo sejam ainda mais capazes de reduzir os sintomas e melhorar a saúde. São também apenas algumas recomendações que vêm da série O Médium Médico. Às vezes, você ouvirá falar do "protocolo Médium Médico". A verdade é que não há um protocolo único. Há vários protocolos que você pode adaptar à sua situação, usando o conhecimento que tem de sua própria saúde para escolher o que usar. Para ter um entendimento mais avançado de como (e por que) comer considerando o problema de saúde específico que você tem, leia os outros livros da série O Médium Médico.

DESINTOXICAÇÃO DE METAIS PESADOS

Os metais pesados tóxicos são um dos principais motivos pelos quais há tantas doenças no mundo de hoje. É imperativo aproveitarmos a oportunidade para eliminar esses metais pesados – mercúrio, alumínio, cobre, chumbo, cádmio e níquel – do nosso corpo, sobretudo do cérebro e do fígado. A Vitamina para Desintoxicação de Metais Pesados é muito eficaz para acompanhar o suco de aipo nessa missão, dando ainda mais apoio ao trabalho do suco no processo de cura.

(Não que você deva beber a vitamina ao mesmo tempo que o suco de aipo – como sempre, o suco deve ser desfrutado separadamente de todos os outros alimentos e bebidas. Como vimos no Capítulo 5, "A Limpeza do Suco de Aipo", essa vitamina é um excelente café da manhã a ser tomado de 15 a 30 minutos depois do suco de aipo.)

A receita da Vitamina para Desintoxicação de Metais Pesados não foi criada ontem. Ela é usada há muitos anos na comunidade O Médium Médico e tem um poderoso histórico de eficácia. É um dos principais elementos que explicam como as pessoas encontram a cura – ajudou a reverter muitas doenças e a mudar muitas vidas. Os ingredientes da vitamina trabalham juntos, em segurança e de modo único, para eliminar os metais pesados tóxicos dos órgãos e retirá-los do corpo. Isso nada tem a ver com outras modalidades de desintoxicação de metais pesados que têm sido usadas ao longo dos anos, métodos que captam os metais que circulam por seu organismo e depois os abandonam em qualquer lugar, de qualquer jeito, criando problemas adicionais. Os cinco ingredientes fundamentais da Vitamina para Desintoxicação de Metais Pesados – mirtilo selvagem, coentro, pó de suco de folha de cevada, espirulina e alga *dulse* (*Palmaria palmata*) – atuam como uma equipe, desalojando, extraindo e eliminando de modo responsável os metais pesados tóxicos até que saiam completamente do corpo. Você encontrará mais informações sobre esse trabalho de desintoxicação em equipe nos livros *Médium Médico* e *Tireoide Saudável*.

Vamos, agora, passar a receita para que você possa se unir ao número cada vez maior de pessoas que descobriram o poder da Vitamina para Desintoxicação de Metais Pesados:

RECEITA DA VITAMINA PARA DESINTOXICAÇÃO DE METAIS PESADOS

1 porção

Você vai precisar de:

2 bananas

2 xícaras de mirtilo selvagem

1 xícara de coentro

1 colher (chá) de pó de suco de folha de cevada

1 colher (chá) de espirulina

1 colher (sopa) de alga *dulse*

1 laranja

1 xícara de água

Misture a banana, o mirtilo, o coentro, o pó de suco de folha de cevada, a espirulina e a alga *dulse* com o suco de uma laranja, em um liquidificador de alta velocidade, e bata até homogeneizar. Se preferir uma consistência mais fina, acrescente uma xícara de água. Sirva e aproveite!

ALIMENTOS IMPRODUTIVOS

Há alguns tipos de alimento que você deve evitar por completo se quiser ter a melhor cura possível. Isso nada tem a ver com um sistema de crenças que separe os alimentos em "bons" e "ruins"; é só que alguns deles alimentam vírus e bactérias. Além disso, impedem o suco de aipo de funcionar tão bem quanto poderia. Se você não puder viver sem comer esses alimentos, ainda assim pode beber suco de aipo sem fazer essas mudanças. Mas procure eliminar apenas um ou dois deles e veja o que acontece a partir daí. Você perceberá melhoras em sua saúde. Mas, se estiver em busca de melhoras realmente significativas, procure cortar todos esses alimentos e ingredientes. Assim, o suco de aipo funcionará ainda melhor. Evitando-os, você minimiza os estorvos que podem atingir os compostos fitoquímicos do suco de aipo, os quais são essenciais para a cura.

- Ovos
- Leite e laticínios (queijo, manteiga, creme de leite, iogurte, kefir, ghee, proteína do soro do leite)
- Glúten
- Vinagre (inclusive o de maçã)
- Levedura nutricional
- Alimentos fermentados
- Soja
- Milho
- Alimentos à base de carne de porco (*bacon*, linguiça, presunto)
- Óleo de canola
- Aromatizantes naturais

ERVAS E SUPLEMENTOS

Experimentar suplementos fitoterápicos é um passo opcional que se soma aos conselhos dietéticos indicados acima. Você não precisa se perder no País dos Suplementos se não quiser – beber suco de aipo, diminuir o consumo de gorduras e aumentar o de carboidratos limpos essenciais e de verduras são atos que o ajudarão a vencer todos os seus problemas. Os suplementos são para os que estão em busca de algo mais, porque sua situação o desconcerta tanto quanto a seus médicos. Em *Médium Médico*, *Tireoide Saudável* e *Fígado Saudável*, você encontrará um tesouro de opções de suplementos para sintomas e doenças específicos.

A todo momento me perguntam: qual é a forma mais eficaz de um determinado suplemento? Por acaso a forma do suplemento importa? A resposta é: importa muito.

Há diferenças sutis, e às vezes cruciais, entre os diversos tipos disponíveis de suplementos, que podem afetar a rapidez da morte dos vírus e bactérias ou mesmo se eles morrem ou não; se o sistema nervoso central se reconstitui ou não e com que rapidez; a rapidez com que as inflamações se reduzem; e quanto tempo leva para que os sintomas desapareçam e as doenças se curem. A variedade de suplemento que você escolhe pode garantir ou impedir seu progresso. Muitas tinturas de ervas, por exemplo, contêm álcool, que altera os compostos fitoquímicos das ervas, alimenta patógenos como o vírus de Epstein-Barr e todas as formas de bactérias improdutivas e ainda mata as bactérias boas que vivem no trato intestinal. Para acelerar a cura, você precisa dos suplementos corretos. Por essas razões, que são muito importantes, ofereço em meu site, em inglês, (www.medicalmedium.com) uma lista das melhores formas de cada suplemento que recomendo. Se você quiser o melhor pó de suco de folha de cevada, por exemplo, ou a melhor espirulina ou a melhor vitamina C que existem no mercado, as encontrará na lista.

APOIO AOS SAIS AGLOMERADOS DE SÓDIO

Um intestino limpo e saudável e um fígado limpo e saudável ajudam os sais aglomerados de sódio do suco de aipo a chegar com mais eficácia ao cérebro, à pele e a outras regiões longínquas do corpo. Como ficar com o intestino e o fígado limpos e saudáveis? Com o uso, por um longo período, do suco de aipo e de outros protocolos O Médium Médico – as duas coisas juntas, pois uma ajuda a outra. Esse é um dos motivos pelos quais as pessoas que usam os ensinamentos desta série para melhorar sua dieta, reduzindo a quantidade de gorduras e aumentando a de frutas, batata, batata-doce, abóbora e verduras, muitas vezes constatam que o suco de aipo começa a funcionar ainda melhor para elas: a mudança de dieta ajudou-as a reduzir os patógenos, o muco, as gorduras rançosas e as toxinas no fígado e no intestino – e isso abriu o caminho para que o suco de aipo se desincumbisse melhor de sua tarefa. Com isso, essas pessoas se sentem cada vez melhor.

Por outro lado, aqueles que tendem a buscar as opções "saudáveis" tradicionais, como manteiga no café, *shakes* proteicos e ovos, podem estar inadvertidamente alimentando vírus como o do herpes-zóster, o de Epstein-Barr, o citomegalovírus e o VHH-6, que estão escondidos no fígado ou em outras partes do corpo. É por isso, também, que pacientes cujo fígado está muito intoxicado – o que produz uma corrente sanguínea suja e mais grossa, cheia de gordura, e aumenta enormemente a quantidade de detritos velhos e apodrecidos, gorduras rançosas e bactérias no intestino – e experimentam o suco de aipo pela primeira vez podem perceber que ele provoca uma espécie de choque em seu organismo. O suco de aipo induz uma rápida resposta de cura, quando seus sais aglomerados de sódio matam bactérias improdutivas, leveduras, fungos tóxicos e vírus e podendo produzir, assim, um rápido acesso de diarreia. Ao mesmo tempo, o suco de aipo está dissolvendo as gorduras rançosas que revestem internamente o trato intestinal, e isso pode causar um certo refluxo gastroesofágico, pois o suco é o instrumento de cura mais poderoso que essa pessoa já consumiu até então.

À medida que o suco de aipo começa a funcionar e esse paciente o ajuda, mudando a dieta, o fígado se torna cada vez mais limpo e começa a sair da estagnação. O revestimento interno do intestino sofre uma limpeza, as cargas patogênicas de vírus e bactérias se reduzem, e o sangue não está mais tão grosso e cheio de gorduras e venenos. Quando essa pessoa também toma a Vitamina para Desintoxicação de Metais Pesados, o índice de metais pesados tóxicos no organismo se reduz. Quem alcança esse estágio de cura encontra-se na situação em que os sais aglomerados de sódio podem realizar seu trabalho de maneira mais eficaz.

Uma das missões mais importantes dos sais aglomerados de sódio é ligar-se a nutrientes e levá-los ao cérebro e a outras partes do corpo. Temos de imaginar os sais aglomerados de sódio como uma caravana que vai deixando seus membros ao longo do caminho. A diferença é que, em vez de levar pessoas, a caravana dos sais aglomerados de sódio pode transportar e entregar os mais diversos minerais e outros nutrientes e compostos químicos dos alimentos. No entanto, se você não tiver muita glicose em sua corrente sanguínea, isso não poderá acontecer. É por isso, entre outras coisas, que é importante ter carboidratos limpos essenciais na dieta. Frutas, batata, batata-doce e abóbora nos dão glicose de alta qualidade – e essa glicose, como os sais aglomerados de sódio do suco de aipo, liga-se aos compostos químicos e impulsiona caravanas inteiras de nutrientes ligados aos sais aglomerados de sódio pelo corpo afora, aprofundando-se nos tecidos e células, inclusive de órgãos que ficam nas partes mais internas do corpo.

A dieta com alto teor de gordura não é benéfica para quem quer acessar esse poderoso mecanismo de cura que o suco de aipo oferece. Se você pratica uma dieta cetogênica ou outra dieta de baixo teor de carboidratos, isso significa que sua energia provém das calorias fornecidas pelas gorduras e que as reservas de glicose estão diminuindo. Você perde, assim, a oportunidade de deixar que a glicose leve os sais aglomerados de sódio aos locais em que eles são mais necessários – e que a glicose seja a chave que abre as portas para deixar passar as caravanas de sais aglomerados levando nutrientes para todo o corpo. A boa notícia é que a maioria das dietas cetogênicas de hoje em dia incorpora açúcares, mesmo sem ninguém perceber. Ainda bem que o abacate tem uma boa quantidade de açúcares naturais, assim como as sementes oleaginosas, cujo consumo muitas dietas cetogênicas permitem. Embora as dietas deixem, com isso, de ser tecnicamente cetogênicas, pelo menos os indivíduos conseguem ter um acesso melhor ao que o suco de aipo pode lhes oferecer. Seja qual for a dieta que você siga, ou mesmo que não siga dieta nenhuma, a redução das gorduras fará tudo isso dar ainda mais certo.

Uma caravana de sais aglomerados de sódio tende a entregar rapidamente os nutrientes que ela conduz, deixando-os no fígado ou na corrente sanguínea. Certos aminoácidos e minerais têm mais poder de fixação e podem pegar carona com os sais aglomerados de sódio até o cérebro. No entanto, nem sempre esses aminoácidos e minerais estão presentes em nossa dieta, especialmente se nossas misturas de alimentos não são tão saudáveis. Esse é outro motivo pelo qual é do nosso interesse não limitar os passos de cura que adotamos em nossa vida ao suco de aipo. Se tomarmos o cuidado de incorporar uma variedade de frutas, carboidratos limpos essenciais, hortaliças, verduras e ervas em nossa dieta de forma geral, estaremos proporcionando aos sais aglomerados de sódio do suco de aipo mais nutrientes que podem ser levados aos tecidos do cérebro (e de outros órgãos), o que pode melhorar as mais diversas doenças. As substâncias químicas neurotransmissoras serão estimuladas, e o ritmo de morte das células cerebrais pode diminuir.

Se os deixarmos trabalhar, os sais aglomerados de sódio podem se tornar um elemento essencial da nossa existência. Eles contêm seu próprio universo de vida que se une à nossa vida, ajudando a sustentar-nos em longo prazo aqui na Terra.

"O suco de aipo é simples, é real e funciona de verdade, tendo somente boas intenções por trás de si.
Com isso, ele tende a evidenciar que outros 'remédios' populares não são tão puros, eficazes e éticos."

— Anthony William, o Médium Médico

CAPÍTULO 9

Alternativas ao Suco de Aipo

O que fazer se você não encontra aipo nem suco de aipo ou não pode ingerir aipo? Primeiro passo: não entre em pânico. Isso acontece. Com tanta gente fazendo suco de aipo, tornou-se relativamente comum o aipo se esgotar nos mercados devido à alta procura. Acontece de o aipo estar na entressafra ou de os produtores não conseguirem cultivá-lo em quantidade suficiente para atender às encomendas. Às vezes, o mau tempo ameaça as plantações. Não podemos nem culpar nossos agricultores e comerciantes nem nos desesperar por nossa saúde. Temos de dar o segundo passo: adotar uma alternativa. Quando você não tiver acesso ao suco de aipo, as receitas deste capítulo o levarão aonde você quer ir.

Se você não consegue fazer suco de aipo por estar viajando sem uma centrífuga, procure uma loja de suco perto de você antes de adotar estas alternativas. Talvez uma loja de produtos naturais prepare o suco para você. Se isso não funcionar, quem sabe você possa, pelo menos, comprar alguns talos de aipo para mastigá-los ou talvez levar alguns consigo. Embora não tenham a mesma atuação do suco de aipo, ao menos conservarão a conexão emocional e espiritual do seu corpo com essa planta e ajudarão suas células a se lembrar da experiência do suco de aipo. É um jeito de comunicar ao seu corpo que você não abandonou o suco, que só está viajando. Se estiver se sentindo realmente comprometido, pode até mastigar o aipo e cuspir fora a polpa.

Como vimos no Capítulo 4, pode ser que você tenha alergia ao aipo, de tal modo que tomar suco de aipo não seja, desde o início, uma opção para você. Nesse caso, escolha uma destas receitas para ser o elemento principal do seu protocolo de cura e se comprometa com ela como se fosse suco de aipo. Ela ainda lhe dará muitos benefícios de cura e, com o tempo, você poderá constatar que a cura do seu corpo aliviará sua alergia ao suco de aipo.

Se você não pode tomar suco de aipo ou, por algum outro motivo, não tem acesso ao suco, adote uma destas alternativas. É uma ideia consultar, também, as demais informações de cura de O Médium Médico. Se, depois de ler o capítulo anterior, você ainda quiser saber mais detalhes, leia os outros livros da série. Neles você encontrará alimentos, diretrizes dietéticas, suplementos, receitas e até meditações que tocarão seu coração e darão mais apoio ao seu corpo na ausência do suco de aipo.

Ao consultar as receitas abaixo, saiba que sua primeira escolha de elemento básico para substituir o suco de aipo é o suco de pepino puro. As mesmas diretrizes se aplicam: suco de pepino puro, não suco de pepino com maçã ou pepino com couve, por mais deliciosos que esses outros sucos sejam em outros momentos do dia; e nada de suco de pepino com vinagre de cidra ou cubos de gelo. O fundamental é o suco de pepino e só pepino. Caso você não tenha acesso ao pepino nem ao seu suco, escolha uma das outras alternativas.

RECEITA DE SUCO DE PEPINO

1 porção

O suco de pepino segue os mesmos princípios do suco de aipo: mantenha a simplicidade. Para fazer 480 ml de suco de pepino (porção para um adulto), é disto que você vai precisar:

Do que você vai precisar:

2 pepinos grandes

Como fazer:

Lave os pepinos e passe-os pela centrífuga de sua escolha. Para ter os melhores resultados, beba imediatamente, de estômago vazio.

Se você não tiver acesso a uma centrífuga, faça o seguinte:

Lave os pepinos, pique-os e bata-os em um liquidificador de alta velocidade até homogeneizar. Coe bem (um saco para coar leite de oleaginosas é bom para esse fim). Para ter os melhores resultados, beba imediatamente, de estômago vazio.

RECEITA DE ÁGUA DE GENGIBRE

1 porção

Do que você vai precisar:

2,5 a 5 cm de gengibre fresco

½ limão-siciliano (opcional)

2 xícaras (480 ml) de água

2 colheres (chá) de mel puro (opcional)

Como fazer:

Rale o gengibre na água e, se quiser, acrescente o suco de meio limão-siciliano cortado na hora. (Alternativamente, pique o gengibre em pedacinhos pequenos e esprema-os em um espremedor de alho. Remova depois a polpa do espremedor, corte-a em pedacinhos bem finos e acrescente-os à água.)

Deixe o gengibre de molho na água por pelo menos 15 minutos, idealmente mais. (Pode até deixar de molho na geladeira durante a noite.)

Coe a água. Acrescente mel puro, se desejar, e beba quente, frio ou à temperatura ambiente, de estômago vazio.

DICA

- Se não quiser ralar o gengibre, corte-o em pedaços pequenos e esprema-os em um espremedor de alho, que atuará como uma pequena centrífuga. Não deixe, depois, de tirar a "polpa" do espremedor, cortá-la em pedacinhos bem finos e acrescentá-los à água.

RECEITA DE ÁGUA DE BABOSA

1 porção

Do que você vai precisar:

Um pedaço de 5 cm de folha de babosa fresca
2 xícaras (480 ml) de água

Como fazer:

Esta receita faz uso de uma folha larga de babosa. Se você mesmo planta a babosa e ela tem folhas menores e mais finas, use um pedaço maior. De um jeito ou de outro, não use a base amarga da folha.

Abra cuidadosamente o pedaço de folha de babosa como se fosse um filé de peixe e retire a casca verde com seus espinhos. Com uma colher, recolha o gel transparente e coloque-o no liquidificador.

Acrescente a água ao liquidificador e bata por 10 a 20 segundos, até que o gel de babosa esteja totalmente dissolvido na água. Para obter os melhores resultados, beba imediatamente, de estômago vazio.

DICA

- É possível encontrar folhas frescas de babosa em muitas lojas de ervas ou de produtos naturais.

RECEITA DE ÁGUA DE LIMÃO-SICILIANO OU LIMÃO COMUM

1 porção

Do que você vai precisar:

½ limão-siciliano ou limão comum
2 xícaras (480 ml) de água

Como fazer:

Esprema o sumo de meio limão-siciliano ou limão comum diretamente na água. Beba de estômago vazio.

DICA

- O limão-siciliano e o limão comum não se estragam facilmente. Quando você estiver viajando, longe da sua cozinha, leve consigo alguns limões para desfrutar desse tônico refrescante mesmo fora de casa.

"Apesar do que dizem os que nunca tiveram uma doença grave, as pessoas estão melhorando. (...) Apesar do que dizem as almas perdidas que não compreendem isso, milhões de pessoas estão se curando, assumindo o controle da própria vida e testemunhando milagres. Estão descobrindo que isso não é um sonho. É real."

— Anthony William, o Médium Médico

CAPÍTULO 10

Um Movimento de Cura

E se milhões de pessoas tivessem estado presas por meses, anos ou até décadas a suas doenças ou a seus sintomas? E se elas tivessem tentado de tudo – trocar de dieta e de estilo de vida, livrar-se dos alimentos processados, tomar pilhas de suplementos e se consultar com inúmeros médicos – e, mesmo assim, seu estado de saúde continuasse inalterado? E se, após ter estado doentes por tanto tempo e ter lutado tanto para se curar, elas tivessem finalmente encontrado uma resposta que funciona? Não seria incrível? Uma resposta que as resgatasse da escuridão e, pela primeira vez, as conduzisse para a luz.

E se elas se vissem novamente capazes de trabalhar, com menos dor, capazes de cumprir suas tarefas cotidianas, capazes de reassumir o controle sobre a própria vida? E se voltassem a se sentir como se sentiam outrora – ou passassem a se sentir ainda melhor – e reencontrassem a esperança no futuro, por terem descoberto algo que de fato funciona e continua funcionando a cada dia, sem perder-se no passado? Não estamos falando de uma pessoa em cada 100 passando a sentir-se um pouquinho melhor em um dos 30 dias do mês. Estamos falando de milhares de pessoas, chegando agora às centenas de milhares e aos milhões, recuperando-se plenamente, como se um sonho se tornasse realidade.

Não seria fantástico? Ou duvidaríamos delas? Pensaríamos que haviam exagerado no relato de sua cura? Duvidaríamos de que houvessem estado tão doentes quanto dizem? Pensaríamos tratar-se de algo incrível, algo em que não se deve crer? Podemos mesmo nos fazer essas perguntas, pois *existem* milhões – na verdade, bilhões – de pessoas que estão doentes e não conseguem seguir em frente; pessoas que tentaram de tudo e não conseguiram encontrar resposta; não se trata da visão distópica de um futuro terrível, mas da realidade que vivemos hoje. E, finalmente, um número cada vez maior dessas pessoas está melhorando.

Apesar do que dizem os que nunca tiveram uma doença grave, as pessoas estão melhorando. Apesar do que dizem aqueles que não sabem o que é sucumbir a um problema de saúde, que não sabem quão difícil é a vida de cada dia para quem sofre de dores físicas e emocionais e que, mesmo assim, querem ser formadores de opinião no campo da saúde, embora disseminem informações incorretas inadvertidamente, as pessoas estão, sim, melhorando por causa do suco de aipo. Apesar do que dizem as almas perdidas que não compreendem isso, milhões de pessoas estão se curando, assumindo o controle da própria vida e testemunhando milagres. Estão descobrindo que isso não é um sonho. É real.

Quer gostemos, quer não, quer queiramos que tudo isso acabe, quer o consideremos maravilhoso, o movimento de cura sobre o qual você leu neste livro está acontecendo e não vai parar. É um movimento que nos oferece a oportunidade rara de renascer das cinzas e encontrar a cura. É algo maior que cada um de nós.

Você pode optar por ignorar o movimento, e respeito essa sua opção. É um direito seu. Pode também optar por adotá-lo e usá-lo para curar a si próprio e às pessoas ao ser redor, tornando-se também um crente. Ou pode optar pelo caminho do meio: fazer uma experiência para ficar mais saudável e manter-se saudável nos anos vindouros, mas decidir não divulgar o movimento. Seja qual for a abordagem escolhida, haverá milhões que creem – ou, mais ainda, que sabem. O conhecimento desses milhões deveria ser suficiente para você.

Eles sabem disso porque antes não conseguiam sair da cama. Não enxergavam, não ouviam bem. Por maior que fosse a dor deles, também se sentiam entorpecidos por estarem presos a uma doença crônica que, com demasiada frequência, não era reconhecida pelas pessoas ao redor. E então esses milhões começaram a se curar e continuaram se curando. A fé que eles têm é assim tão luminosa porque seus problemas foram e continuaram sendo resolvidos e eles já não se encontram presos, desesperançados, sem resposta alguma. Não só deixaram o desespero para trás como já sequer precisam ter esperança. Não precisam mais ter a esperança de que apareça algo que os salve, pois esse algo já apareceu, eles o utilizaram e se salvaram. Passaram do desespero ao "espero que isto funcione" e daí à constatação de que "já funcionou. Já me ajudou. Estou melhorando e estou recuperando o controle sobre a minha vida".

Lembro-me de que, quando eu era novo, oferecia o suco de aipo puro às muitas pessoas que dele necessitavam por sofrer de sintomas e doenças incipientes ou já instalados. Lembro-me de que via essas pessoas se recuperar, ganhar força e se curar. Lembro-me de que pensava: *Se isto realmente funciona, vai resistir à prova do tempo.* Fazia sentido concluir que, se o suco de aipo estava funcionando e as pessoas estavam se curando, o mundo tinha de saber sobre o assunto, e o suco de aipo acabaria sendo aceito no devido tempo.

E, milagrosamente, hoje em dia o mundo já sabe. Não por causa de uma campanha de mídia financiada por um estoque inesgotável de dinheiro. O movimento teve uma origem completamente diferente: a voz de cada indivíduo que adotou esse milagre de cura perseverou em seu uso e o transmitiu a outros companheiros de viagem. Foi um movimento que permaneceu silencioso por bastante tempo e cresceu de modo natural e orgânico. O movimento não tinha somente uma alma, tinha uma verdade, e se tornou forte antes de a maioria das pessoas saber de sua existência. Quando chegou a hora, tornou-se tão forte que virou um tsunami, com um número enorme de pessoas dispostas a falar a verdade sobre a cura que haviam experimentado. O tsunami chegou à praia e imediatamente cobriu todo o litoral. Os que ainda não haviam prestado atenção sacudiram a cabeça, atônitos, perplexos ou descrentes. "De onde veio isto?", indagavam. "Por que está inundando tudo? Por que agora?"

O momento em que isso aconteceu é significativo. Se você já se perguntou por que o suco de aipo está correndo o mundo agora e não em outro momento histórico, é porque o ser humano nunca esteve tão doente quanto na era moderna. É agora que a saúde humana vem sendo cada vez mais assediada por sintomas e doenças crônicos que impedem a todos de viver normalmente. É agora que as pessoas mais precisam de respostas de cura.

Você ignoraria uma oferta que pode mudar sua vida só por causa de quem a oferece? Às vezes nos deixamos guiar pelos sentimentos na hora de aceitar ajuda ou não. Dizemos: "Não é o tipo de coisa de que eu gosto", "Não acredito nisso". Se realmente se tratasse de uma resposta que pode melhorar sua vida, você deixaria que essa perspectiva passasse por cima do seu sentimento inicial de insegurança? Já vi pessoas que se colocam diante de seus 480 ml de suco de aipo nervosas, como se estivessem a ponto de se jogar de um precipício e cair nas águas revoltas lá embaixo. Na cabeça delas, elas lutam contra um condicionamento: a ideia de que o aipo é insignificante e de que beber suco de aipo não pode ter valor algum. Apenas essa ideia já é suficiente para impedi-las de fazer sequer a experiência, ou seja, de dar um passo em direção à cura. Para alguns, ver que o suco de aipo reverteu a doença de outros não é suficiente para responder às suas dúvidas acerca da fonte da informação e do valor do aipo. Alguns só são capazes de confiar no que sai de uma caixinha de papelão e parece ter sido sistematicamente testado e aprovado por uma autoridade oficial. Não deixe que esse medo o impeça de se curar.

A verdade sobre as doenças crônicas está oculta há muitas décadas. Boas pessoas têm feito pesquisas e se aproximado das respostas, mas sempre que um neurologista famoso chega perto de explicar o que causa determinados sintomas e doenças de repente não consegue mais seguir em frente, por falta de financiamento. Em uma época na qual tanta gente tem sofrido e até perdido a vida por falta de respostas, no momento em que a medicina moderna vai chegando perto dessa resposta, todo o progresso é engavetado. As respostas são *quase* encontradas, e só. Uma teoria como a que joga toda a culpa nos genes só serve para nos afastar ainda mais da verdade, pois leva a ciência médica a despejar todos os seus recursos na pesquisa genética, em vez de procurar as respostas que realmente poderiam pôr fim à epidemia de doenças crônicas que já está entre nós há tempo demais.

Quantas vezes já aconteceu de você ver algo que poderia tomar outro rumo se as pessoas envolvidas compreendessem o que você já aprendeu na vida? Durante toda a minha vida, assisti à passagem das décadas enquanto a comunidade médica dava um passo para a frente e dois para trás, na tentativa de descobrir por que as pessoas sofrem. Já os vi quase esbarrar na resposta para a causa das doenças crônicas, mas então parar antes de obter sucesso. Minha tarefa é dar a você essas respostas, e uma delas é o poder de cura do suco de aipo. Está pronto para recebê-las?

Recebi as respostas para a questão dos sintomas e doenças crônicos para que você não precise mais ser obstaculizado pelos enganos e bloqueios do progresso da medicina em relação ao entendimento disso. Aqui não há falta de financiamento, não há interesses ocultos, não há erros entronizados que possam impedi-lo de descobrir como seguir em frente, pois não estou acorrentado a um sistema. A liberdade que vive nestas palavras não pode ser abalada.

A EPIDEMIA DE DOENÇAS CRÔNICAS E MISTERIOSAS

Nunca houve tantas doenças crônicas. Só nos Estados Unidos, mais de 250 milhões de pessoas estão doentes ou têm de lidar com sintomas misteriosos. São pessoas que levam uma vida reduzida e não encontram explicação para esse fato – ou só encontram explicações que não as convencem ou as fazem sentir-se ainda pior. Você talvez seja uma dessas pessoas. Se for, poderá confirmar que a ciência médica ainda está desconcertada, sem saber o que está por trás dessa epidemia de sofrimento e sintomas misteriosos.

Quero deixar claro que tenho reverência pela boa medicina. Há médicos, cirurgiões, enfermeiras, técnicos, pesquisadores, químicos e outros profissionais incrivelmente talentosos, que fazem um trabalho de grande profundidade tanto na medicina convencional quanto na alternativa. Já tive o privilégio de trabalhar com alguns deles. Graças a Deus por esses agentes de cura compassivos. Aprender a compreender nosso mundo por meio de investigações rigorosas e sistemáticas é uma das vocações mais elevadas que se pode imaginar.

A maioria dos médicos tem uma sabedoria e uma intuição inatas que lhes dizem que o *establishment* da medicina não lhes dá aquilo de que precisam para oferecer o melhor diagnóstico e o melhor plano de tratamento quando a questão são doenças crônicas. Quantas vezes você já ouviu a frase: "Não há cura conhecida para o [preencha aqui o nome da doença]?". Mesmo nas melhores faculdades de medicina, frequentadas pela elite da elite, há médicos que foram os melhores alunos de suas turmas e reconhecem honestamente que, mesmo depois de se formar, não tinham preparo para tratar de pacientes de doenças crônicas. Tiveram de se especializar sozinhos. Há também médicos que acreditam que a faculdade lhes deu todas as respostas e que, por algum motivo, sua formação está acima dos mistérios das doenças crônicas; pensam que tudo o mais é bobagem e superstição. Isso é uma infelicidade, pois negam a experiência de milhões de pessoas que estão sofrendo sem encontrar respostas satisfatórias. De um jeito ou de outro, não é por culpa dos médicos nem dos pesquisadores que a indústria da medicina não conseguiu resolver os mistérios das doenças crônicas. Todos os dias, mentes científicas incrivelmente brilhantes esbarram em descobertas que, para serem investigadas de modo mais detalhado, precisam aguardar o sinal verde dos investidores e de quem toma as decisões no topo da pirâmide. Milhares de descobertas que poderiam, de fato, mudar para melhor a vida de tanta gente são obstaculizadas, e os cientistas responsáveis são postos de escanteio.

Às vezes concebemos a ciência médica como se ela fosse uma matemática pura, regida somente pela lógica e pela razão. Embora tenham alguns pontos de contato, a matemática e a medicina não são a mesma coisa. A matemática é definitiva; a medicina, não. A verdadeira ciência se aplica a um resultado, uma consequência da aplicação de uma teoria. Pode-se usar a matemática na medicina; pode-se utilizá-la para fabricar um medicamento, por exemplo, mas esse medicamento só poderá ser considerado científico quando houver provas de sua eficácia e os números finais fizerem sentido. Os laboratórios científicos são parques de diversões para pessoas que justapõem metodicamente diferentes materiais a fim de testar diferentes hipóteses e teorias, enquanto os investidores os pressionam para obter o mais rapidamente possível um resultado favorável. Com demasiada frequência, as teorias são tratadas como fatos antes que possam ser devidamente provadas – ou refutadas. É esse, em especial, o caso das doenças crônicas. Na medicina das doenças crônicas, é muito raro que se obtenha uma resposta direta e correta.

Não seria ótimo se a ciência fosse o ideal que às vezes imaginamos que seja? Se fosse uma atividade que nada tivesse a ver com dinheiro e em que somente a verdade vencesse? Como qualquer outra atividade humana, a ciência médica ainda é um trabalho em andamento. Pense no recente reconhecimento do mesentério como um órgão. Esse tecido conjuntivo ativo, semelhante a uma malha, é conhecido há muitíssimo tempo e foi até objeto de estudos especiais em certos momentos, mas somente agora está ganhando o reconhecimento que merece. E outras coisas do tipo ainda vão acontecer; todos os dias são feitas novas descobertas. A ciência evolui constantemente. Assim, teorias que hoje parecem explicar tudo podem revelar-se obsoletas no dia seguinte. Ideias que hoje parecem ridículas podem mostrar-se salvadoras amanhã. Isso se traduz no seguinte: a ciência ainda não tem todas as respostas.

Já esperamos mais de 100 anos para que a comunidade médica nos dissesse como os que convivem com problemas crônicos de saúde podem melhorar – e ninguém nos disse nada até agora. Você não é obrigado a esperar mais 10, 20 ou 30 anos para que as pesquisas científicas encontrem uma resposta verdadeira. Se está preso à cama, se cada dia lhe parece uma provação interminável, se você está perdido no que se refere à sua saúde, não deve ser obrigado a esperar sequer mais um dia, quanto mais uma década. Também não deve ser obrigado a ver seus filhos passarem por isso – e, no entanto, milhões de pessoas vivem nessa situação.

UMA FONTE SUPERIOR

Foi por isso que o Espírito do Altíssimo, a expressão da compaixão de Deus, entrou na minha vida quando eu tinha 4 anos: para me ensinar a ver as verdadeiras causas do sofrimento humano e transmitir essas informações ao mundo. Se você quiser saber mais sobre minhas origens, encontrará minha história no livro *Médium Médico: Os Segredos por Trás de Doenças Crônicas e Misteriosas e como Finalmente se Curar*. Para resumir a história, o Espírito fala constantemente em meus ouvidos, com clareza e precisão, como se fosse um amigo em pé ao meu lado, informando-me sobre os sintomas de todos os que estão ao meu redor. Além disso, o Espírito me ensinou desde muito cedo a ver imagens físicas das pessoas, como se fossem imagens de ressonância magnética superpoderosas, que revelam todos os bloqueios, doenças, infecções, áreas problemáticas e problemas passados.

Nós vemos você. Sabemos o que vem enfrentando. E não queremos vê-lo nesse estado nem mais um segundo. O trabalho da minha vida é transmitir essas informações para que você possa se elevar acima do mar de confusão – do ruído e da retórica das modas e tendências de saúde atuais –, a fim de recuperar a saúde e decidir você mesmo o rumo da sua vida.

O material contido neste livro é autêntico, real, e oferecido para o seu benefício. Este livro não é igual aos outros livros que falam de saúde. Há tanta coisa contida aqui que você talvez queira voltar ao início e reler o livro para ter certeza de ter absorvido todas as informações. É certo que, às vezes, essas informações parecem o contrário de tudo o que você já ouviu e, também às vezes, parecem próximas do que você já viu em outras fontes, mas sempre com algumas diferenças cruciais e sutis. O que há de comum entre todas as informações contidas neste livro é que elas são verdadeiras. Não são teorias recicladas ou reembaladas para dar a impressão de serem um entendimento novo sobre os sintomas e doenças crônicos. As informações aqui não provêm de um *establishment* científico corrupto, de grupos de interesse, de linhas de financiamento à pesquisa que querem forjar resultados, de pesquisas falhas, de lobistas, de propinas, de sistemas de crenças rígidos, de painéis privados de formadores de opinião, de lucros distribuídos no campo da saúde nem de tendências perigosas.

Os obstáculos mencionados acima impedem que a medicina e a ciência deem os saltos que deveriam dar na compreensão das doenças crônicas e de sua cura. Pense no seguinte: se você fosse um cientista e tivesse uma teoria, necessitaria arranjar investidores para prová-la, ou seja, teria de vender-lhes sua ideia. Se os investidores gostam da sua ideia, em geral é porque querem ver certo resultado e, por isso, financiam suas pesquisas. Esse financiamento vem acompanhado de uma pressão incalculável pela produção de resultados e provas favoráveis e tangíveis, que justifiquem a quantia de dinheiro empenhada pelos investidores. Os cientistas que se veem nessa posição têm medo de que, se não obtiverem os resultados esperados, nunca mais obterão nenhum investidor para nenhuma outra teoria e de que seu nome será desconsiderado no quadro de sua profissão. Isso não lhes deixa muito espaço para seguir aquele que deveria ser o caminho natural da investigação: às vezes, certas ideias não dão certo, ou caminham em uma direção inesperada, ou revelam que certas crenças fundamentais não são abalizadas. Essa situação nos leva a questionar se os resultados revolucionários obtidos em certos estudos, acerca dos quais lemos, são sempre tão revolucionários quanto se relata. Quando fontes externas têm interesse em ocultar certas verdades, um tempo e um dinheiro preciosos são gastos em áreas de pesquisas improdutivas. Certas descobertas que realmente poderiam fazer avançar os tratamentos das doenças crônicas são ignoradas e perdem financiamento. Os dados científicos que imaginamos serem absolutos podem, na verdade, ter sido distorcidos – contaminados e manipulados – e depois tratados como leis eternas por outros profissionais de saúde, muito embora sejam intrinsecamente falhos. É por isso que encontramos tantas confusões e tantos conflitos quando tentamos nos manter atualizados com as informações de saúde. Nem todas essas informações são verdadeiras.

O suco de aipo já se mostrou eficaz, testado nas mãos e nas casas de muitas pessoas sem nenhum financiamento ou interesse por determinado resultado. Multiplicam-se cada vez mais os documentos que provam que o suco de aipo está ajudando pessoas. Ele vem sendo validado dia após dia. Os milhares que melhoram com o consumo de suco de aipo, muitos dos quais não mudam mais nada em sua vida a não ser passar a tomar suco de aipo, levam a questão para fora do domínio teórico e introduzem-na do domínio da verdade médica. No sentido original da palavra, "ciência" significa conhecimento. Nunca vi um conhecimento mais seguro do que o de quem, depois de tentar de tudo, tomou suco de aipo e conseguiu sair da cama e voltar a viver.

Os fatos e números acerca do suco de aipo e das doenças crônicas contidos neste livro não vieram acompanhados de citações de estudos científicos provindos de fontes improdutivas. Você não precisa se preocupar com a possibilidade de essas informações acabarem se mostrando equivocadas ou ultrapassadas, como acontece com outros livros de saúde, pois todas as informações de saúde que partilho aqui provêm de uma fonte pura, intacta, avançada e limpa – uma fonte superior: o Espírito de Compaixão. Não há nada que cure mais do que a compaixão.

Se você só acredita na ciência e em nada mais, saiba que eu também gosto da ciência. Mas saiba que a ciência ainda tem muito o que aprender. Embora nossa época seja incrível, também estamos mais doentes e cansados que em qualquer outro momento da história. Se os profissionais da medicina tivessem alguma ideia do que realmente causa sofrimento nas pessoas, haveria uma revolução no modo como pensamos em praticamente todos os aspectos da nossa saúde.

Diferentemente de outras áreas da ciência, muito voltadas para pesos, medidas e matemática, o pensamento científico sobre doenças crônicas ainda é teórico – e as teorias de hoje são muito pouco verdadeiras. É por isso que tantas pessoas ainda sofrem com sintomas e doenças crônicos. Se as coisas continuarem como estão, chegaremos a um ponto em que já não haverá estudo algum nem pesquisa alguma que não sirva a interesses que influenciam os resultados em um sentido contrário ao dos nossos interesses. É em razão dessa tendência que o *establishment* científico decepcionou desde o começo os portadores de doenças crônicas, decepcionou os próprios médicos e deixou centenas de milhões de pessoas entregues ao sofrimento. Você não precisa ser uma dessas pessoas.

NÓS, OS QUESTIONADORES

No passado, vivíamos sob a lei da autoridade. Diziam-nos que a Terra era plana e que o sol girava ao redor dela, e acreditávamos nisso. Essas teorias não eram fatos, mas as pessoas as tratavam como tais. Quem vivia naquela época não achava que sua vida era retrógrada; as coisas eram daquele jeito, e só. Quem quer que falasse contra o *status quo* era considerado um tolo. Foi então que ocorreu a mudança de paradigma ocasionada pelo surgimento da ciência. Os questionadores – os pesquisadores e pensadores comprometidos –, aqueles que desde sempre não haviam se contentado em apenas aceitar os "fatos", finalmente conseguiram provar que a atividade analítica poderia abrir o caminho para um entendimento muito mais profundo e verdadeiro do nosso mundo.

Hoje a ciência se tornou a nova autoridade. Em alguns casos, isso salva vidas. Os cirurgiões de hoje usam instrumentos esterilizados, por exemplo, pois compreendem o risco de contaminação que os cirurgiões de antigamente sequer percebiam. A ocorrência de alguns avanços, entretanto, não deve nos impedir de questionar. É hora de mudar de novo o paradigma. "A ciência diz..." já não é uma resposta suficiente quando o assunto são doenças crônicas. Essa ciência foi bem feita? Quem a financiou? O grupo de amostragem era diversificado o suficiente? Os controles foram tratados de maneira ética? Foram levados em conta um número suficiente de fatores? Os instrumentos de medida eram avançados o bastante? A análise aplicada aos resultados chega a conclusões muito diferentes das indicadas pelos próprios dados? Houve parcialidade? Alguma influência do *establishment* favoreceu um dos lados da balança? Algumas pesquisas passam com louvor nesses quesitos; outras revelam falhas: propinas, lucros, amostras pequenas, controle mal feito. A palavra *ciência* nos é dita como se tivéssemos de nos curvar perante ela sem questioná-la. Isso se parece muito com uma ideologia autoritária, não? Ainda não nos libertamos desse sistema de crença tanto quanto imaginamos. O progresso só acontece quando a própria estrutura é questionada – e, na sociedade atual, é proibido questionar a estrutura da ciência.

As tendências nem sempre se mostram como tais. Muitas vezes se disfarçam de conselhos médicos sólidos. Boa parte das informações de saúde que circulam por aí são repetições ou, pior ainda, resultados finais ininteligíveis de um longo jogo de telefone sem fio. Quando alguém nos manda uma mensagem com um interesse oculto por trás, de modo que ela nos chega distorcida, temos de tomar cuidado. Antigamente, as boas fontes primárias eram a coisa mais importante. Hoje em dia, quando a pressão para gerar conteúdo é enorme, algumas pesquisas de revisão da literatura científica sobre saúde são feitas às pressas e publicadas com base em uma única fonte que pareça razoável. É preciso avaliar os interesses especiais de quem interpreta e publica a informação. Os próprios resultados das pesquisas acaso são confiáveis?

A ciência é usada com demasiada frequência como um mecanismo de ataque. O rótulo de "científico" pode ser usado para dar interpretações forçadas a tudo o que você possa imaginar. Pense, por exemplo, na guerra das dietas. Os veganos e os vegetarianos brigam contra os adeptos das dietas cetogênica e paleolítica usando a ciência. Os adeptos das dietas cetogênica e paleolítica usam a ciência para combater os veganos e vegetarianos. Ambos usam estudos científicos para justificar suas posições – pois é possível encontrar estudos que justificam praticamente qualquer coisa. Quando nem a ciência é suficiente, os adeptos das diversas dietas procuram atingir os aspectos emocionais do sistema de crença de seus rivais. Os veganos e vegetarianos chamam os adeptos das dietas cetogênica e paleolítica de assassinos de animais. Os adeptos das dietas cetogênica e paleolítica dizem que os veganos e vegetarianos estão matando de fome a eles próprios e a seus filhos. E, independentemente de qualquer coisa, todos se deparam com problemas de saúde que nem eles nem a ciência compreendem. Para melhorar, não é preciso escolher um lado ou adotar um sistema de crenças momentâneo – mesmo que seja um sistema de crenças baseado nos relatos que você leu sobre estudos científicos. Para melhorar, é preciso compreender nosso cérebro e nosso corpo e lhes dar o apoio de que precisam.

Não vamos chegar lá tratando a ciência como uma deusa e tratando como tolos os que questionam as teorias e descobertas científicas. A ciência médica busca a sua própria preservação. Embora os profissionais de saúde individualmente possam ter as melhores intenções, a indústria médica em seu conjunto não está preocupada com as pessoas, mas sim consigo mesma, pois precisa defender e proteger sua própria autoridade. Trata-se de um caso crônico de busca dos próprios interesses.

Sejamos sinceros. A ciência atual é falha, às vezes, até naquelas áreas que consideram mais concretas e exatas. Se você já ouviu falar dos *recalls* de peças para substituição de quadril ou malhas para fechamento de hérnia, sabe do que estou falando. Trata-se de objetos tangíveis que foram projetados de acordo com os mais exigentes critérios científicos, antes ainda de serem postos em uso, e mesmo esse processo altamente científico mostrou que não é garantido. Certos produtos apresentaram problemas imprevistos, e uma área da ciência que parecia incontestável mostrou-se, no fim, falível. Pense em quão grande não deve ser a incerteza que paira sobre o entendimento científico das doenças crônicas e de como o suco de aipo pode aliviá-las. O suco de aipo não é uma peça que pode ser pega na mão, medida e analisada como algo independente de você. Quando você o bebe, ele se torna uma parte ativa do corpo humano, e todos nós sabemos que o corpo humano é um dos maiores milagres e mistérios da existência. Se o suco de aipo contém compostos químicos que a ciência ainda nem sabe que existem, e esses compostos resolvem problemas do nosso corpo que a ciência ainda nem sabe que existem, como podemos confiar em qualquer fonte que diga que o suco de aipo e seus efeitos são banais? Repito: a ciência é uma atividade humana e um trabalho em andamento, especialmente quando envolve a decodificação do corpo humano. É preciso vigilância, receptividade, humildade e adaptabilidade constantes para garantir o progresso contínuo desse trabalho.

Se você nunca teve problemas graves de saúde e nunca sofreu durante anos sem encontrar respostas referentes à sua doença, ou caso se sinta engessado dentro de um determinado sistema de crenças médico, científico ou nutricional, espero que leia estas palavras com curiosidade e de coração aberto. O sentido por trás dos onipresentes sintomas e doenças crônicos de hoje em dia é muito maior do que qualquer pessoa já tenha constatado. O que você acaba de ler é diferente de quaisquer outras informações sobre problemas de saúde crônicos e sobre cura que você já tenha visto. É algo que já ajudou milhões de pessoas nas últimas décadas.

TODOS JUNTOS

Desde que comecei a partilhar as informações do Espírito, tive a felicidade de vê-las fazer a diferença na vida de muita gente. Com a publicação dos livros da série O Médium Médico, comovi-me ainda mais ao ver essas informações se disseminarem pelo mundo e ajudarem mais milhares de pessoas.

Também notei que algumas dessas mensagens foram manipuladas por indivíduos voltados para a carreira, que procuravam galgar as escadarias da fama e da notoriedade. Essa abordagem visa à dor profunda que as pessoas sentem e procura tirar vantagem dela.

Não era dessa maneira que deveria ser usado o dom que recebi do Espírito. O Espírito é uma voz para os que precisam de respostas, uma fonte independente de um sistema cheio de armadilhas, as quais já fizeram com que muitas vidas se perdessem ao longo do caminho. Gostamos muito de ver pessoas que se tornam especialistas nas informações de cura que partilho e difundem a mensagem de compaixão a fim de realmente ajudar os outros. Sou muito grato por isso. O perigo é quando essas informações são adulteradas – misturadas com dados equivocados das tendências da moda, modificadas para parecerem originais ou descaradamente plagiadas e atribuídas a fontes aparentemente críveis, mas que nada têm a ver com a verdade. Digo isso porque quero que você saiba se proteger e proteger seus entes queridos contra a desorientação que circula por aí.

Este livro não é mais uma repetição de tudo aquilo que você já leu. Não é porta-voz de um sistema de crenças que culpa seus genes ou diz que seu corpo é defeituoso, nem pretende introduzir uma leve modificação em uma dieta de alto teor proteico, que está na moda, apenas para afastar alguns sintomas. Esta informação é nova – uma perspectiva completamente nova sobre os sintomas que travam a vida de tanta gente, uma perspectiva completamente nova sobre o que você pode fazer para se curar.

Entendo que você esteja cauteloso. Reagir, julgar – são atitudes naturais para nós. Em certas circunstâncias, elas podem representar um instinto de proteção; às vezes, ajudam-nos a seguir em frente na vida. Neste caso, porém, espero que você as reconsidere. Talvez o julgamento o impeça de aprender a verdade. Talvez você perca a oportunidade de ajudar a si mesmo ou a outra pessoa.

Todos nós estamos juntos e queremos que as pessoas melhorem, e eu, de minha parte, quero que você se torne um novo especialista no suco de aipo. Obrigado por me acompanhar nesta jornada de cura e por ter reservado tempo para ler este livro. Se você introduzir na vida as verdades que acabou de ler, tudo mudará para você e para as pessoas ao seu redor – e você finalmente será dono do conhecimento e da fé.

Índice Remissivo

Nota: os números de páginas entre parênteses indicam referências intermitentes.

D

doenças, como procurar, 49-50, 125. *Veja também* doenças crônicas; *sintomas ou doenças específicos*

"Se os profissionais da medicina tivessem alguma ideia do que realmente causa sofrimento nas pessoas, haveria uma revolução no modo como pensamos em praticamente todos os aspectos da nossa saúde."

— Anthony William, o Médium Médico

Agradecimentos

Meu muito obrigado a Patty Gift, Anne Barthel, Reid Tracy, Margarete Nielsen, Diane Hill, todos da Hay House Radio, e ao restante da equipe da Hay House, pela fé e o compromisso de divulgar ao mundo a sabedoria do Espírito, para que ela continue mudando a vida das pessoas.

Helen Lasichanh e Pharrell Williams, vocês são videntes de coração extremamente bondoso.

Sylvester Stallone, Jennifer Flavin Stallone e família, o apoio de vocês foi incrível e mudou toda a situação.

Jennifer Aniston, sua gentileza, seu carinho e seu apoio estão em um outro nível.

Miranda Kerr e Evan Spiegel, é incrível poder contar com suas mãos de luz e compaixão por trás do movimento de cura.

Novak e Jelena Djokovic, vocês são pioneiros na promoção da saúde e em ensinar ao mundo como viver melhor.

Gwyneth Paltrow, Elise Loehnen e a dedicada equipe da GOOP, o carinho e a generosidade de vocês me inspiram profundamente.

Dra. Christiane Northrup, sua devoção inesgotável à saúde das mulheres tornou-se uma estrela a mais no céu.

Dra. Prudence Hall, seu trabalho altruísta para esclarecer os pacientes que precisam de respostas dá novo alento ao significado verdadeiro e heroico da palavra *médico*.

Craig Kallman, obrigado por seu apoio, por sua defesa e por sua amizade nesta jornada.

Chelsea Field e Scott, Wil e Owen Bakula, como pude merecer a bênção de ter vocês na minha vida? Vocês são verdadeiros pregadores pela causa O Médium Médico.

Kimberly e James Van Der Beek, vocês e sua família ocupam um lugar especial no meu coração. Sou verdadeiramente grato pelo fato de terem cruzado meu caminho nesta vida.

Kerri Walsh Jennings, você me inspira com sua natureza esperançosa e sua infinita energia positiva.

John Donovan, é uma honra estar no planeta ao lado de uma alma que se esforça tanto em prol da paz.

Nanci Chambers e David James, Stephanie e Wyatt Elliott, não consigo agradecer suficientemente a vocês pela querida amizade e o permanente encorajamento.

Lisa Gregorisch-Dempsey, seus atos de bondade foram profundamente significativos.

Grace Hightower De Niro, Robert De Niro e família, vocês são seres humanos preciosos e generosos.

Liv Tyler, é uma imensa honra fazer parte do seu mundo.

Jenna Dewan, seu espírito combativo é uma inspiração.

Debra Messing, você está melhorando a vida das pessoas com sua visão de um planeta mais saudável.

Alexis Bledel, sua força neste mundo nos encoraja de modo extraordinário.

Lisa Rinna, obrigado por usar sua influência de maneira incansável para espalhar esta mensagem.

Taylor Schilling, que alegria ter conhecido você e poder contar com seu apoio.

Marcela Valladolid, ter conhecido você foi um presente na minha vida.

Kelly Noonan e Alec Gores, obrigado por sempre cuidar de mim. Isso me é muito importante.

Erin Johnson, saber que você está do meu lado é uma bênção.

Jennifer Meyer, sou mais que grato por sua amizade e pelo modo como sempre está divulgando a mensagem.

Calvin Harris, você mudou o mundo com um ritmo poderoso.

Courteney Cox, obrigado por ter um coração tão puro e amoroso.

Hunter Mahan e Kandi Harris, estou orgulhoso de vocês por estarem sempre dispostos a aceitar um desafio.

Peggy Lipton, Kidada Jones e Rashida Jones, o carinho e a compaixão profundos que vocês trazem para esta vida são mais importantes do que vocês imaginam.

Kris, Kourtney, Kim, Kanye, Khloé, Rob, Kendall, Kylie e família, é uma honra fazer parte do mundo dos Kardashian-Jenner, que vem ajudando tanta gente.

Agradeço às seguintes almas especiais, cuja lealdade é um tesouro para mim: Naomi Campbell; Eva Longoria; Carla Gugino; Mario Lopez; Renée Bargh; Tanika Ray; Maria Menounos; Michael Bernard Beckwith; Jay Shetty; Alex Kushneir; LeAnn Rimes Cibrian; Hana Hollinger; Sharon Levin; Nena, Robert e Uma Thurman; Jenny Mollen; Jessica Seinfeld; Kelly Osbourne; Demi Moore; Kyle Richards; Caroline Fleming; India.Arie; Kristen Bower; Rozonda Thomas; Peggy Rometo; Debbie Gibson;

Carol, Scott e Christiana Ritchie; Jamie-Lynn Sigler; Amanda de Cadenet; Marianne Williamson; Gabrielle Bernstein; Sophia Bush; Maha Dakhil; Bhavani Lev e Bharat Mitra; Woody Fraser, Milena Monrroy, Midge Hussey e todo o pessoal da Hallmark's Home & Family; Morgan Fairchild; Patti Stanger; Catherine, Sophia e Laura Bach; Annabeth Gish; Robert Wisdom; Danielle LaPorte; Nick e Brenna Ortner; Jessica Ortner; Mike Dooley; Dhru Purohit; Kris Carr; Kate Northrup; Kristina Carrillo--Bucaram; Ann Louise Gittleman; Jan e Panache Desai; Ami Beach e Mark Shadle; Brian Wilson; Robert e Michelle Colt; John Holland; Martin, Jean, Elizabeth e Jacqueline Shafiroff; Kim Lindsey; Jill Black Zalben; Alexandra Cohen; Christine Hill; Carol Donahue; Caroline Leavitt; Michael Sandler e Jessica Lee; Koya Webb; Jenny Hutt; Adam Cushman; Sonia Choquette; Colette Baron-Reid; Denise Linn; e Carmel Joy Baird. Valorizo profundamente todos vocês.

Aos médicos compassivos e aos outros agentes de cura deste mundo que mudaram a vida de tanta gente: tenho um respeito tremendo por vocês. Dr. Alejandro Junger, Dr. Habib Sadeghi, Dra. Carol Lee, Dr. Richard Sollazzo, Dr. Jeff Feinman, Dra. Deanna Minich, Dr. Ron Steriti, Dra. Nicole Galante, Dra. Diana Lopusny, Drs. Dick e Noel Shepard, Dra. Aleksandra Phillips, Dr. Chris Maloney, Drs. Tosca e Gregory Haag, Dr. Dave Klein, Dra. Deborah Kern, Drs. Darren e Suzanne Boles, Dra. Deirdre Williams e o falecido Dr. John McMahon, e a Dra. Robin Karlin — é uma honra poder chamar vocês de amigos. Muito obrigado por sua infinita dedicação à cura.

Obrigado a David Schmerler, Kimberly S. Grimsley e Susan G. Etheridge por terem me apoiado.

Um caloroso muito obrigado, do fundo do coração, a Muneeza Ahmed; Lauren Henry; Tara Tom; Bella; Gretchen Manzer; Kimberly Spair; Megan Elizabeth McDonnell; Ellen Fisher; Hannah McNeely; Victoria e Michael Arnstein; Nina Leatherer; Michelle Sutton; Haily Cataldo; Kerry; Amy Bacheller; Michael McMenamin; Alexandra Laws; Ester Horn; Linda e Robert Coykendall; Tanya Akim; Heather Coleman; Glenn Klausner; Carolyn DeVito; Michael Monteleone; Bobbi e Leslie Hall; Katherine Belzowski; Matt e Vanessa Houston; David, Holly e Ginnie Whitney; Olivia Amitrano e Nick Vazquez; Melody Lee Pence; Terra Appelman; Eileen Crispell; Bianca Carrillo-Bucaram; Jennifer Rose Rossano; Kristin Cassidy; Catherine Lawton; Taylor Call; Alana DiNardo; Min Lee; e Eden Epstein Hill.

Obrigado às incontáveis pessoas, dentro e fora das comunidades O Médium Médico, que tive o privilégio e a honra de ver florescer, curar-se e transformar-se.

Muito obrigado ao Grupo de Apoio aos Profissionais. Agradeço por partilharem o valor de suas experiências e por levarem seus ensinamentos a outras pessoas. Vocês estão mudando o mundo.

Sally Arnold, obrigado por fazer brilhar sua luz e emprestar sua voz ao movimento.

Ruby Scattergood, sua paciência magistral e as horas incontáveis de dedicação ao projeto moldaram de forma heroica a estrutura deste livro. A série O Médium Médico não seria possível sem sua redação e sua edição. Obrigado por seus conselhos literários.

Vibodha e Tila Clark, o gênio criativo de vocês foi essencial para a causa de ajudar os outros. Muito obrigado por estar ao nosso lado ao longo de tantos anos.

Friar e Clare: *Bem-aventurado o que lê e o que ouve as palavras desta profecia e guarda as coisas que nela estão escritas; porque o tempo está próximo* (Apocalipse 1:3).

Sepideh Kashanian e Ben, obrigado por seu carinho caloroso e amoroso.

Ashleigh, Britton e McClain Foster e Sterling Phillips, obrigado pelo esforço e pela devoção. É uma bênção termos vocês ao nosso lado.

Jeff Skeirik, obrigado, amigo, pelas melhores fotos.

Robby Barbaro e Setareh Khatibi, a positividade inabalável de vocês ilumina todos ao seu redor.

Pelo amor e pelo apoio, como sempre, agradeço à minha família: minha esposa luminosa; Papai e Mamãe; meus irmãos, sobrinhas, sobrinhas, tias e tios; meus campeões Indigo, Ruby e Great Blue; Hope; Marjorie e Robert; Laura; Rhia e Byron; Alayne Serle e Scott, Perri, Lissy e Ari Cohn; David Somoroff; Joel, Liz, Kody, Jesse, Lauren, Joseph e Thomas; Brian, Joyce e Josh; Jarod; Brent; Kelly e Evy; Danielle, Johnny e Declan; e todos os meus entes queridos que já passaram para o outro lado.

Agradeço, por fim, a você, Espírito do Altíssimo, por proporcionar a todos nós a sabedoria compassiva dos céus que nos inspira a levantar a cabeça e a portar os dons sagrados que você, em sua bondade, nos deu. Obrigado por me aguentar ao longo destes anos e me lembrar de manter o coração leve, com sua paciência infinita e sua permanente disposição para responder às minhas perguntas na busca da verdade.

"Aquele que passa por muitos problemas de saúde tende a ter o coração puro, cheio de boas intenções, pois sabe o que é sofrer. (...) O suco de aipo é a resposta perfeita para sua honestidade e sua pureza de coração. (...) O suco de aipo é um presente dos céus, de Deus."

— Anthony William, o Médium Médico

GRUPO EDITORIAL PENSAMENTO

O Grupo Editorial Pensamento é formado por quatro selos:
Pensamento, Cultrix, Seoman e Jangada.

Para saber mais sobre os títulos e autores do Grupo
visite o site: www.grupopensamento.com.br

Acompanhe também nossas redes sociais e fique por dentro dos próximos
lançamentos, conteúdos exclusivos, eventos, promoções e sorteios.

editoracultrix
editorajangada
editoraseoman
grupoeditorialpensamento

Em caso de dúvidas, estamos prontos para ajudar:
atendimento@grupopensamento.com.br

Pensamento Cultrix SEOMAN JANGADA
GRUPO EDITORIAL PENSAMENTO